D1262273

10
18

12, AVENUE D'ITALIE. PARIS XIIIe

Sur l'auteur

Bret Easton Ellis est né en 1964 à Los Angeles. Dès la publication de son premier livre, *Moins que zéro*, en 1985, il s'est imposé comme l'un des grands de la littérature contemporaine. Suivront *Les Lois de l'attraction*, *American Psycho*, *Zombies*, *Glamorama*, *Lunar Park*. Traduite dans le monde entier, son œuvre est l'une des plus importantes de la littérature américaine. Son nouveau roman, *Suite(s) impériale(s)*, a paru en 2010 aux éditions Robert Laffont.

BRET EASTON ELLIS

LUNAR PARK

Traduit de l'américain
par Pierre GUGLIELMINA

10
18

« Domaine étranger »

créé par Jean-Claude Zylberstein

ROBERT LAFFONT

Du même auteur
aux Éditions 10/18

MOINS QUE ZÉRO, n° 1914
LES LOIS DE L'ATTRACTION, n° 2113
ZOMBIES, n° 2953
GLAMORAMA, n° 3292
AMERICAN PSYCHO, n° 3773
▸ LUNAR PARK, n° 4330

Titre original :
Lunar Park

ISBN 978-2-264-05113-4

Pour Robert Martin Ellis
1941-1992

et

Michael Wade Kaplan
1974-2004

Le risque du métier en faisant de soi un spectacle
qui n'en finit pas, c'est qu'à un moment donné,
on achète soi-même un billet.
Thomas MCGUANE, *Panama*

Les gens qui se sont fait une idée à propos d'un homme
n'aiment pas devoir changer d'opinion,
réviser leur jugement en raison d'une preuve nouvelle
ou d'arguments nouveaux, et l'homme qui tente de les
forcer
à changer d'avis est, pour le moins, en train de perdre
son temps
et peut-être de chercher des ennuis.
John O'HARA

Des tablettes de ma mémoire
J'effacerai tout ce qui y fut inscrit de futile et de tendre
Tout adage livresque, toute forme,
Toute impression passée
Que ma déférente jeunesse y a copiés
Hamlet, I, v, 95

1
Les débuts

« Tu fais vraiment très bonne impression. »

C'est la première phrase de *Lunar Park* et dans sa brièveté et sa simplicité, elle était censée être un retour à la forme, un écho, de la première ligne du roman de mes débuts, *Moins que zéro* :

« Les gens ont peur de s'engager sur les autoroutes à Los Angeles. »

Depuis, les phrases d'ouverture de mes romans sont devenues exagérément compliquées et fleuries, lestées par une insistance abusive et inutile sur des détails, en dépit de l'art avec lesquelles elles sont composées.

Mon deuxième roman, *Les Lois de l'attraction*, commençait avec celle-ci :

« Et c'est une histoire qui va peut-être t'ennuyer mais tu n'es pas obligé d'écouter, elle m'a dit, parce qu'elle avait toujours su que ça se passerait comme ça, et c'était, pense-t-elle, sa première année ou plutôt son premier week-end, en fait un vendredi de septembre à

Camden, et cela se passait il y a trois ou quatre ans, et elle avait tellement bu qu'elle avait fini au lit, perdu sa virginité (tard, à dix-huit ans) dans la chambre de Lorna Slavin, parce qu'elle était en première année, qu'elle partageait sa chambre et que Lorna était, se souvient-elle, en troisième ou quatrième année et très souvent chez son petit ami en dehors du campus, déflorée non pas comme elle l'avait cru par un étudiant de deuxième année spécialisé en céramique, mais soit par un étudiant en cinéma de la fac de New York, venu dans le New Hampshire pour la soirée du Prêt à Baiser, soit par un type du coin. »

La suivante est tirée de mon troisième roman, *American Psycho* :

« VOUS QUI ENTREZ LAISSEZ TOUTE ESPÉRANCE peut-on lire, barbouillé en lettres de sang au flanc de la Chemical Bank, presque au coin de la Onzième Rue et de la Première Avenue, en caractères assez grands pour être lisibles du fond du taxi qui se faufile dans la circulation pour s'éloigner de Wall Street, et à l'instant où Timothy Price remarque les mots un bus s'arrête et l'affiche des *Misérables* collée à son flanc lui bouche la vue, mais Price qui travaille chez Pierce & Pierce et a vingt-six ans n'a pas l'air de s'en soucier, car il promet cinq dollars au chauffeur s'il monte le son de la radio, qui passe *Be My Baby* sur WYNN, et le chauffeur, pas Américain, s'exécute. »

Celles-ci, de mon quatrième roman, *Glamorama* :

« Des taches, des taches partout sur le troisième panneau, vous voyez ? Non, celui-*là*, le deuxième à partir du sol et je voulais le faire remarquer à quelqu'un hier mais il y a eu cette séance de photos et Yaki Nakamari ou je ne sais comment s'appelle ce designer, sûrement pas un génie dans son genre, m'a pris pour quelqu'un d'autre et je n'ai donc pas pu me faire entendre, messieurs et mesdames, pourtant elles sont bien là : les *taches*, embêtantes ces taches minuscules, et elles ne donnent *pas* l'impression d'être accidentelles mais d'avoir été faites à la machine, on dirait, alors épargnez-moi toute la description, uniquement l'histoire réduite à sa plus simple expression, sans fioritures, le topo : qui, quoi, où, quand et n'oubliez pas *pourquoi*, même si j'ai le sentiment, à voir vos mines désolées, que je n'aurai pas de réponse au *pourquoi*. Alors, merde, quoi, dites-moi ce qui s'est *passé* ? »

(*Zombies* était un recueil de nouvelles publié entre *American Psycho* et *Glamorama* et comme il avait été en grande partie écrit quand j'étais encore à l'université – avant la publication de *Moins que zéro* – c'était un spécimen du même minimalisme dépouillé.)

Comme quiconque avait suivi la progression de ma carrière pouvait s'en apercevoir – et si, par mégarde, la fiction peut révéler la vie intérieure d'un écrivain –, les choses devenaient incontrôlables, pour finir par ressembler à un truc qui était, selon le *New York Times*, « bizarrement compliqué... ampoulé et trivial... dopé », et je n'étais pas forcément en désaccord avec eux. Je voulais retourner à cette simplicité passée. J'étais accablé par ma vie et ces premières phrases semblaient être le reflet de ce qui avait mal tourné. Il était temps de revenir aux trucs élémentaires et même si j'espérais qu'une phrase maigre – « Tu fais vraiment très bonne impression » – permettrait d'enclencher le processus, je me rendais bien compte qu'il faudrait plus qu'une série de mots pour déblayer le fatras et les dégâts qui s'étaient accumulés autour de moi. Mais ce serait un début.

Quand j'étais étudiant à Camden College dans le New Hampshire, j'ai suivi un atelier d'écriture et produit pendant l'hiver 1983 un manuscrit qui a fini par devenir *Moins que zéro*. Il relatait en détail les vacances de Noël d'un jeune homme riche, égaré, sexuellement ambigu, revenant de son université de l'Est à Los Angeles – plus exactement à Beverly Hills – et toutes les fêtes qu'il traversait et toutes les drogues qu'il absorbait et tous les garçons et les filles avec qui il couchait et tous les amis qu'il observait passivement s'enfoncer dans l'accoutumance, la prostitution et l'apathie profonde ; les journées passaient, pété au Nembutal, à rouler vers des plages privées avec des blondes sublimes dans des décapotables resplendissantes ; les nuits étaient perdues dans les carrés VIP des clubs in, à sniffer de la coke aux meilleures tables de Spago. C'était une mise en accusation non seulement d'un mode de vie qui m'était familier, mais aussi – pensais-je de façon grandiose – des années Reagan et, indirectement, de l'état présent de la civilisation occidentale. Mon prof en était convaincu lui aussi et, après quelques coupes et révisions (je l'avais écrit en huit semaines, défoncé au crystal-meth, sur le sol de ma chambre à LA), il l'a présenté à son agent et à son éditeur, qui ont été d'accord tous les deux pour le prendre (l'éditeur avec une certaine réticence – un membre du comité littéraire ayant déclaré, « S'il y a un public pour un roman qui ne parle que de coke sniffée et de bites sucées par des zombies, alors allons-y, bien sûr, publions ce foutu roman »), et j'ai assisté avec un mélange de peur et de fascination – entrecoupé d'excitation – à la transformation d'un devoir d'étudiant en un livre à jaquette en papier glacé qui est devenu un énorme best-seller et la pierre de touche du Zeitgeist, a été traduit en trente langues et métamorphosé en film à gros budget à Hollywood, tout ça en l'espace de seize mois. Et au début de l'automne 1985, quatre mois à peine après la publication, trois choses se sont produites simultanément : je suis devenu très riche, follement célèbre et, surtout, j'ai échappé à mon père.

Mon père a fait l'essentiel de son argent grâce à des opérations immobilières à haut risque, la plupart pendant les années Reagan, et la liberté que lui a procurée cet argent l'a rendu de plus en plus instable. Mais mon père avait toujours été un problème – négligent, abusif, alcoolique, vaniteux, colérique, paranoïaque – et même après le divorce de mes parents (à l'initiative de ma mère) quand j'étais adolescent son pouvoir et son contrôle ont continué de peser sur la famille (qui incluait deux jeunes sœurs) par le seul biais de l'argent (conflits sans fin entre les avocats concernant la pension alimentaire). C'était sa mission, sa croisade, de nous affaiblir, de nous rendre intensément conscients du fait que nous étions à blâmer – pas sa conduite – du fait de ne plus vouloir de lui dans nos vies. Il avait quitté à contrecœur la maison de Sherman Oaks et déménagé à Newport Beach et sa rage n'a cessé de perturber notre paisible environnement de Californie du Sud : les journées de paresse au bord de la piscine sous un ciel clair et ensoleillé, les errances somnambuliques dans le centre commercial, les trajets interminables en voiture entre les palmiers qui se balançaient et nous guidaient vers nos destinations, les conversations complaisantes sur une chanson de Fleetwood Mac et des Eagles – le privilège délectable de pouvoir grandir dans cet endroit à cette époque était considérablement entamé par son invisible présence. Ce style de vie alanguie, décadente et dissolue, n'avait jamais détendu mon père. Il restait constamment enfermé dans une sorte de fureur démente, en dépit de l'apparente douceur des circonstances de sa vie. Et pour cette raison, le monde était une menace pour nous, de manière vague et abstraite dont nous ne pouvions nous dégager – la carte avait disparu, la boussole avait été brisée, nous étions perdus. Mes sœurs et moi avons découvert un côté sombre de la vie à un âge exceptionnellement précoce. Nous avons appris du comportement de notre père que le monde manquait de cohérence et qu'au sein de ce chaos, les gens étaient condamnés à l'échec et ce fait projetait son ombre sur la moindre de nos ambitions. Et donc mon père a été l'unique raison de ma fuite vers une université dans le New Hampshire, plutôt que de rester à LA avec ma petite amie et de m'inscrire à USC comme l'ont fait la plupart de mes condisciples de notre lycée privé de banlieue dans San Fernando Valley. C'était mon projet désespéré. Mais c'était trop tard. Mon père avait assombri ma perception du monde et son attitude condescendante, sarcastique envers tout, s'était emparée de moi. J'aurais tant voulu échapper à son influence, mais je n'y arrivais pas. J'en étais imprégné, elle avait fait de moi l'homme que j'étais en train de devenir. La faible dose d'optimisme que j'avais pu conserver avait été finalement balayée par la nature même de son être. Croire qu'en m'éloignant physiquement les choses changeraient était à la fois inutile et pathétique, à tel point que j'ai passé la première année à Camden paralysé par l'anxiété et la dépression. J'en voulais énormément à mon père de la douleur – verbale et physique – qu'il m'infligeait et c'est la raison pour laquelle je suis devenu écrivain (fait supplémentaire : il battait aussi notre chien).

Comme il n'avait aucune foi dans mon talent d'écrivain, mon père avait exigé que je fasse une école de commerce à UCLA (je n'avais pas les notes qu'il fallait, mais il avait les relations qu'il fallait), alors que je voulais m'inscrire quelque part aussi loin de lui que possible géographiquement – une école des beaux-arts, insistai-je par-dessus ses rugissements, où on n'enseignerait pas l'économie. Je n'ai pas pu la trouver dans le Maine et donc j'ai choisi Camden, une petite université où l'on enseignait les arts libéraux, nichée dans les collines du nord-est du New Hampshire. Mon père, dans une de ses colères typiques, a refusé de payer les frais de scolarité. Mon grand-père – qui était à l'époque poursuivi en justice par son fils pour une histoire d'argent si tordue et compliquée que je ne suis pas sûr de savoir pourquoi et comment elle avait commencé – a réglé la note. Je suis presque certain que mon grand-père a payé ces frais de scolarité outrageusement élevés pour le seul plaisir de rendre mon père absolument furieux, et ce fut le cas. Lorsque je suis arrivé à Camden à l'automne 1982, mon père et moi avons cessé de nous parler, un vrai soulagement pour moi. Ce silence mutuel s'est prolongé jusqu'à la publication et au succès de *Moins que zéro*. Son attitude négative, désapprobatrice, à mon égard s'est alors métamorphosée, du fait de la popularité du roman, en un curieux acquiescement ravi qui n'a fait qu'aviver ma répulsion pour lui. Mon père m'avait créé, critiqué, détruit et puis, après que je m'étais réinventé, que j'étais revenu à la vie, il s'était mis à jouer le papa fier, vantard, et avait tenté de réintégrer ma vie, tout ça en l'espace de quelques jours, me semblait-il. J'ai senti de nouveau le vent de la défaite, en dépit du fait que ma toute nouvelle indépendance m'eût assuré le contrôle de mon existence. Ne pas prendre ses appels téléphoniques, refuser ses demandes de visite – et tout contact avec lui –, ne me procurait aucun plaisir ; ça ne justifiait rien. J'avais gagné à la loterie et je me sentais pauvre, dans le besoin. Je me suis donc jeté dans la nouvelle vie qui m'était désormais offerte, et pourtant le gamin futé et blasé de LA que j'étais aurait dû en savoir plus long.

Le roman a été considéré comme une autobiographie (j'avais écrit trois romans autobiographiques – tous non publiés – avant *Moins que zéro*, c'était donc plutôt une fiction qu'un roman à clés, à la différence de la plupart des premiers romans) et ses scènes à sensation (le porno snuff, le viol collectif d'une fille de douze ans, le cadavre en décomposition dans la ruelle, le meurtre au drive-in) étaient tirées des ragots épouvantables qui s'échangeaient dans la bande que je fréquentais à LA et non d'une quelconque expérience personnelle. Mais les journaux se sont fortement inquiétés du contenu « choquant » du livre et tout particulièrement de son style : des scènes très brèves écrites sous la forme d'un haïku contrôlé, cinématographique. Le livre était court, c'était une lecture facile (on pouvait avaler ce « bonbon noir » – *New York Magazine* – en deux heures) et en raison de sa typographie assez large (et des chapitres qui ne dépassaient jamais une page ou deux), il avait acquis la réputation d'être « le roman de la génération MTV » (*USA Today*) et à peu près tout le monde m'a qualifié de porte-parole de cette génération. Le fait d'avoir seulement vingt et un ans et qu'il n'y eût encore aucune autre voix semblait ne pas avoir la moindre importance. Je représentais le truc sexy et personne ne tenait à souligner la pénurie d'autres chefs de file. En dehors des articles sur moi dans chaque journal ou magazine existant, j'ai été interviewé dans le « Today Show » (pour un temps record de douze minutes), dans « Good Morning America », par Barbara Walters, par Oprah Winfrey ; j'ai fait une apparition dans l'émission de Letterman. William F. Buckley et moi avons eu une conversation très animée au cours de son « Firing Line ». Pendant une semaine entière, j'ai présenté des clips vidéo sur MTV. De retour à Camden, j'ai été fiancé (brièvement) à quatre filles qui ne s'étaient pas particulièrement intéressées à moi avant la publication du livre. Pour célébrer mon diplôme, mon père a organisé une fête au Carlyle où vinrent Madonna, Andy Warhol accompagné de Keith Haring et Jean-Michel Basquiat, Molly Ringwald, John McEnroe, Ronald Reagan Jr, John John Kennedy, toute la distribution de *St. Elmo'Fire*, quelques V-jeys et des membres de mon énorme fan-club, créé par cinq filles de Vassar, ainsi qu'une équipe de cinéma de l'émission « 20/20 » pour couvrir l'événement. Était aussi venu Jay McInerney, qui avait récemment publié un premier roman semblable, *Bright Lights, Big City*, sur la jeunesse et la drogue à New York, qui l'avait rendu célèbre du jour au lendemain et transformé en mon rival le plus proche sur la côte Est, un critique soulignant dans un des nombreux articles qui comparaient les deux romans que si on avait substitué le mot « chocolat » à celui de « cocaïne », *Moins que zéro* et *Bright Lights, Big City* auraient pu être considérés comme des livres pour enfants, et comme on nous photographiait très souvent ensemble, les gens ont commencé à nous confondre ; pour simplifier les choses, la presse new-yorkaise nous a simplement appelés les Jumeaux Toxiques. Après l'obtention de mon diplôme à Camden, je me suis installé à New York et j'ai acheté un appartement dans un immeuble où vivaient Cher et Tom Cruise, à un bloc d'Union Square Park. Et à mesure que le monde réel continuait de fondre, je me suis retrouvé propulsé fondateur d'un groupe littéraire appelé le Brat Pack.

Le Brat Pack était un truc concocté par les médias : pure poudre aux yeux, faux voyous menaçants. C'est un petit groupe d'écrivains et d'éditeurs à la mode, de moins de trente ans, qui avaient du succès et passaient leurs nuits ensemble, au Nell's, au Tunnel, au MK, Au

Bar, et la presse new-yorkaise, nationale et internationale a été emballée (pourquoi ? Eh bien, selon *Le Monde*, « la fiction américaine n'avait jamais été aussi jeune et aussi sexy »). Mise à jour du Rat Pack des stars de cinéma de la fin des années 1950, le groupe était composé de moi (Frank Sinatra), de l'éditeur qui m'avait découvert (Morgan Entrekin dans le rôle de Dean Martin), de l'éditeur qui avait découvert Jay (Gary Fisketjon/Peter Lawford), de l'éditeur ultra-branché de Random House, Erroll McDonald (Sammy Davis Jr), et de McInerney (le Jerry Lewis de la bande). Nous avions notre propre Shirley MacLaine sous la forme de Tama Janowitz, auteur d'un recueil de nouvelles sur les adorables nanas et mecs branchés, pourris de drogue et coincés dans Manhattan, qui était resté sur la liste des best-sellers du *New York Times* pendant ce qui avait paru être des mois. Et nous étions tous en hyper-drive. Toutes les portes s'ouvraient. Tout le monde nous abordait, la main tendue et le sourire rayonnant. Nous avions des pages entières dans les magazines, tous les six affalés sur les banquettes des restaurants à la mode, dans des poses suggestives et des costumes Armani. Les rock stars qui nous admiraient nous invitaient backstage : Bono, Michael Stipe, Def Leppard, les membres du E Street Band. C'était toujours la meilleure table. C'était toujours le premier wagon dans les montagnes russes. Ce n'était jamais, « Ne prenons pas la bouteille de Cristal ». Ce n'était jamais, « N'allons pas dîner chez Le Bernardin », où nos bouffonneries consistaient à se lancer du homard à la figure et à nous asperger avec des bouteilles de Dom Pérignon, jusqu'à ce que le personnel nous demande, sans rire, de quitter les lieux. Comme nos éditeurs nous invitaient toujours grâce à leurs notes de frais sans limites, c'étaient bien les maisons d'édition qui payaient pour cette débauche. C'était le début d'une époque où le roman n'avait presque plus aucune importance – publier un objet brillant ressemblant vaguement à un livre était simplement un prétexte pour les fêtes et le glamour – et les écrivains qui avaient une bonne tête lisaient leur prose minimaliste affûtée à des étudiants écoutant béats d'admiration et se disant, « Je pourrais faire ça, je pourrais être eux ». Mais évidemment si vous n'étiez pas assez photogénique, la triste vérité, c'était que vous ne pouviez pas. Et si vous n'étiez pas un supporter du Brat Pack, vous deviez tout de même nous accepter. Nous étions partout. Il n'y avait pas moyen d'échapper à nos visages qui vous dévisageaient depuis les pages des magazines et les émissions de télévision et les publicités pour le scotch et les posters sur les flancs des bus, depuis les chroniques des journaux à scandale, nos visages sans expression sous l'éclat mortel des flashes, une cigarette à la main qu'un fan s'apprêtait à allumer. Nous avions envahi le monde.

Et j'étais en vitrine. On écrivait sur tout ce que je faisais. Les paparazzi me suivaient en permanence. Un verre renversé au Nell's était l'indice de mon ivresse pour la « Page Six » du *New York Post*. Dîner au Canal Bar avec Judd Nelson et Robert Downey Jr, qui étaient les deux stars de l'adaptation cinématographique de *Moins que zéro*, trahissait une « mauvaise conduite » (vrai, mais *bon, et alors ?*). Un inoffensif rendez-vous pour un déjeuner au Palio avec Ally Sheedy pour une histoire de script était interprété comme un truc sexuel. Mais je m'étais mis dans cette situation – je ne m'étais pas caché – alors à quoi est-ce que je m'attendais ? Je faisais des pubs pour Ray-Ban à l'âge de vingt-deux ans. Je posais pour des couvertures de magazines anglais sur un court de tennis, sur un trône, sur la terrasse de mon appartement en peignoir violet. Je donnais des réceptions somptueuses avec traiteurs – strip-teaseuses aussi parfois – dans mon appartement, pour un oui pour un non (« Parce que c'est jeudi ! » disait un carton d'invitation). À Southampton, j'ai explosé une Ferrari empruntée et son propriétaire avait simplement souri (pour une raison quelconque, j'étais à poil). J'ai participé à trois orgies assez huppées. J'ai fait des apparitions où je jouais mon propre rôle dans des feuilletons comme « Family Ties », « The Facts of Life », « Melrose Place », « Beverly Hills 90210 » et « Central Park West ». J'ai dîné à la Maison-Blanche au cours de l'été 1986, invité de Jeb et George Bush Jr, qui étaient des fans tous les deux. Ma vie était une parade sans fin, rendue plus magique encore par le surgissement constant de cocaïne, et si vous vouliez passer du temps avec moi, vous deviez avoir sur vous au moins un bon sachet. Et très vite je suis devenu très habile pour donner l'impression que je vous écoutais quand j'étais en fait en train de rêver de moi : de ma carrière, de tout l'argent que j'avais gagné, de la façon dont ma célébrité s'était épanouie et m'avait défini, de la conduite irréfléchie que le monde m'autorisait. Lorsque je revenais à LA pour les vacances de Noël, je totalisais en général quatre ou cinq infractions au code de la route dans la 450 SL couleur crème que m'avait donnée mon père, mais je vivais dans un coin où les flics pouvaient être achetés, un coin où on pouvait rouler sans lumières la nuit, un coin où on pouvait sniffer de la coke tout en se faisant sucer par des actrices de série B, un coin qui permettait qu'on se défonce à l'héro pendant trois jours avec la supermodel de demain dans un hôtel quatre étoiles. C'était un monde qui devenait rapidement un coin dépourvu de frontières. C'était bourré de Dilaudid dès midi. C'était ne pas parler à quiconque dans ma famille pendant cinq mois.

Les deux événements principaux de la phase suivante de mon existence ont été la publication précipitée de mon deuxième roman, *Les Lois de l'attraction*, et mon aventure avec l'actrice Jayne Dennis. J'ai écrit *Les Lois de l'attraction* pendant ma dernière année à Camden et c'est le récit détaillé de la vie sexuelle d'un petit groupe d'étudiants riches, égarés, sexuellement ambigus, dans une petite université de Nouvelle-Angleterre enseignant les arts libéraux (qui ressemblait tant à Camden que je l'ai appelée l'université fictive), à l'apogée des années 1980 sous Reagan. Nous les suivions dans leur errance, d'une fête orgiaque à la suivante, du lit d'un inconnu au suivant, et le livre était un catalogue de toutes les drogues absorbées, de tous les alcools avalés, mesurait avec quelle facilité ils dérivaient vers les avortements, l'apathie profonde et l'absentéisme, et c'était censé être une condamnation de, disons, rien en fait, mais à ce moment de ma carrière j'aurais pu donner mes notes du cours sur Virginia Woolf en première année et j'aurais encore obtenu une énorme avance et des tonnes de publicité. Le livre a été un best-seller, sans obtenir cependant le même succès que *Moins que zéro*, avec une fascination grandissante de la presse pour mon cas et la décadence décrite dans le livre, et la façon dont elle était censée refléter mon mode de vie et la décennie dans laquelle nous étions tous pris au piège. Le livre a conforté mon autorité de porte-parole de cette génération et ma réputation a grandi en proportion inverse du nombre d'exemplaires vendus. Tout continuait à pleuvoir : le champagne par caisses entières, les costumes Armani qu'on m'envoyait, les cocktails en première classe, l'inscription sur diverses listes de gens puissants, les meilleures places pour les matches des Lakers, le shopping chez Barney's après la fermeture, les groupies, le premier million, le deuxième million, le troisième million. J'allais lancer ma propre ligne d'ameublement. J'allais avoir ma propre maison de production. Et l'éclat blanc des spot-lights ne cessait de s'intensifier, surtout quand j'ai commencé à voir Jayne Dennis.

Jayne Dennis était un jeune mannequin qui était devenue sans transition une actrice sérieuse et s'était vu progressivement accorder une grande considération pour des rôles dans des projets de premier ordre. Nos trajectoires s'étaient croisées à plusieurs reprises dans des galas de charité et elle avait flirté outrageusement avec moi – mais comme tout le monde flirtait avec moi à ce moment-là, j'avais à peine remarqué l'intérêt qu'elle me portait, jusqu'à son arrivée à une fête de Noël que j'avais donnée en 1988 et où elle s'était pratiquement jetée sur moi (j'étais à ce point irrésistible). Au Nell's, après la fête, je me suis retrouvé en train de lui rouler des pelles sur une des banquettes à l'entrée du club et puis je l'ai emmenée dans la suite que j'avais au Carlyle (il avait fallu deux jours au traiteur pour décorer mon appartement et trois pour le nettoyer – il y avait 500 invités – et je m'étais donc installé à l'hôtel, cette semaine-là) où nous avons baisé toute la nuit avant que je prenne l'avion le lendemain pour aller passer les fêtes à LA. Quand je suis revenu à New York, nous sommes devenus officiellement un couple dans le coup. On a pu nous voir au concert de charité d'Elton John pour le sida au Madison Square Garden, photographiés à un match de polo aux Hamptons, interviewés pour « Entertainment Tonight » sur le tapis rouge du Ziegfield pour la première d'une nouvelle comédie d'Eddy Murphy, au premier rang d'un défilé Versace, suivis par des paparazzi jusqu'à la villa d'amis à Nice. Jayne était tombée amoureuse de moi et voulait se marier, mais j'étais trop absorbé par moi-même et j'avais le sentiment que la relation, si elle continuait sur sa trajectoire, serait condamnée avant la fin de l'été. En plus de ses exigences constantes et de son mépris de soi, il y avait d'autres obstacles insurmontables : les drogues surtout et, à un moindre degré, la consommation d'alcool ; il y avait d'autres filles, il y avait d'autres garçons ; il y avait toujours une autre fête où aller se perdre. Jayne et moi nous sommes séparés à l'amiable en mai 1989 et nous sommes restés en contact, genre triste/drôle ; il y avait une nostalgie qui perdurait chez elle et un intérêt sexuel intense qui durait chez moi. Mais j'avais besoin de mon espace. J'avais besoin d'être seul. Je n'allais pas laisser une femme entamer ma créativité (de plus, Jayne n'y ajoutait rien). Je m'étais mis à écrire un nouveau roman qui commençait à exiger tout mon temps ou presque.

Que dire encore d'*American Psycho* qui n'ait déjà été dit ? Et je ne ressens aucun besoin d'entrer dans les détails ici. Pour ceux qui n'étaient pas présents au cours à l'époque, voici le profil de l'œuvre : j'ai écrit un roman sur un jeune yuppie de Wall Street, riche et égaré, du nom de Patrick Bateman qui se trouve être aussi un tueur en série, frappé d'une apathie profonde à l'apogée des années 1980 sous Reagan. Le roman était pornographique et extrêmement violent, à tel point que mon éditeur, Simon & Schuster, avait refusé le livre pour des raisons de goût, renonçant à une avance qui était une somme à six chiffres. Sonny Mehta, le patron de Knopf, s'était emparé des droits et avant même sa publication, le livre déclenchait une controverse et un scandale énormes. Je ne m'étais pas adressé à la presse parce que c'était dénué de sens – ma voix aurait été submergée par le raz-de-marée d'indignation. Le livre a été accusé de faire du meurtre en série le dernier chic du pays. Il a fait l'objet d'un compte rendu dans le *New York Times* trois mois avant sa publication, sous le titre « N'achetez pas ce livre ». Il a fait l'objet d'un essai de 10 000 mots de Norman Mailer dans *Vanity Fair* (« le premier roman depuis des années à s'attaquer à des questions profondes, sombres, dostoïevskiennes – comme on aimerait que cet écrivain n'ait pas de talent ! »). Il a fait l'objet d'éditoriaux méprisants, il y a eu des débats sur CNN, les féministes de la National Organization of Women ont recommandé le boycott, et les inévitables menaces de mort ont été proférées (la tournée a été annulée à cause d'elles). Le PEN Club et l'Author's Guild ont refusé de se porter à mon secours. J'ai été diffamé alors que le livre se vendait à des millions d'exemplaires et que ma célébrité atteignait un niveau si élevé que mon nom est devenu l'égal de celui des stars de cinéma ou des athlètes. On pensait que j'étais quelqu'un de sérieux. Que j'étais un bouffon. Que j'étais d'avant-garde. Que j'étais traditionaliste. Que j'étais sous-estimé. Que j'étais surestimé. Que j'étais innocent. Que j'étais partiellement coupable. Que j'avais orchestré la controverse. Que j'étais incapable d'orchestrer quoi que ce soit. Que j'étais considéré comme le plus misogyne des écrivains américains vivants. Que j'étais une victime de la culture naissante du politiquement correct. Les débats ont fait rage et même la guerre du Golfe au printemps 1991 n'a pu distraire le public de sa peur, de son inquiétude et de sa fascination pour Patrick Bateman et sa vie dérangée. Je ne saurais jamais que faire de tout l'argent que j'avais gagné. C'était l'année où j'ai été haï.

Ce que je n'ai pas dit – et pas pu dire – à qui que ce soit, c'est que l'écriture du livre avait été une expérience extrêmement dérangeante. Que, même si j'avais projeté de m'inspirer de mon père pour Patrick Bateman, quelqu'un – quelque chose – d'autre avait pris les commandes et fait que ce nouveau personnage est devenu ma seule référence pendant les trois années qu'il m'a fallu pour terminer le roman. Ce que je n'ai dit à personne, c'est que le livre a été essentiellement écrit pendant la nuit, lorsque l'esprit de ce dément me rendait visite, me réveillant parfois d'un sommeil profond, obtenu à coup de Xanax. Quand j'ai compris, horrifié, ce que ce personnage voulait de moi, j'ai tenté de résister, mais le roman a exigé d'être écrit. Souvent, j'ai été inconscient pendant des heures pour finalement m'apercevoir que dix pages supplémentaires avaient été griffonnées. Il s'écrivait tout seul et se fichait pas mal de ce que je ressentais. Je regardais, rempli de peur, ma main qui tenait le stylo courant sur les blocs jaunes sur lesquels j'ai écrit la première version. J'éprouvais de la répulsion pour cette création et ne voulais en tirer aucun crédit – Patrick Bateman voulait en être crédité. Et une fois le livre publié, c'était comme s'il avait été soulagé et, plus dégoûtant encore, satisfait. Il avait cessé d'apparaître après minuit pour hanter allégrement mes rêves, et je pouvais me détendre, cesser de me crisper à l'idée qu'il allait faire son apparition nocturne. Mais des années après, je ne pouvais toujours pas regarder le livre, encore moins le toucher ou le relire – il y avait quelque chose, disons, de mauvais en lui. Mon père ne m'a jamais dit la moindre chose au sujet d'*American Psycho*. Bizarrement, après en avoir lu la moitié ce printemps-là, il a envoyé à ma mère un numéro de *Newsweek* dont la couverture demandait, au-dessus du visage angélique d'un bébé, « Votre enfant est-il gay ? », sans aucune note d'explication.

La mort de mon père est survenue en août 1992. Je vivais dans les Hamptons à l'époque, un cottage sur la plage à 20 000 dollars par mois à Wainscott, où je tentais de me débarrasser de la crampe de l'écrivain, tout en m'apprêtant à accueillir mes invités du week-end (Ron Galotti, Campion Platt, Susan Minot, mon éditeur italien, McInerney), commandant une tarte aux prunes à 40 dollars dans *la* boulangerie d'East Hampton, passant prendre deux caisses de Domaines Ott. J'essayais de rester sobre, mais je commençais à ouvrir des bouteilles de chardonnay à dix heures du matin, et si j'avais tout bu la veille je me retrouvais assis dans la Porsche que j'avais louée pour l'été dans un parking de Bridgehampton à attendre que le marchand de vin ouvre sa boutique et à fumer une cigarette d'habitude avec Peter Maas qui attendait là lui aussi. Je venais de rompre avec un mannequin au cours d'une dispute curieuse pendant que nous faisions griller des maquereaux au barbecue – elle se plaignait de la consommation d'alcool, de la distraction, de l'exhibitionnisme, du truc gay, du poids que j'avais pris, de la paranoïa. Mais c'était l'été de Jeffrey Dahmer, le tristement célèbre tueur en série cannibale homosexuel du Wisconsin, et je m'étais convaincu qu'il avait agi sous l'influence d'*American Psycho* puisque ses crimes étaient aussi épouvantables et horribles que ceux de Patrick Bateman. Et puisqu'un tueur en série, comme par hasard à Toronto – nom de Dieu –, avait *lu* le livre et conçu deux de ses meurtres à partir de scènes du livre, j'avais passé, ivre, quelques coups de téléphone frénétiques à mon agent chez ICM ainsi qu'aux gens de la presse chez Knopf pour m'assurer que ce n'était pas le cas (ça ne l'était pas). Et oui, c'était vrai, j'avais pris du poids – j'étais en surcharge et gras au point que si vous aviez dessiné un visage à un énorme marshmallow rose et foutu le truc devant un ordinateur portable, vous auriez eu du mal à le distinguer de moi. Et bien sûr, tellement largué physiquement, que j'avais tendance à me baigner à poil dans l'Atlantique à cinquante mètres de mon cottage à 20 000 dollars par mois et, ouais, j'en pinçais un peu en effet pour un adolescent qui travaillait chez Loaves and Fishes. Le départ de Trisha était donc à moitié compréhensible. Me traiter de « putain de malade mental » et se tirer avec la Porsche de location ne l'était pas.

Et puis l'été a été interrompu par un coup de téléphone au milieu de la nuit. La petite amie de vingt-deux ans l'a trouvé nu sur le sol de la salle de bains dans sa maison vide de Newport Beach. C'était tout ce que nous savions.

Je ne savais absolument pas quoi faire, qui appeler, comment réagir. Je me suis effondré, en état de choc. Quelqu'un a dû m'arracher à ce cottage et m'expédier en Californie. Il n'y avait en fin de compte qu'une personne qui puisse faire tout ça pour moi – ou, plus exactement, qui veuille. Jayne a donc quitté le tournage d'un film en Pennsylvanie, où elle était la partenaire de Keanu Reeves, et a fait les réservations et traîné ma carcasse tremblante des Hamptons à LA – tout ça en moins de vingt heures, après avoir appris la mort de mon père. Et cette nuit-là, dans la maison de Sherman Oaks où j'avais grandi, ivre et terrorisé, je lui ai fait l'amour brutalement dans ma chambre d'enfant, tous les deux en pleurs. Jayne est retournée le lendemain sur le tournage en Pennsylvanie. Keanu m'a envoyé des fleurs.

Mon père avait fait de moi son exécuteur testamentaire, ne laissant derrière lui que des millions de dollars d'arriérés d'impôts, et il y a donc eu une bataille juridique prolongée avec l'IRS (ils n'arrivaient pas à comprendre comment quelqu'un qui avait gagné 20 000 000 de dollars au cours des six dernières années de son existence avait pu dépenser une telle somme – mais c'était avant qu'on découvre le Lear Jet en location et toutes les œuvres d'art immondes) qui m'a retenu à Los Angeles pendant plusieurs mois, enfermé dans un bureau de Century City avec trois avocats et une demi-douzaine de comptables, jusqu'à ce que ces questions financières soient éclaircies. Au bout du compte, j'ai hérité de deux Patek Philippe et d'une malle de costumes Armani trop grands pour moi, ainsi que de l'immense soulagement procuré par le fait qu'il n'était plus (ma mère et mes sœurs – rien). L'autopsie avait révélé qu'il avait eu une crise cardiaque massive à 2 h 40 du matin, même si l'officier de police judiciaire avait été intrigué par certaines irrégularités. Personne ne voulait en savoir plus et il avait été incinéré immédiatement. Ses cendres avaient été placées dans un sac – même si son testament (non valide) stipulait qu'il avait souhaité voir ses enfants les répandre au large de Cabo San Lucas, où il passait régulièrement ses vacances – et nous les avons déposées dans un coffre de la Bank of America de Ventura Boulevard, à côté d'un McDonald's délabré. Lorsque j'ai apporté les costumes Armani chez un tailleur pour les faire retoucher (j'avais perdu en quelques semaines tout le poids que j'avais pris cet été-là), j'ai été scandalisé en découvrant que la plupart des pantalons étaient tachés de sang à l'entrejambe, à cause d'une extension du pénis sabotée, intervention subie dans un hôpital de Minneapolis. Mon père, au cours des dernières années, était devenu impuissant en raison d'un mélange toxique de diabète et d'alcoolisme. J'ai laissé les costumes chez le tailleur et je suis rentré à Sherman Oaks en larmes, poussant des cris et donnant des coups de poing dans le plafond de la Mercedes qui tanguait dangereusement dans les canyons.

Et quand je suis rentré à New York, Jayne m'a appris qu'elle était enceinte et avait l'intention de garder l'enfant et que j'étais le père. Je l'ai suppliée de se faire avorter (« Corrige ça ! Répare ça ! Fais quelque chose ! ai-je hurlé. Je ne peux pas faire un truc pareil ! Je serai mort dans deux ans ! Ne me regarde pas comme si j'étais fou ! ») Les enfants avaient des voix, ils voulaient s'expliquer, ils voulaient vous dire où tout se trouvait – et je pouvais facilement me passer d'être le témoin de ces dons particuliers. Comme tous les célibataires, je donnais la priorité à ma carrière. J'avais une vie de rêve et je voulais continuer. J'étais furieux contre Jayne, je l'ai accusée de vouloir me piéger, insisté sur le fait qu'il ne pouvait pas être de moi. Mais elle a dit qu'elle ne s'attendait pas à autre chose de ma part et elle a accouché prématurément au mois de mars suivant à Cedars Sinai, à LA où elle vivait désormais. J'ai vu l'enfant une fois au cours de sa première année – Jayne me l'avait amené à l'appartement de la Treizième Rue, dans une tentative pathétique de rapprochement, quand elle était venue pour la première du film qu'elle avait fait avec Keanu Reeves l'été précédent. Elle l'avait appelé Robert – Robby. J'ai été de nouveau furieux contre elle et soutenu que l'enfant n'était pas de moi. « Et qui est son père alors, à ton avis ? » J'ai immédiatement fait le lien et j'ai bondi dessus. J'ai hurlé, « Keanu Reeves ! » (Keanu avait été un ami quand il avait été initialement choisi pour le rôle dans *Moins que zéro*, mais il avait été remplacé par Andrew McCarthy lorsque le studio qui produisait le film – 20th Century Fox – avait fait un carton avec *Mannequin*, un succès à retardement et à petit budget du printemps 1987, avec McCarthy dans le rôle principal et, ironie du sort, produit par le père de la fille qui avait inspiré le personnage de Blair – l'héroïne de *Moins que zéro* ; mon monde était tellement petit). J'ai menacé Jayne de poursuites si elle demandait une pension alimentaire. Comme je refusais de passer le moindre test, elle a engagé un avocat. J'ai engagé un avocat. Son avocat a soutenu que « l'enfant ressemblait de manière frappante à Mr. Ellis », tandis que mon avocat répliquait, avec réticence et devant mon insistance, « ledit enfant ressemble de manière frappante à un certain Mr. Keanu Reeves ! » (le point d'exclamation étant mon idée ;

foutre en l'air mon amitié avec Keanu à cause de ça ne l'était pas). Les tests que je fus légalement contraint de passer prouvèrent que j'étais le père, mais j'ai prétendu que Jayne avait distordu la réalité en me disant qu'elle utilisait un moyen de contraception. « Ms. Dennis et Mr. Ellis étaient alors dans une relation non exclusive », a avancé mon avocat. « Indépendamment du fait que Mr. Ellis soit le père, c'est elle qui a choisi d'être une mère célibataire. » J'ai appris que, dans des cas comme celui-ci, l'éjaculation était le point de non-retour légal. Mais un matin, après un échange téléphonique particulièrement acrimonieux entre mon avocat et celui de Jayne, Marty a raccroché et m'a regardé, sidéré. Jayne avait abandonné. Elle n'espérait plus obtenir une pension alimentaire et elle a laissé tomber rapidement les poursuites. C'était à ce moment-là, dans le bureau de mon avocat au 1 World Trade Center, que je me suis aperçu qu'elle avait donné le prénom de mon père à l'enfant, mais lorsque je lui en ai parlé plus tard ce jour-là, après nous être provisoirement pardonnés l'un l'autre, elle a juré qu'elle ne s'en était pas rendu compte (chose que je ne peux toujours pas croire et qui, j'en suis certain, est la raison pour laquelle se sont produits les événements qui suivent dans *Lunar Park* – ce fut le catalyseur). Quoi d'autre ? Ses parents me haïssaient. Même après la preuve de ma paternité, le nom de Jayne est resté sur le certificat de naissance. J'ai commencé à porter des chemises hawaïennes et à fumer le cigare. Jayne a eu un autre enfant cinq ans plus tard – une fille qu'elle a appelée Sarah – et de nouveau la relation avec le père n'a pas marché (je connaissais vaguement le type – un producteur de musique célèbre à LA – c'était un type bien). Au bout du compte, Jayne avait l'air d'être quelqu'un de pratique, maternel et stable. Nous sommes restés en contact, aimablement. Elle était toujours amoureuse de moi. Je suis passé à autre chose.

Jayne avait toujours exigé que le nom de Robby ne fût pas lié au mien dans mes déclarations à la presse et, bien entendu, j'étais d'accord, mais en août 1994 lorsque *Vanity Fair* a demandé un portrait de moi à publier au moment où Knopf sortirait *Zombies*, ces nouvelles que j'avais écrites quand j'étais encore à Camden, le journaliste a émis une hypothèse sur la filiation de Robby et dans son premier jet – que ICM, avec suspicion, a demandé à voir – il citait « une source sûre » affirmant que Bret Easton Ellis était bien le père de Robby. J'ai transmis l'information à Jayne qui a appelé mon agent, Binky Urban, et le patron de Knopf, Sonny Mehta, pour exiger que ce « fait » soit coupé, et Graydon Carter – le rédacteur en chef de *Vanity Fair*, un ami lui aussi – a accepté de couper, au grand regret du journaliste qui avait dû me « supporter » pendant une semaine à Richmond en Virginie, où j'étais censé me cacher chez un ami. En réalité, je séjournais en secret au Canyon Ranch qui venait d'ouvrir là-bas, afin d'être en forme pour la brève tournée que j'avais promis de faire pour Knopf à la sortie de *Zombies*. Cette dernière information n'avait pas été non plus insérée dans l'article.

Peu d'amis (intimes compris) étaient au courant de mon fils secret et – excepté Jay McInerney et mon éditeur, Gary Fisketjon, qui avaient tous les deux fait la connaissance de Robby lorsque Jayne et moi avions assisté au mariage d'un ami commun à Nashville – aucune de mes relations ne l'avait jamais vu, y compris ma mère et mes sœurs. C'est à l'occasion de ce mariage à Nashville que Jayne m'a informé du fait que Robby avait demandé où se trouvait son père, pourquoi son père ne vivait pas avec eux, pourquoi il ne leur rendait jamais visite. Apparemment, les épisodes de sanglots et de longs silences se multipliaient ; il y avait de la confusion et des demandes de preuves ; des angoisses, des peurs irrationnelles, des attachements inexplicables, des crises de nerfs à l'école. Il ne laissait personne le toucher. Toutefois, au mariage à Nashville, il m'avait spontanément pris la main – j'étais pourtant un inconnu ; l'ami de sa mère ; personne – pour me montrer un lézard qu'il pensait avoir vu derrière une haie devant l'hôtel où un grand nombre des invités du mariage séjournaient. C'était une chose qui ne m'avait pas préoccupé, avais-je prétendu, et j'avais essayé de me retenir de parler de lui au cours des milliers de cocktails auxquels j'assistais au cours des années suivantes. Mais au moment où, le soir, quelqu'un sortait la cocaïne (qui était, il est vrai, consommée tous les soirs à cette époque), des fragments de cette vie cachée se faisaient un plaisir de sortir de ma bouche. Même si, en notant les expressions attristées, choquées, des gens qui sentaient l'ardeur de mon désir derrière le masque, je me taisais rapidement et offrais mon nouveau mantra – « Je plaisante, je plaisante, vraiment » – et je présentais une deuxième fois la fille nouvelle avec qui j'étais à des gens qu'elle connaissait depuis des années. La fille levait les yeux d'un miroir couvert de cocaïne et me dévisageait d'un air incrédule, frissonnait et puis se penchait de nouveau pour faire disparaître une autre ligne à travers un billet de vingt dollars bien roulé. Après le mariage – après que Robby a pris ma main pour la première fois – ça a été le commencement. Ça a été le moment où le fils est soudainement devenu réel pour le père. Ça a été aussi la première année où j'ai dépensé près de 100 000 dollars en drogues. De l'argent qui – quoi ? – aurait pu aller à Robby, j'imagine. Mais Jayne touchait quatre à cinq millions de dollars par film, et j'étais pété tout le temps, alors ça ne m'a pas perturbé longtemps.

Et puis un tas de gens pensaient que j'étais gay, alors ils oublieraient vite que Bret Easton Ellis avait fait allusion – délirant, bourré de coke, sifflant une autre Stoli – au fait qu'il avait engendré un enfant. Le truc gay étant le résultat d'une interview ivre en Angleterre que je faisais pour un documentaire sur ma vie jusqu'à l'âge de trente-trois ans et dont le titre reprenait la dernière phrase *d'American Psycho*, *This Is Not An Exit : The Bret Easton Ellis Story* (la célébrité, les excès, la chute, le dysfonctionnement, le chagrin d'amour, la conduite en état d'ivresse, le problème de cleptomanie, l'arrestation dans Washington Square Park, le come-back, marchant d'un pas las, au ralenti, dans une salle de gym, pendant que *Creep* de Radiohead hurlait sur la bande-son). Notant en passant que j'avais l'air « assez indolent » sur pas mal de séquences, le journaliste, plutôt que de me demander si j'avais pris de la drogue, avait voulu savoir si j'étais homosexuel. Et j'avais dit, « Tu parles que je le suis – bien sûr ! », ajoutant ce que je croyais être une remarque évidemment sarcastique et crâneuse sur mon *coming-out* : « Grâce à Dieu ! » avais-je crié. « Enfin quelqu'un pour m'*outer* ! » J'avais raconté à quantité d'interviewers mes expériences sexuelles avec des hommes – et donné des détails précis sur un trio à Camden dans un portrait de *Rolling Stone* –, mais cette fois ça avait touché un point sensible. Paul Bogaards, mon attaché de presse chez Knopf, m'avait même traité de « pirate de mon cul à la bouche malpropre » après avoir lu l'interview dans *The Independant*, en se délectant de la controverse que cet aveu avait déclenchée, sans parler de l'augmentation des ventes de mes anciens titres. Le créateur de Patrick Bateman, l'auteur d'*American Psycho*, le roman le plus misogyne jamais écrit, était en fait – gloups ! – un homosexuel !?! Et le truc gay est resté en fait. Après la sortie de cette interview, j'ai même été sur la liste des « 100 gays les plus intéressants de l'année » du magazine *The Advocate*, ce qui a rendu véritablement dingues mes amis loyalement gays et provoqué quelques appels téléphoniques confus et larmoyants de Jayne. Mais je faisais tout simplement mon « exubérant ». Je faisais tout simplement mon « farceur ». Je faisais tout simplement mon « Bret ». Année après année, des photos de moi dans un jacuzzi à la Playboy Mansion (j'y allais régulièrement quand j'étais à LA) apparaissaient régulièrement dans la page « Qui s'amuse avec Hef ? » du magazine et ma sexualité a donc déclenché la « consternation ». Le *National Enquirer* disait que j'avais des histoires avec Juliana Margulies ou Christy Turlington ou Marina Rust. Ils disaient que j'avais des histoires avec Candace Bushnell, Rupert Everett, Donna Tartt, Sherry Stringfellow. J'avais soi-disant une histoire avec George Michael. J'avais même une histoire avec Diane de Furstenberg et Barry Diller en même temps. Je n'étais pas hétéro, je n'étais pas gay, je n'étais pas bi, je ne savais pas ce que j'étais. Mais tout était de ma faute, et j'étais en fait content que les gens veuillent vraiment savoir avec qui je couchais. Quelle importance ? J'étais un mystère, une énigme et c'était ça qui était important – c'était ça qui vendait des livres, c'était ça qui me rendait encore plus célèbre. La propagande conçue pour améliorer le portrait déjà très chic de l'artiste en jeune beau.

Sous héroïne, je pensais que tout ce que je faisais était innocent et plein d'amour et j'avais un désir intense de me fondre dans l'humanité et j'étais détendu et serein et concentré et j'étais franc et j'étais attentionné et je signais tant d'autographes et je me faisais tant de nouveaux amis (qui s'effaçaient, qui n'y arrivaient pas). À l'époque où j'ai découvert la dope, j'ai commencé le processus, long d'une décennie (les années 1990), consistant à concevoir, écrire et promouvoir un roman de 500 pages intitulé *Glamorama*, consacré à un réseau terroriste international se servant du monde de la mode comme couverture. Et le livre promettait – c'était prévisible – de faire de moi un multimillionnaire de nouveau et de me rendre encore plus célèbre. Mais je devais faire une tournée mondiale. C'est ce que j'avais promis en signant les contrats ; c'est ce sur quoi ICM avait insisté, afin de pouvoir ramasser leur commission sur le multimillionnaire. Mais j'étais à fond dans le smack et la tournée de seize mois était considérée par la maison d'édition comme une situation potentiellement « délicate » dans la mesure où j'étais, selon Sonny Mehta, « tout le temps pété en quelque sorte ». Mais ils se sont calmés. Ils avaient besoin de moi pour faire la tournée qui les aiderait à récupérer la monumentale avance qu'ils m'avaient filée (je leur avais dit d'envoyer Jay McInerney à ma place – personne ne verrait la différence, avais-je prétendu, et j'étais certain que Jay pourrait le faire – personne chez Knopf n'avait pensé que c'était même envisageable). Et comme je voulais être multimillionnaire de nouveau, je leur ai promis que j'avais décroché – et pendant quelque temps ça a été le cas. Un médecin chez qui ils m'avaient envoyé était convaincu qu'il me faudrait un « nouveau foie » avant l'âge de quarante ans si je n'étais pas prudent, ce qui m'avait aidé. Mais pas assez.

Pour s'assurer que je serais « sans additif » pendant la première étape de la tournée *Glamorama*, Knopf a engagé un garde du corps jamaïcain chargé de me surveiller. Parfois, c'était facile de lui échapper ; parfois, ça ne l'était pas. Comme de nombreux et respectables drogués (un peu velléitaires), j'avais en général de la cocaïne sur les revers de ma veste quand je sortais des toilettes, que j'époussetais pour la faire tomber sur le pantalon de mes nouveaux costumes Cerruti et on pouvait donc remarquer, par moments, que je n'étais pas encore tout à fait « clean », ce qui conduisait Terence à me fouiller quotidiennement, à la recherche de sachets de crystal meth et de cocaïne et de drogue dans mes manteaux Armani qu'il envoyait ensuite chez le teinturier. Et puis il y avait des effets secondaires plus graves, du fait de se droguer pendant une tournée longue et épuisante : la crise cardiaque à Raleigh-Durham et le coma quasi mortel à St. Louis. Très vite, Terence s'en est foutu complètement (« Mec, tu veux de la dope, prends de la dope », me disait Terence avec une certaine lassitude dans la voix, en tortillant ses dreadlocks du bout du doigt. « Terence veut pas savoir. Terence ? Fatigué, mec ») et donc je m'en enfilais toutes les dix minutes pendant les interviews dans un bar d'hôtel à Cincinnati, tout en avalant des doubles Cosmopolitan à deux heures de l'après-midi. Je montais à bord d'avions de Delta Airlines en passant en douce des réchauds au propane et d'importantes quantités de crack. J'ai fait une overdose dans une baignoire à Seattle (j'ai été cliniquement mort pendant trois minutes au Sorrento). Et c'est là que les choses vraiment inquiétantes ont commencé. Si un nombre croissant de responsables dans chaque ville ne pouvaient pas me trouver avant l'heure du déjeuner, ils avaient reçu la consigne de mon éditeur d'alerter le détective de l'hôtel où je me trouvais pour ouvrir la porte de ma chambre – et si j'avais mis la chaîne ou bloqué une chaise sous le loquet, ils étaient autorisés à la « défoncer » – pour s'assurer que j'étais encore vivant et, bien sûr, j'étais toujours encore vivant (littéralement, sinon figurativement), mais tellement parti que les gens des relations publiques devaient me porter sur leur dos de la limousine à la station de radio, à la librairie où j'entamais ma lecture effondré sur une chaise, marmonnant dans le micro, pendant qu'une libraire nerveuse se tenait près de moi pour claquer les doigts sous mon nez au cas où j'aurais tourné de l'œil (et parfois pendant les signatures, elles me tenaient la main, la guidant pour dessiner un nom reconnaissable quand je n'avais qu'une envie, c'était de faire une croix). Et s'il n'y avait pas de drogues disponibles, je me sentais beaucoup moins investi dans l'affaire. Par exemple, puisqu'un dealer que je connaissais à Denver s'était fait – sans que je le sache avant mon arrivée – poignarder à mort, à coups de tournevis dans la tête, je devais annuler mon apparition au Tattered Cover à cause du manque de dope (je me suis échappé du Brown Palace et on m'a trouvé sur la pelouse devant l'appartement d'un autre dealer, gémissant, mon portefeuille et mes chaussures volées, mon pantalon sur les chevilles). Sans drogue, j'étais incapable de me doucher, terrifié de ce qui pourrait sortir du pommeau de douche. De temps en temps, lors d'une signature, une groupie qui laissait entendre qu'elle avait de la drogue était entraînée dans ma chambre d'hôtel et tentait de me ramener à la vie avec de la dope et une pipe (ce qui exigeait une immense patience de la part de la groupie). « Il ne faut pas plus d'une semaine pour décrocher de l'héroïne », disait, pleine d'espoir, l'une de ces filles tout en essayant de se dévorer le bras après avoir constaté que j'avais consommé ses six sachets de smack. Sans drogue, j'étais convaincu que le propriétaire d'une librairie de Baltimore était en fait un puma. Si ce genre de truc pouvait se passer, comment aurais-je enduré, sobre, un vol de six heures jusqu'à Portland ? La solution pour moi ? Trouver encore de la drogue. Et j'ai donc continué à m'enfiler de la dope et à hocher la tête pendant les interviews dans les bars d'hôtel. Je m'effondrais de sommeil dans les avions, affalé, complètement inconscient, en première, avant qu'une chaise roulante ne m'emmène à travers les couloirs d'aéroport, une hôtesse à mes côtés pour m'empêcher de glisser de la chaise. « Empoisonnement alimentaire, disait à la presse Paul Bogaards, nouvellement promu à la tête du service de presse de Knopf. Il a été empoisonné par un… euh, vous savez. »

Et la tournée continuait furieusement.

Je me suis réveillé à Milan. Je me suis réveillé à Singapour. Je me suis réveillé à Moscou. Je me suis réveillé à Helsinki. Je me suis réveillé à Cologne. Je me suis réveillé dans différentes villes de la côte Est. Je me suis réveillé berçant une bouteille de tequila dans une limousine blanche à la calandre décorée de cornes fonçant à travers le Texas. « Pourquoi Bret n'a-t-il pas fait sa lecture ? » demandait constamment la presse à Paul Bogaards. Après un silence, Paul répondait avec le flou désormais habituel. « Euh, fatigue… » Nouvelle délicatesse : « Pourquoi Bret a-t-il retardé cette partie de la tournée ? » Nouveau silence prolongé avant un « Euh, allergies ». Puis un silence plus long encore avant que le journaliste troublé ne dise de façon un peu hésitante et à peine murmurée, « Mais nous sommes en janvier, Mr. Bogaards ». Finalement, après un nouveau silence prolongé de la part de Bogaards, d'une toute petite voix : « Fatigue… » Suivi d'un autre silence encore, très long et puis, à peine soufflé : « Empoisonnement alimentaire. » Mais les gens gagnaient tellement d'argent (il y avait assez de pornographie et de membres arrachés pour apaiser le gros de mes fans et le livre était sur toutes les listes de best-sellers en dépit des critiques qui s'achevaient en général sur le mot « beurk ») que les horaires étaient immanquablement réajustés, parce que s'ils ne l'avaient pas été, mon éditeur aurait subi des pertes financières colossales. Tout dans ma carrière était à présent évalué en termes économiques et il fallait envoyer des bouquets de fleurs géants dans les suites de mes hôtels pour apaiser « les rages provoquées par mon manque d'assurance ». Chaque hôtel du *Glamorama* World Tour devait me procurer « dix bougies votives, une boîte de vitamine C en pastilles, un assortiment de pastilles Ricola pour la gorge, du gingembre frais, trois grands sachets de Dorito's Cool Ranch, une bouteille de Cristal au frais et une ligne téléphonique extérieure non listée », et lors des lectures, les lumières au-dessus du podium devaient être « orangées » afin d'accentuer le bronzage obtenu en cabine. Si ces exigences n'étaient pas remplies, la sanction serait la rupture entre Knopf et moi-même. Personne n'avait jamais dit qu'être un fan de Bret Easton Ellis serait du gâteau.

Un vrai « flic des narcotiques » a été engagé pour la deuxième tournée américaine. Pendant tout ce temps, l'édition de poche était parue (j'étais sur la route depuis si longtemps). Terence n'était plus dans les parages depuis des mois et une jeune femme au teint frais – une « assistante en motivation », une « baby-sitter de célébrité » ou une « compagne de sobriété », ou je ne sais quoi – devait s'assurer à présent, en fait, que je ne sniffais pas d'héroïne avant les lectures. Mais, bien entendu, elle avait été engagée pour protéger mon éditeur, pas moi. Ils se fichaient pas mal de savoir pour quelle raison cachée j'étais dépendant (et moi aussi d'ailleurs) et ne s'intéressaient qu'au montant des ventes générées par la tournée. Je pensais être « fragile mais en état de fonctionner », et à en croire les e-mails du flic des narcotiques envoyés au service de presse de Knopf, je n'étais *absolument pas* en état de fonctionner.

> e-mail #6 : « 25 kilomètres au sud-ouest de Detroit écrivain retrouvé caché au fond d'un van, moteur calé, sur la bande de séparation d'une

autoroute, grattant furieusement croûtes imaginaires. »

e-mail #9 : « Pour raison quelconque écrivain aspergé de gaz lacrymogène lors d'une manifestation antiglobalisation à Chicago. »

e-mail #13 : « Berkeley – dealer en colère pris en train d'étrangler écrivain pour "défaut de paiement" dans ruelle derrière Barnes & Noble. »

e-mail #18 : « Cleveland – écrivain a dormi jusqu'à 15 heures, ratant interviews du matin et du déjeuner ; retrouvé en train de se gaver dans un fast-food avant d'être contraint de vomir. Vu aussi devant un miroir de l'hôtel sanglotant, "Je deviens vieux". »

e-mail #27 : « Santa Fe – écrivain a soi-disant encouragé un doberman pinscher à faire un cunnilingus à une groupie inconsciente et lorsque ledit animal a manifesté un manque d'intérêt pour ladite groupie, écrivain a donné coup de poing dans tête dudit animal avant d'être sévèrement mordu. »

e-mail #34 : « Salon du Livre de Miami – écrivain s'est enfermé dans salle de bains d'une librairie hurlant à plusieurs reprises aux employés inquiets, "Allez-vous-en !" Écrivain a émergé une heure plus tard, a recommencé à délirer. "J'ai un serpent sur moi ! hurlait l'écrivain. Il me mord ! Il est DANS MA BOUCHE !" Écrivain emmené de force jusqu'à voiture de la sécurité, agrippant un jeune élève d'une école rabbinique stupéfait – que l'écrivain ne cessait de caresser et d'empoigner – jusqu'à arrivée de l'ambulance. Yeux révulsés, derniers mots de l'écrivain – hurlés – avant démarrage du véhicule étaient, je cite, "Je garde le garçon juif", fin de citation. »

Paul Bogaards répondait par e-mail dans son style à lui, du genre : « Je me fiche de savoir si vous devez mettre un manche à balai dans le cul de l'écrivain, mais faites-le monter sur l'estrade – Faites-Le. » J'avais l'impression d'avoir été kidnappé. La tournée me semblait tellement longue et monstrueusement injuste. Je ne cessais de m'évanouir en raison de la pression continue que je subissais. Le Wellbutrin m'aidait à tenir, ainsi que mon refus d'admettre que quelque chose n'allait pas. Mon assistante disait à présent que la tournée était « une expérience indéniablement traumatisante ». Quand j'ai répliqué, « C'est une mauvaise farce ! », elle a lâché, « Il faut que vous touchiez le fond ». Mais c'est difficile de toucher le fond quand vous gagnez près de trois millions de dollars par an.

Les comptes rendus sur mes lectures ne variaient pas : « Bavard, déconcentré et obsédé par sa personne, Ellis a enterré la soirée sous une telle couche de charabia que son apparition a eu pour seul effet de montrer un auteur célèbre en train de se décomposer… » Ce genre de critique n'était pas atypique. Grâce à l'Internet, la nouvelle a couru dans le cyberespace que mes signatures étaient « involontairement comiques » et « pitoyables », et ça a poussé les gens à acheter des livres. Ça a permis d'aligner des culs sur toutes ces chaises pliantes que l'éditeur avait installées pour les lectures, ce qui a fini par produire des bénéfices énormes parce qu'il émanait de moi ce truc cool, à la fois amorti et épuisé, qui était tellement populaire à ce moment particulier de l'histoire culturelle. Mais le désir de m'effacer était trop grand – ça consistait à gagner à un jeu où il n'y avait pas de gagnants. Je me nourrissais si mal qu'au milieu d'une lecture à Philadelphie (j'avais mis le livre de côté et commencé à divaguer à propos de mon père), une dent de devant s'est détachée.

J'étais épuisé par le barrage non-stop de la presse (et par ma duplicité et les vérités que je cachais) et après la première de la version cinématographique d'*American Psycho* – qui était ce que visait cette tournée mondiale de *Glamorama* de seize mois, ce vers quoi elle devait culminer – j'ai compris que si je voulais vivre de nouveau (c'est-à-dire ne pas mourir), je devais fuir New York. J'étais à ce point grillé. Une semaine entière à la coke et à l'héroïne avait commencé dans la limousine qui m'emmenait à la première au Sony Theater sur Broadway et la Soixante-huitième Rue et s'était poursuivie dans la longue nuit de fêtes qui avait commencé à la boutique Cerruti de Madison (ils avaient fourni les costumes pour le film), s'était déplacée jusqu'à Pop dans le bas de la ville, mise à danser à Spa et traînée ensuite jusqu'à mon appartement de la Treizième Rue, où les acteurs du film et leurs divers agents et relations publiques et DJ et autres membres connus du jeune Hollywood avaient swingué jusqu'à ce que le concierge de l'immeuble vienne le lendemain matin m'ordonner de chasser tout le monde en raison du bruit intolérable, et que j'essaie, pété et puant la vodka et le freebase, de le soudoyer avec un rouleau de billets de cent. Après ça, je suis resté couché tout seul pendant les sept jours suivants, à regarder des DVD porno sans le son et à sniffer peut-être quarante sachets d'héroïne, un seau en plastique à mes côtés dans lequel j'ai vomi sans arrêt, me disant que le manque de respect de la communauté des critiques était ce qui m'avait tant blessé et expliquait le fait que je me droguais pour échapper à la douleur. Je suis resté tout simplement couché et j'ai attendu la fin minable de la carrière incendiaire.

La semaine suivante, il y a eu un séjour inutile à la clinique Exodus de Marina Del Ray (où on a diagnostiqué un truc appelé « narcissisme de situation acquise »). Ce n'était d'aucune aide. Seuls les speedballs et la cocaïne et les buvards d'acide tamponnés Bart Simpson et Pikachu avaient encore du sens pour moi, étaient les seuls trucs qui me faisaient *ressentir* quelque chose. La cocaïne détruisait la paroi nasale et j'ai sérieusement pensé que la solution serait de ne faire que du freebase, mais avec deux litres de vodka par jour ça paraissait un but un peu flou et hors d'atteinte. Je me suis aussi rendu compte que je n'avais écrit qu'un seul truc au cours des deux dernières années : une horrible nouvelle avec des extraterrestres, un fast-food et un épouvantail bisexuel doué de parole, alors que j'avais promis à ICM le premier jet de mes mémoires. Dans la mesure où, selon Binky, nous refusions des demandes de biographie autorisée au moins deux fois par mois, plus d'une douzaine d'éditeurs se préoccupaient du projet des mémoires. J'en avais parlé de manière éhontée pendant le *Glamorama* Tour et, dans mon interview (incohérente) du numéro double de *Rolling Stone* fin 1998, j'en avais donné tous les détails. J'avais même fourni un titre sans avoir écrit une seule phrase utilisable : *Là où j'étais, je ne dois pas revenir*. C'était censé traiter essentiellement les événements formateurs de mon enfance et de mon adolescence et s'achever avec ma première année à Camden, un mois avant la publication de *Moins que zéro*. Mais *penser* au projet seulement ne donnait rien (je ne pourrais jamais être aussi honnête avec moi-même dans des mémoires que je pouvais l'être dans mes romans) et j'ai donc laissé tomber (il existe cependant une biographie non autorisée que Bloomsbury doit publier l'année prochaine, écrite par Jaime Clarke, contre laquelle je vais protester avec véhémence – son titre : *Ellis Island*). Et les drogues ont repris de plus belle.

Il y avait aussi un problème d'argent – je n'en avais pas. J'avais tout claqué. Comment ? Les drogues. Les fêtes qui coûtaient 50 000 dollars. Les drogues. Les filles qui voulaient qu'on les emmène en Italie, à Paris, à Londres, à Saint Barth. Les drogues. Une garde-robe Prada. Une nouvelle Porsche. Les drogues. Une cure de désintox qui n'était pas prise en charge par la mutuelle. L'argent du cinéma – des boulots de réécriture – qui pleuvait à un moment donné avait commencé à se faire rare lorsque les rumeurs concernant la drogue avaient acquis une précision de détail qui les rendait impossibles à ignorer et après que j'eus renvoyé plusieurs scénarios sans faire aucune des révisions demandées, seulement annotés de mes réflexions gribouillées en marge : « Pas terrible », « Je trouve ça excellent », « À gonfler » et l'omniprésent « Je haïssais mon père ». L'étincelle qui m'avait autrefois animé s'était définitivement éteinte. Qu'est-ce que je foutais à traîner avec des partouzeurs et des trafiquants de diamants ? Qu'est-ce que je foutais à acheter des kilos ? Mon appartement puait la marijuana et le freebase. Un après-midi, je me suis réveillé et j'ai compris que je ne savais plus comment faire marcher quoi que ce soit. Quel bouton mettait en marche la machine à café ? Qui payait mon emprunt immobilier ? D'où venaient les étoiles ? Au bout d'un moment, vous découvrez que tout s'arrête.

Il était temps de limiter les dégâts. Il était temps de renouveler les contacts. Il était temps d'exiger un peu plus de moi-même.

J'avais perdu la fougue, le nerf, le *machin* qu'il fallait pour rester sous les projecteurs. Mon désir d'être dans le coup s'était étiolé – j'étais épuisé par tout le cirque. Ma vie – mon *nom* – s'était transformée en une réplique répétitive qui ne faisait rire personne et j'en avais marre de gober tout ça. La célébrité était une vie vécue en conformité à un code – c'était un monde où il vous fallait constamment déchiffrer ce que les gens voulaient de vous, où le terrain était glissant et où vous faisiez immanquablement le mauvais choix. Ce qui rendait les choses de moins en moins supportables, c'était qu'il fallait se taire parce que je ne connaissais personne avec qui j'aurais pu sympathiser (peut-être Jay McInerney, mais il était encore tellement plongé dedans qu'il n'aurait jamais compris) et une fois que j'ai saisi que j'étais totalement seul, j'ai pigé, seulement à ce moment-là, que j'étais sérieusement en danger. Mon attitude mélancolique vis-à-vis de la célébrité et des drogues – le plaisir pris à m'apitoyer sur moi-même – s'était transformée en une tristesse froide et l'avenir ne paraissait même plus vaguement plausible. Seule une chose semblait foncer vers moi : une noirceur, une tombe, la fin. Et donc pendant cette année terrible, il y a eu les inévitables programmes en douze étapes, l'inévitable récidive, les multiples rechutes, les guérisons manquées, la fuite soudaine à Las Vegas, le basculement dans l'abîme et, finalement, le réacteur qui cale. J'ai appelé Jayne en dernier recours. Elle a écouté. Elle a fait une offre. Elle a tendu la main. J'étais dans un tel état de choc que j'ai éclaté en sanglots. Ce qui m'était donné – j'ai compris immédiatement – était extrêmement rare : une seconde chance avec quelqu'un. Ma première réaction, brève, a été la réticence, mais il y avait un autre facteur qui l'emportait sur tout : personne d'autre ne voulait de moi.

Et c'est comme ça que j'ai tout de suite rebondi. En mai, j'étais désintoxiqué, je signais un énorme contrat pour un nouveau roman avec Knopf qui hésitait et en juin avec ICM qui insistait et en juillet je me suis installé dans la maison à peine terminée de Jayne. Nous nous sommes mariés à la fin de ce mois-là au cours d'une cérémonie très privée au City Hall, avec pour seul témoin Marta, l'assistante de Jayne. Mais Jayne Dennis était une actrice très connue et, « curieusement », la nouvelle a filtré. Le *National Enquirer* a immédiatement consacré un article « au manque de chance extraordinaire de Jayne en amour » et dressé la liste de toutes ses relations malheureuses (quand était-elle sortie avec Matthew McConaughey ? Billy Bob Thornton ? Russell Crowe ? Qui était Q-Tip ?), avant de demander à ses lecteurs, « Pourquoi Jayne Dennis vit-elle aujourd'hui avec un homme qui l'a laissée tomber si cruellement ? » Suivaient des comparaisons avec Angelica Huston et Jack Nicholson, Jerry Hall et Mick Jagger. Un psychologue diplômé émettait l'hypothèse selon laquelle les femmes célèbres ne sont pas si différentes des femmes non célèbres lorsqu'il s'agit de mal choisir leurs partenaires. « Vous pouvez être belle et avoir du succès et cependant être attirée par un *loser* », déclarait le psychologue diplômé avant d'ajouter, « Souvent, les femmes belles aimantent pour ainsi dire les tocards ». L'article enchaînait sur mon « insensibilité féroce » et mon « refus de désavouer les commentaires faits sur le rôle de Keanu Reeves » dans toute cette histoire. « Sortir avec un salopard est une nouveauté excitante – elle doit être impatiente de relever le défi », confiait une source anonyme. Une « amie intime » de Jayne était censée avoir dit, « Épouser Bret Easton Ellis est un des choix les plus stupides du siècle qui commence ».

Limiter les dégâts. Nous avons accepté de faire un portrait pour le magazine *Talk* (titré : « Beau parti ou mal parti ? ») dans lequel Jayne a pris ma défense et je me suis repenti. L'article épluchait les années que j'avais passées perdu dans les drogues et l'alcool, même si j'avais déclaré être désintoxiqué à présent. « On a dit des choses fausses et vicieuses au sujet de Bret », a confié Jayne. Poussée par elle, j'ai ajouté, *indigné*,

« Ouais, je l'ai un peu mauvaise, moi aussi ». Jayne a continué à se lamenter : « Ce métier peut être tellement dur pour les couples que j'ai beaucoup perdu de la confiance que j'avais en moi » et aussi « Je crois que les types bien – si ça peut vouloir dire quelque chose – étaient vraiment intimidés par moi et donc les hommes avec qui je sortais n'étaient pas très attentifs en général ». Le journaliste avait noté le long regard oblique que m'avait lancé Jayne. Le journaliste avait noté mon « air grave » et n'avait pas eu l'air de me croire lorsque j'avais dit, « J'essaie toujours de vivre pleinement le moment quand je suis avec mes enfants – je consacre vraiment ma vie à la paternité » (le journaliste n'avait pas noté combien j'étais secrètement amusé par tout ceci dans ma nouvelle vie de sobriété : une expression déconfite, une traînée de sang sur le revers de la main, le cœur qui avait cessé de battre, la cruauté des enfants). Cet écrivain avait sa psychologie à deux sous pour traiter les questions : « Les femmes célèbres ont la réputation de se saboter elles-mêmes parce qu'elles ont le sentiment de ne pas mériter ce qu'elles ont » ou bien « Il faut de la personnalité pour résister à un goujat et les célébrités n'ont pas une personnalité plus forte que la moyenne ». L'écrivain m'avait aussi posé des questions, du genre, « Certains critiques émettent des réserves en ce qui concerne votre sincérité – comment réagissez-vous ? » et « Pourquoi vous êtes-vous endormi pendant la cérémonie des Golden Globe Awards, l'année dernière ? » Mais Jayne intervenait sans cesse avec des réponses toutes faites comme « Bret est la source de ma force », à quoi répliquait une amie dont le nom restait tu, « C'est une plaisanterie. Regardons les choses en face, Jayne a épousé Bret Ellis parce qu'elle manque totalement de confiance en elle-même. Elle mérite mieux qu'un éternel potache, non ? Ellis est le parfait *loser* ». Une autre amie anonyme était censée avoir dit, « Bret ne l'accompagnait même pas à ses rendez-vous de soins prénatals ! Il faut savoir que c'est le genre de type qui fume des joints dans les taxis ». Jayne a admis que son attrait pour les « mauvais garçons » avait été une drogue et que leur « imprévisibilité » lui procurait un véritable « rush ». « Hé, je suis un mec intéressant », me faisait dire l'article. Autre source anonyme : « C'est un en-foi-ré. » Ma propre conclusion : « Ma vie est comblée avec Jayne – je lui en suis reconnaissant. » L'article s'achevait – de façon choquante, j'ai trouvé – sur un : « Bonne chance, Jayne. »

À ce moment-là, Jayne avait quitté Los Angeles et s'était installée dans la banlieue anonyme de la côte Est, assez près de New York pour les rendez-vous et les affaires mais en même temps suffisamment loin de ce qu'elle considérait comme l'horreur croissante de la vie urbaine. Les attaques contre le World Trade Center et le Pentagone avaient été l'incitation initiale et Jayne avait même envisagé brièvement un endroit exotique au fin fond du Southwest ou dans l'immensité du Middle West, mais sa mission avait fini par se simplifier et se limiter à un déplacement de deux heures au moins par rapport à la métropole la plus proche, puisque c'était là que les kamikazes se faisaient sauter, dans les Burger King et les Starbuck et les Wal Mart bourrés de monde et dans le métro aux heures de pointe. Des barbelés sur plusieurs kilomètres délimitaient des périmètres inaccessibles dans les grandes villes et les journaux du matin publiaient en première page des photos aériennes des immeubles où des bombes avaient explosé, avec les piles de cadavres entremêlés à l'ombre des grues qui soulevaient des plaques de béton déchiqueté. De plus en plus souvent, il n'y avait « pas de survivants ». Les gilets pare-balles étaient en vente partout, à cause des snipers qui avaient surgi partout. La police militaire à tous les coins de rue n'offrait pas une vision réconfortante et les caméras de surveillance s'étaient révélées parfaitement inutiles. Il y avait tant d'ennemis sans visage – à l'intérieur du pays et à l'extérieur – que personne ne savait plus contre qui nous combattions et pourquoi. Les villes étaient devenues des lieux de deuil, où la vie quotidienne était brutalement interrompue par des amoncellements acérés de métal et de verre et de pierre, et un malheur d'une proportion inimaginable s'élevait au-dessus d'eux, accentué par la présence des photos en lambeaux, tachées, des disparus, affichées partout, ce qui n'était pas seulement un rappel constant de ce qui avait été perdu, mais un avertissement de ce qui allait venir, et aussi par les montages en boucle de CNN montrant des gens errant au ralenti, l'air hébété, certains enveloppés dans des drapeaux américains, pendant qu'on entendait sur la bande-son Bruce Springsteen qui chantait d'une voix douce, *We Shall Overcome*. Les moments de peur étaient si nombreux que les vivants enviaient les morts, et les gens avaient commencé à partir pour la campagne, les banlieues, n'importe où. Les villes n'étaient plus un endroit où élever des enfants ou, plus exactement, selon Jayne, pour commencer à le faire. Tant de gens avaient perdu leur capacité d'aimer.

Jayne voulait élever des enfants doués, disciplinés, poussés vers le succès, mais elle redoutait à peu près tout : la menace des pédophiles, des bactéries, des 4 × 4 (nous en avions un), des armes à feu, de la pornographie et du rap, du sucre raffiné, du rayonnement ultraviolet, des terroristes, de nous-mêmes. J'ai suivi des séminaires pour contrôler la rage en moi et j'ai passé en revue toutes les « blessures d'enfance » avec un thérapeute, après un échange bref mais animé concernant Robby au cours d'une conversation parfaitement anodine entre nous deux (c'était toujours ce que *lui* désirait, ce dont *il* avait besoin – tout ce que je désirais moi était ignoré et il fallait que je l'accepte, il fallait que je surmonte ça). J'ai passé l'été à essayer de mieux connaître ce garçon inquiet, triste, alerte, qui répondait de manière évasive à mes questions qui, j'estimais, exigeaient des réponses claires et précises, et aussi Sarah, qui avait maintenant six ans et ne cessait de me tenir au courant du fait que tout l'ennuyait. Comme le camp de vacances avait été annulé, Jayne et moi organisions des activités pour les tirer de leur stupeur : cours de karaté, leçons de hautbois, cassettes de l'orthophoniste, jouets intelligents, visite du musée de cire, visite de l'aquarium. L'été a passé à dire non à Robby (qui se considérait comme un professionnel du jeu vidéo) parce qu'il voulait aller à Séoul participer aux championnats du monde des jeux cybernétiques. L'été a passé à s'habituer à la vaste gamme de médicaments qui étaient administrés aux enfants (stimulants, stabilisateurs d'humeur, antidépresseurs Lexapro, Adderall pour l'hyperactivité et le déficit d'attention, et divers anticonvulsifs et antipsychotiques qui avaient été prescrits). L'été a passé à construire un fort. À décorer des cookies. À acheter un robot couleur argent pour Robby qui lui a fait dire, « Je suis trop vieux pour ça, Bret ». À regretter le CD-ROM d'astronomie qu'il aurait préféré. À installer le trampoline que j'avais acheté et à soigner la petite blessure que s'est faite Robby en exécutant une figure. Nous avons fait des marches dans une forêt. Nous avons fait de longues promenades dans la nature. Je n'arrive pas à croire que j'aie vraiment visité une ferme et une fabrique de chocolat, et aussi caressé une girafe (qui a été ensuite tuée par la foudre pendant un orage d'été monstrueux) au zoo du coin. J'ai refait connaissance de Snuffleupagus. L'été a passé en couleurs, en formes et en chiffres avec Sarah qui pouvait dire « Holà » et il y avait toujours le chien bleu et le gentil dragon et les spectacles de marionnettes où les animaux prenaient des poses suggestives les uns pour les autres, et je lui lisais *The Poky Little Puppy* sur son CD-ROM, qui rendait en comparaison le livre plat et froid, les illustrations nous dévisageant depuis la lueur pâle de l'écran de l'ordinateur. Tout me semblait légèrement irréel. J'étais projeté dans le rôle de mari et de père – de protecteur – et mes doutes avaient la taille de montagnes. Mais j'avançais, mû par un objectif supérieur. Involontairement, je me dirigeais vers quelque chose. J'ai pris un ton plus autoritaire avec les enfants lorsqu'ils se comportaient mal ou se montraient indifférents, gâtés, ce qui semblait soulager Jayne (mais Jayne avait aussi exigé que je reste « concentré » et j'avais donc obtenu facilement un poste de professeur pour un atelier d'écriture dans l'université voisine – même si le groupe d'étudiants ne se réunissait que pour une séance de trois heures par semaine). Je me suis aperçu que je changeais et je n'avais pas d'autre choix que de me sentir valorisé par cette conversion. Je ne cherchais plus frénétiquement l'action. La pression de la vie urbaine s'est relâchée – les banlieues étaient fragmentées et sans fin. Plus question de feuilleter le « Dictionnaire du Diable » (le Zagat) pour trouver un bon restaurant et les enchères forcenées pour obtenir une réservation n'avaient plus lieu d'être. Qui se préoccupait désormais de la table VIP ou de tabasser les paparazzi sur le tapis rouge de la première d'un film ? Je me détendais dans les banlieues. Tout était différent : le rythme des journées, le statut social, les suspicions concernant les gens. C'était un refuge pour les moins compétitifs ; c'était la deuxième division. Vous n'aviez tout simplement plus besoin de faire autant attention aux choses. La pose précise n'était plus de mise. Je m'étais attendu à l'ennui et à m'enrager contre l'ennui, mais cela n'a jamais pris forme. Passer devant quelqu'un en train de tailler une haie n'a pas allumé la dynamite du regret comme je l'avais supposé. J'ai mis fin à mon abonnement à *I Want That !* et pendant un certain temps j'étais bien. Un jour, à la fin du mois d'août, je suis passé en voiture devant un simple champ planté de peupliers et, soudain, j'ai retenu mon souffle. J'ai senti une larme couler sur ma joue. J'étais heureux, ai-je compris sidéré.

Mais à la fin de cet été-là tout ce que j'avais appris a commencé à s'effacer.

Les « problèmes » qui se sont multipliés dans la maison au cours des deux mois suivants ont en fait débuté fin octobre et atteint un point critique en novembre. Tout s'est effondré en l'espace de douze jours.

J'ai raconté les « incidents » selon leur séquence. *Lunar Park* suit le cours de ces événements de manière assez directe et bien que ce soit, ostensiblement, une histoire vraie, aucune recherche n'a été nécessaire pour écrire ce livre. Par exemple, je n'ai pas consulté les rapports d'autopsie concernant les meurtres qui ont été perpétrés pendant cette période – puisque, à ma façon, je les avais commis. J'étais responsable et je savais ce qui était arrivé aux victimes sans avoir recours à l'officier chargé de l'instruction. Il y a aussi des gens qui contestent l'horreur des événements qui ont eu lieu à Elsinore Lane pendant cet automne, et lorsque le livre a été passé en revue par le service juridique de Knopf, mon ex-femme s'est retrouvée parmi les gens qui contestaient, tout comme ma mère, curieusement, qui n'était pas présente pendant ces semaines effroyables. Les dossiers que le FBI possède sur mon compte – ouverts en novembre 1990, pendant la controverse antérieure à la publication d'*American Psycho* et jamais refermés depuis – auraient permis d'éclaircir certains points, mais ils ne sont pas communiqués au public et je n'ai pas le droit de les citer. Et les quelques « témoins » qui pourraient corroborer ces événements ont disparu. Robert Miller, par exemple, l'enquêteur paranormal que j'ai engagé, a tout simplement disparu, et le site Internet sur lequel je l'ai contacté la première fois n'existe plus. Le docteur Mikyum Kim, ma psychiatre de l'époque, a suggéré que je n'étais pas « moi-même » pendant cet épisode et sous-entendu que « peut-être » les drogues et l'alcool avaient été des « facteurs clés » de ce qu'on peut appeler un « état délirant ». Les noms ont été changés et je reste assez vague sur l'arrière-plan parce qu'il n'a aucune importance. C'est un endroit comme n'importe quel autre. Raconter cette histoire de nouveau m'a appris que *Lunar Park* aurait pu avoir lieu n'importe où. Ces événements étaient inévitables et se seraient produits quel que fût l'endroit où je me trouvais à ce moment particulier de ma vie.

Le titre de *Lunar Park* n'est pas conçu comme une plaisanterie sur Luna Park (comme cela est apparu par erreur sur les premiers contrats de Knopf). Le titre n'a de sens que pour mon fils. Ce sont les deux derniers mots de ce livre et, à ce moment-là, j'espère qu'ils s'expliqueront d'eux-mêmes pour le lecteur aussi.

En dépit de l'horreur que semblent revêtir les événements décrits ici, il y a une chose dont vous devez vous souvenir pendant que vous tenez ce livre entre vos mains : tout a réellement eu lieu, chaque mot est vrai.

La chose qui m'a le plus hanté ? Comme personne ne savait ce qui se passait dans cette maison, personne n'a eu peur pour nous.

Et maintenant il est temps de repartir dans le passé.

2

Jeudi 30 octobre

La fête

« Tu fais vraiment très bonne impression. »

Jayne a dit ça après m'avoir regardé de la tête aux pieds avec une expression troublée et demandé, légitimement, en quoi j'étais déguisé pour cette fête d'Halloween que nous donnions ce soir-là, et je lui ai dit que j'avais décidé d'y aller tout simplement déguisé en « moi ». Je portais un jean délavé, des sandales, un tee-shirt blanc trop grand avec une fleur de marijuana géante imprimée et un sombrero miniature. Nous étions dans une chambre qui avait la taille d'un grand appartement au moment où nous échangions ces propos et j'essayais de rendre les choses plus claires en levant les bras et en tournant lentement sur moi-même pour lui donner une chance de mater le Bret sous toutes ses coutures.

« J'ai décidé de ne pas porter de masque. Je veux être vrai, chérie. Ce que tu vois est connu sous le nom de Visage Officiel. » Tout en continuant à tourner, j'ai aperçu Victor, le golden retriever, qui me regardait fixement, depuis sa position enroulée dans un coin. Le chien a continué à m'observer et puis il a bâillé.

« Alors tu es déguisé en… quoi ? En activiste mexicain de la marijuana ? a-t-elle demandé, trop fatiguée pour jeter un regard furieux. Qu'est-ce que je dois dire aux enfants pour le ravissant tee-shirt que tu portes ?

— J'expliquerai aux enfants, s'ils posent la question, que…

— Je dirai tout bêtement que c'est un gardénia.

— Dis-leur seulement que Bret est vraiment dans l'esprit d'Halloween, cette année, ai-je suggéré en me remettant à tourner, les bras toujours en l'air. Dis-leur que je suis déguisé en beau gosse. » J'ai voulu pincer Jayne pour rire, mais elle s'est éloignée trop vite.

« C'est vraiment génial, Bret – je suis si fière de toi », a-t-elle ajouté sur un ton dépourvu d'enthousiasme en quittant la pièce. Le chien m'a regardé, inquiet, puis s'est soulevé et a suivi Jayne. Il n'aimait pas qu'on le laisse seul dans une pièce où je me trouvais. Le chien avait été une catastrophe depuis que j'étais arrivé en juillet. Et comme Jayne avait été obsédée par un livre intitulé *Si seulement ils pouvaient parler* (que je croyais consacré à la jeune génération d'Hollywood, mais qui était en fait une enquête sur les animaux des zoos), elle avait fait subir au chien des séances d'hydrothérapie et d'acupuncture et de massage thérapeutique (« Hé, pourquoi ne pas lui prendre un coach ? » avais-je marmonné à un moment donné) avant de l'emmener chez un béhavioriste canin qui avait prescrit du Cloinicalm, qui était en fait du Prozac pour chien, mais le médicament ayant déclenché une sorte de « léchage compulsif », il avait été remplacé par un équivalent de Paxil pour chien (médicament que prenait Sarah, ce que nous avions tous trouvé incroyablement affligeant). Mais cela ne l'empêchait pas de détester se retrouver seul dans la pièce où j'étais.

La fête, c'était mon idée. J'avais été un « gentil garçon » pendant quatre mois et je pensais que ça méritait d'être célébré. Mais comme les somptueuses fêtes d'Halloween faisaient partie de mon passé (ce passé que Jayne voulait nier et effacer), nous nous sommes disputés à propos de ces « agapes » (mon mot ; Jayne a employé celui de « bacchanale »), aimablement et même agréablement, jusqu'à ce que – surprise – elle finisse par dire oui. Je l'ai porté au crédit de la distraction provoquée par les scènes à retourner pour un film qu'elle pensait avoir terminé en avril, mais que le studio voulait fignoler, les avant-premières ayant montré qu'il fallait simplifier ce thriller grotesque à gros budget qui était incompréhensible. J'avais vu un premier montage à New York le mois précédent et secrètement je l'avais trouvé ridicule, mais dans la limousine qui nous ramenait au Mercer je me suis vraiment emballé pour le truc, avant que Jayne, furibarde, me dise sans même tourner la tête, « Tais-toi maintenant, s'il te plaît ». J'ai compris ce soir-là, dans la limousine, que Jayne était avant tout une personne simple, réservée, une femme qui avait eu de la chance dans une carrière qui lui paraissait rapide et déroutante et que cette inquiétude concernant les scènes à retourner était l'explication profonde de son abandon et du fait qu'elle m'autorisait à donner cette fête le soir du 30 (la collecte de bonbons et de pièces de monnaie ayant lieu le lendemain soir). Les invitations avaient été envoyées par e-mail à quelques amis (Jay, qui était à New York pour la tournée de son livre ; David Duchovny ; quelques acteurs de l'émission de télé-réalité de l'année précédente, « Survivor » ; Bill Block, mon agent à Hollywood ; Kate Betts, qui était venue couvrir quelque chose pour le supplément Style du *New York Times* ; des étudiants de mon atelier d'écriture) et aussi, malheureusement, à quelques connaissances de Jayne (pour l'essentiel des parents d'amis de Robby et de Sarah, qu'elle ne pouvait pas supporter mais avait invités dans un moment d'agressivité rentrée ; je n'ai pas dit un mot). Second signe de protestation contre la fête de la part de Jayne : pas de déguisement, seulement un pantalon noir Tuleh et un chemisier blanc Gucci. Les autres exigences étaient : « Aucun élément de décoration en paille et pas de pêche aux pommes dans les baquets d'eau ». Et quand j'ai protesté au cours des préparatifs qu'elle n'était pas du tout dans l'esprit d'Halloween, sa concession a consisté à engager un traiteur hors de prix. Les enfants avaient été avertis qu'il s'agissait d'une fête pour adultes ; ils seraient autorisés à se mêler à nous pendant la première heure et puis au lit, puisque c'était un jeudi et qu'il y avait école le lendemain. Dans un effort désespéré, Jayne a suggéré qu'il y avait école le lendemain pour moi aussi, que j'emploierais mieux mon temps à travailler plutôt qu'à organiser une fête. Mais Jayne ne comprendrait jamais que la Fête avait été mon lieu de travail. C'était mon marché à terme, mon champ de bataille, c'était là que les amitiés se nouaient, que les amants se rencontraient, que les affaires se faisaient. Les fêtes semblaient frivoles et soumises au hasard et informes, mais elles étaient en fait des événements aux dimensions intriquées et hautement chorégraphiés. Dans le monde où je suis devenu adulte, la fête était la surface sur laquelle la vie quotidienne venait s'inscrire. Quand j'essayais d'expliquer ça sérieusement, Jayne me dévisageait comme si j'étais soudain devenu un débile mental.

J'ai enlevé le sombrero et je me suis regardé dans la pléthore de miroirs de la salle de bains de Jayne (nous avions chacun la nôtre), pour voir ma coiffure sous des angles différents. J'avais fait faire une couleur la veille pour couvrir le gris des tempes, mais j'avais surtout peur de perdre mes cheveux, comme mon père, même si Joelle, ma coiffeuse, insistait pour me convaincre que la chute des cheveux, c'était plutôt le côté maternel de ma famille. Pour une raison quelconque, « l'or de la nuit automnale » est une phrase qui a résonné dans ma tête pendant que je regardais ma coiffure et je l'ai tant aimée que j'ai décidé de l'incorporer dans mon nouveau roman le lendemain, quand j'irais m'asseoir à mon bureau pour en ébaucher les grandes lignes. Derrière moi, il y avait une douche-sauna avec toute une série de jets directionnels et une immense baignoire en marbre d'Italie que j'admirais chaque fois que j'étais dans la salle de bains de Jayne ; son extravagance touchait un point sensible chez moi, définissait celui que j'étais à présent, ce que j'étais devenu au moment même où elle se transformait aussi en symbole de ma précarité en ce monde. L'inspection capillaire terminée, je suis sorti de la salle de bains et j'ai passé la main sur les draps Frette qui enveloppaient notre lit monumental avant d'éteindre la lumière.

Alors que je descendais le grandiose escalier en demi-cercle, le portable a sonné dans la poche arrière de mon jean. Un rapide coup d'œil à ma Tank et puis j'ai contrôlé le numéro qui appelait. C'était Kentucky Pete, mon dealer, et lorsque j'ai répondu, il a dit qu'il était en route.

Note pour le lecteur : oui, techniquement, je n'étais plus *clean*. J'avais rechuté légèrement. Ça n'avait pas pris beaucoup de temps. Une soirée des étudiants sur le campus, la troisième semaine de septembre pour être précis. Un ringard de troisième cycle m'avait proposé une ligne – et puis une autre – dans une salle de bains minable du dortoir, et ensuite j'avais sifflé une vingtaine de bières à la pression pendant que les étudiants s'agglutinaient autour de moi et que je les régalais avec les histoires de mes exploits passés. Jayne n'avait sûrement rien oublié, mais il y avait certaines ondes d'information qu'elle se refusait à capter. Si sa foi en moi était vaguement ébranlée depuis le début du mois d'octobre

– l'impression d'avoir fait une erreur en me reprenant –, le point critique n'avait cependant pas été atteint. Je voyais bien qu'elle avait des craintes, mais elles étaient contenues et n'avaient pas encore tourné à la panique. J'avais l'impression que j'avais du temps pour me reprendre. Mais pas le jour d'Halloween.

Parce que tout était prêt. La maison avait été redécorée par le traiteur pour ressembler à un énorme château hanté, jusqu'aux toiles d'araignée pendant dans tous les coins et squelettes en plastique et chauves-souris démesurées suspendues au plafond et lumières violettes faisant disparaître les murs et stroboscope dans l'entrée. Un ami, l'artiste Tom Sachs, avait conçu la caisse de transport qui trônait au milieu de la salle de séjour et tremblait et laissait entendre des grondements à quiconque s'en approchait. Sur les haut-parleurs placés dans le jardin, on entendait des bruits de chaînes secouées et divers grognements convaincants et le rire inextinguible des morts. Des fantômes en papier crépon blanc flottaient dans les arbres et des lanternes savamment taillées dans des citrouilles et brillamment éclairées jalonnaient l'allée qui menait à la maison. Et bien que ce fût indéniablement une fête pour adultes, il ne se passait rien d'effrayant au 307 Elsinore Lane – juste quelque chose de drôle et d'innocent pour amuser les invités. Pour se protéger des parasites, nous avions engagé deux agents de sécurité (l'un déguisé en Frankenstein, l'autre portant un masque de Dick Cheney) et nous les avions postés à l'entrée principale derrière un cordon en velours rouge, avec pour chacun d'eux une liste d'invités tachée de sang et un talkie-walkie. La fête serait filmée par un de mes étudiants.

Je suis passé devant la cuisine, où Jayne discutait canapés avec les employées du traiteur qui étaient vêtues-dévêtues en sorcières sexy ou en chattes ensorceleuses. Derrière elles, au-delà des portes vitrées coulissantes qui donnaient sur l'arrière de la maison, on mettait de la neige carbonique dans le jacuzzi bouillonnant, dont l'éclairage avait été remplacé par une ampoule rouge sombre pour créer un effet bizarre de chaudron. Et au-delà de ça, la touche finale : les quatre hectares qui s'étendaient derrière la maison jusqu'à un bosquet d'arbres sombres avaient été transformés en un immense faux cimetière avec des pierres tombales bancales, dispersées sur tout le champ, et sur la première d'entre elles avait été posée une goule en plastique mastiquant un fémur en caoutchouc.

Dans la salle de séjour, un DJ installait une sono très élaborée devant un silk-screen d'Andy Warhol me représentant stylo à la main et après m'être présenté, nous avons passé en revue la play-list : *Funeral For A Friend/Love Lies Bleeding*, *The Ghost In You*, *Thriller*, *Witchy Woman*, *Evil Woman*, *Rhiannon*, *Sympathy For the Devil*, *Werewolves of London*, *Spooky Girlfriend*, *The Monster Mash*, etc. Le DJ m'a garanti qu'il avait là assez de morceaux terrifiants pour tenir jusqu'au bout de la nuit. De l'autre côté de la pièce, il y avait un bar présidé par un loup-garou qui préparait le cocktail de la soirée : un punch margarita à la mandarine, où flottaient des zestes de citron qui ressemblaient à de minuscules araignées vertes, qui serait servi dans un énorme bol en forme de crâne (j'aurais dans la main une canette de bière sans alcool remplie du punch margarita à la mandarine). J'ai remarqué une série de mains coupées alignées le long du bar.

Les enfants étaient en haut. Robby s'était enfermé avec un ami pour une partie de PlayStation2 frénétique (les zombies avec les Howitzers, le Minotaure furieux, les extraterrestres mortels, les forces de l'enfer, les jeux qui hurlaient « Laisse-moi te dévorer »), Marta surveillait Sarah qui regardait, fascinée et pour la centième fois, *Chico, le coyote incompris*. Puisqu'on allait s'occuper d'eux toute la soirée, il était temps de faire quelque chose avec le chien. J'ai remarqué que Victor reniflait sans le moindre intérêt l'un des chats noirs en peluche que les décorateurs avaient disposés par douzaines dans toute la maison, et j'ai appelé Jayne pour qu'elle aille l'enfermer dans le garage. Victor et moi nous sommes affrontés dans un duel de regards fixes pendant au moins deux minutes, avant que Jayne sorte de la cuisine et prononce simplement son nom, sans même jeter un coup d'œil dans ma direction. Il est allé vers elle, avec une sorte de grimace et en remuant la queue, et au moment où elle l'entraînait hors de la pièce, il a tourné la tête et m'a regardé, l'air féroce. J'ai laissé tomber. Le chien avait son monde – et ses raisons – et j'avais le mien.

Mon portable a sonné de nouveau. Kentucky Pete était devant la maison et avait du mal à franchir l'obstacle Frankenstein, qui m'a appelé au même instant sur l'interphone pour me dire qu'un type – qui n'était pas sur la liste et s'était déguisé en cadavre de Slim Pickins – m'attendait impatiemment de l'autre côté du cordon de velours rouge. En marchant vers l'entrée, j'ai lancé à Pete un « Du calme, j'arrive, mon pote », accompagné d'un gloussement macabre prolongé.

Kentucky Pete était un dinosaure résistant des années 1970 avec qui un de mes étudiants m'avait mis en contact. Obèse, des cheveux longs et gris, des bottes en serpent et un tatouage de scorpion inoffensif (il souriait et tenait une Corona dans une de ses pinces) sur un avant-bras couvert de plaies provoquées par l'usage répété d'aiguilles non stériles, il était l'antithèse des revendeurs de drogue que je fréquentais à Manhattan : les jeunes types beaux, sobres, tirés à quatre épingles dans leurs costumes Paul Smith à trois boutons, qui voulaient une « introduction » dans le monde du cinéma. Pour compenser son manque de classe, Kentucky Pete proposait une sélection plus variée – il vendait absolument de tout, depuis les cachets citron vert de Super Vicodin au Xanax dosé 2 mg en provenance d'Europe, en passant par le crack trempé dans le PCP, les joints aspergés d'un fluide embaumant et la coke assez pure, que je voulais qu'il me refile ce soir-là (avec deux Xanax à 2 mg pour pouvoir dormir, bien sûr). J'avais dit à Jayne qu'il était un de mes étudiants lorsqu'elle l'avait surpris ici la première semaine d'octobre, affalé avec moi devant le home-cinéma en train de regarder le DVD d'*American Psycho*. Lorsqu'elle m'a entraîné dans la cuisine et s'est contentée, incrédule, de me regarder fixement, j'ai insisté, « Troisième cycle, chérie. Troisième cycle » (quand Jayne et moi sortions ensemble dans les années 1980, elle était accro à la Hagen-Däzs – parfois, elle s'y laissait aller, mais la plupart du temps non). Je ne voulais pas que Jayne puisse le voir ce soir-là et il fallait que je traite l'affaire rapidement – même si la maison était plongée à présent dans une lumière violette qui lui aurait fait confondre Kentucky Pete avec un invité déguisé. Si Jayne nous tombait dessus, je lui dirais simplement qu'il était un de mes étudiants déguisé en « chercheur d'or grisonnant ».

Je l'ai fait entrer et, après avoir hésité à lui accorder une margarita, je l'ai conduit rapidement à mon bureau, j'ai fermé la porte à clé et sorti mon portefeuille. Il était pressé de toute façon ; il fallait qu'il soit à l'université avant huit heures pour vendre une grosse quantité de dope à un groupe d'étudiants de première année friqués. Quand il m'a demandé s'il pouvait m'emprunter une pipe, j'ai ouvert mon coffre. Il a sifflé le punch et lâché un énorme soupir d'aise, fredonnant l'air que chantaient les Zombies : *Time of the Season*.

« Qu'est-ce que t'as là-dedans ? a-t-il demandé en tendant le cou, et puis : Pas mal, le sombrero.

— C'est là que je range mon cash et mes flingues. »
J'ai pris dans le coffre une pipe en verre que je lui ai donnée et que je ne voulais, en aucun cas, qu'il me rende après usage. J'avais besoin de deux sachets de coke pure et d'un ou deux grammes du truc bien coupé pour les invités ivres qui allaient me taper et seraient trop bourrés pour faire la différence. La transaction terminée, avec discount en échange de la pipe, j'ai mis dans ma poche les sachets de toutes les couleurs et fait sortir Kentucky Pete, le guidant au milieu des citrouilles alignées sur la pelouse, lui se retournant pour admirer la décoration élaborée de la maison.

« Hé – la baraque a été changée en sacré train fantôme, mec, a-t-il murmuré sur un ton approbateur.

— Le monde entier est un train fantôme, mon pote, ai-je dit rapidement en regardant ma montre.

— Macabre, mec, macabre.

— Les esprits vont gémir ce soir, mon pote, ai-je dit en le dirigeant vers sa moto qu'il avait garée de travers contre le trottoir. Je sais tout sur les ténèbres, mon pote. Je suis prêt à faire la fête et prêt à tout. »

Bien qu'on ait été à la fin du mois d'octobre, l'été indien s'était attardé et j'ai frissonné en pensant à l'incongruité de ce temps si peu automnal, pendant que Kentucky Pete m'expliquait les origines de la fête : Halloween provenait du jour celte de Samhain – c'était le dernier jour de leur calendrier et le seul moment de l'année où les morts revenaient « pour te choper, mec ». Et si tu sortais, il fallait que tu te déguises pour ressembler à un des morts, pour les tromper et qu'ils te foutent la paix. Je n'arrêtais pas de hocher la tête en disant, « Les morts, ouais, les morts ». On pouvait encore entendre *Time of the Season* à l'intérieur de la maison.

« Adios, amigo, a-t-il dit en mettant les gaz.

— C'est toujours un plaisir », ai-je dit en lui tapant

dans le dos. Puis je me suis essuyé les mains sur mon jean et j'ai foncé vers la maison, je me suis enfermé dans mon bureau où j'ai sniffé deux lignes monumentales et, soulagé, j'ai couru jusqu'au bar avec ma canette de bière sans alcool que le loup-garou m'a remplie de punch. J'étais enfin prêt pour que la soirée commence.

Les invités arrivaient. Les déguisements étaient assez prévisibles : des vampires, un lépreux, Jack l'Éventreur, un clown à l'allure monstrueuse, deux assassins à la hache, quelqu'un qui semblait simplement se cacher sous un grand drap blanc, une momie dépenaillée, quelques adorateurs du diable, et il y avait pas mal de mannequins et un paysan pestiféré et, comme prévu, tous mes étudiants étaient des zombies. Quelqu'un que je n'ai pas reconnu est venu en Patrick Bateman, ce que je n'ai pas trouvé drôle et ce qui m'a même causé un problème : voir ce type, grand et beau, dans un costume Armani (daté) taché de sang, embusqué dans tous les coins de la fête, examinant les invités comme s'ils étaient des proies, m'a totalement angoissé et même fait planer un peu moins haut, et j'ai dû retourner dans mon bureau pour arranger ça. Des petites cliques étaient en train de se former. J'ai été contraint de faire la connaissance de plusieurs parents d'amis de Robby et de Sarah, qui discutaient d'une nouvelle tragédie nationale avant que la conversation ne revienne vers des sujets à peu près aussi intéressants que le temps qu'il avait fait la semaine précédente : la petite fille qui n'avait pas pu entrer dans la crèche désirée, la fraude dans les ligues de football, un club de lecture que quelqu'un venait d'organiser – et lorsque j'ai suggéré qu'ils commencent avec un de mes livres, j'ai été accueilli par ce qu'on pourrait décrire comme des « rires gênés ». Jayne dissimulait de manière exquise sa colère en jouant la maîtresse de maison charmante, tandis que j'attendais avec impatience Mr. Jay McInerney qui faisait une lecture en ville et avait appelé un peu plus tôt pour redemander notre adresse. À un moment donné, Jayne a insisté pour que je porte la guitare que je gardais dans mon bureau (un des derniers souvenirs de l'époque de Camden quand je jouais dans des groupes et que je pensais être le prochain Paul Westerberg) pour cacher la feuille de marijuana, après qu'elle eut remarqué les regards inquiets de certains parents, et donc je me suis rapidement retrouvé à gratter ma guitare pour accueillir les invités – ce qui constituait aussi une excellente protection contre mes étudiants qui voulaient me raconter leurs histoires (le pire sujet de conversation pour moi depuis toujours – et ce soir je ne voulais pas qu'on me demande, « Mr. Ellis, est-ce que vous avez lu ma nouvelle, *À Quoi Avais-je La Tête Quand Je Lui Ai Taillé Une Pipe ?* »). Et je ne me concentrais sur rien d'autre en particulier jusqu'à ce qu'Aimee Light fasse son apparition.

Aimee Light était en troisième cycle à l'université et, sans être une de mes étudiantes, elle faisait sa thèse sur mon œuvre, en dépit de la consternation de son directeur de thèse, qui avait essayé sans succès de l'en dissuader. Nous nous étions rencontrés à la fête où j'avais rechuté. Elle était tombée amoureuse de moi, mais calmement, objectivement, et cette distance la rendait bien plus attirante que le groupe habituel des flagorneurs qui m'entouraient. Je jouais mon rôle, un peu distrait, ce qui la frustrait légèrement, j'en étais convaincu. Oui, c'était de nouveau les jeux juvéniles que je pratiquais autrefois à l'université et je me sentais par conséquent plus jeune. Aimee Light était leste, agile, avait le corps parfait de l'adolescente à gros seins et ossature légère, même si elle avait presque vingt-quatre ans. Blonde, yeux bleu acier et volonté de fer – elle était exactement mon type et j'avais essayé de l'attirer dans un lit depuis un mois environ, mais jusqu'à présent je n'étais parvenu qu'à lui rouler quelques pelles dans mon bureau à l'université et dans son studio en dehors du campus. Elle ne cessait de prétendre que ses intentions étaient obscures. Comme tant de choses dans ma vie, elle semblait surgir de nulle part.

Elle était près du bar avec une amie et bavardait avec le loup-garou, et j'ai traversé la pièce en dansant dans sa direction avec *One of These Nights* des Eagles à fond. En me voyant approcher, elle a vite murmuré quelque chose à l'oreille de sa copine – un truc de fille qui trahissait son innocence – juste avant que je ne sois devant elle, rouge et rayonnant dans la lumière violette, et j'ai fait semblant de chanter, de bouger les hanches, de secouer ma guitare. C'était risqué de l'avoir invitée mais elle courait un risque encore plus grand en venant. Je lui ai fait un clin d'œil discret.

Aimee a fait les présentations – « Je vous présente Melissa, c'est une mégère » – et un canon, elle aussi – et j'ai regardé la salle de séjour bondée et vu Jayne qui emmenait David Duchovny pour lui montrer le faux cimetière.

« Ce clin d'œil, c'était votre idée pour détendre l'atmosphère ?

— Tu veux jouer à saute-citrouille ?

— J'aime le tee-shirt, a-t-elle dit en écartant la guitare.

— J'aime tout, ai-je dit en la regardant des pieds à la tête. Tu es déguisée en quoi ?

— L'avocate de Sylvia Plath pour son divorce. »

J'ai pris sa main et j'ai demandé à la mégère, « Vous nous excusez ?

— Bret..., a dit Aimee sur la défensive, mais la pression de sa main ne s'est pas relâchée.

— Hé, il faut que nous parlions de la thèse. »

Elle s'est tournée vers son amie en prenant un air suppliant avant de crier « Attends-moi ! » par-dessus le vacarme de la fête.

En continuant à danser au rythme des Eagles, je l'ai traînée à travers le labyrinthe de la fête jusqu'à une salle de bains, j'ai vérifié qu'on était les seuls dedans et j'ai fermé la porte à clé. Le bruit était tellement amorti qu'on aurait pu se croire seuls dans la maison. Elle s'est adossée au mur – détendue, avec un sourire entendu, pas vraiment là. J'ai avalé une longue gorgée de ma canette et puis j'ai craché une petite araignée verte.

« J'ai cru que tu ne viendrais pas.

— Moi non plus… » Elle s'est tue. « Mais, aaah, je voulais vous voir. »

J'ai sorti un sachet et demandé, « Tu veux une ligne ? »

Elle m'a regardé, amusée, les bras croisés sur la poitrine. « Bret, je ne pense pas que ce soit une bonne idée.

— Qu'est-ce que c'est que ces histoires de coinçage ? ai-je demandé, agacé. D'où est-ce que ça vient – de la petite ville coincée du Connecticut que tu as fuie ? » J'ai fait mon petit trafic avec mon gramme et déposé une petite pile sur la surface près du lavabo. « Je te propose simplement une petite ligne. C'est une décision tellement difficile à prendre ? » Et puis, avec la voix du célibataire endurci : « Qui est ta copine canon ? »

Elle a ignoré mon stratagème. « Ce n'est pas le problème de la ligne.

— Bon, très bien, je me ferai la tienne.

— C'est votre femme.

— Ma femme ? Hé, je ne suis marié que depuis trois mois. Du calme. On est encore en période d'essai…

— Votre femme est ici et en plus vous êtes déjà un

peu parti. » Elle a pris une serviette orange et noir et m'a essuyé le front.

« Depuis quand ça nous a arrêtés ? ai-je demandé d'une voix "triste".

— De faire quoi ? » a-t-elle dit faussement outragée, avant de sourire lascivement.

Je me suis penché vers le lavabo et j'ai sniffé les deux lignes à l'aide d'une paille et puis je me suis immédiatement tourné vers elle, collé contre elle, la guitare entre nous deux. Quand j'ai embrassé sa bouche, elle s'est ouverte sans résistance et nous avons basculé contre le mur. J'ai fait glisser la guitare dans mon dos et j'ai continué à me serrer contre elle, l'érection en pleine pulsation dans le jean, pendant qu'elle faisait semblant de me repousser, mais pas vraiment. À un moment, mon sombrero est tombé.

« Tu es tellement sexe, je ne peux pas m'empêcher de te toucher. Tu as déjà joué au docteur ? »

Elle a ri et s'est dégagée. « Écoutez, ce n'est pas ici qu'on va le faire, et puis, en regardant ma tête : Vous avez fait quelque chose à vos cheveux ? »

Je l'ai embrassée sur la bouche de nouveau. Et elle a réagi plus intensément cette fois-ci. Nous avons été brusquement interrompus par la sonnerie de mon téléphone. Je l'ai ignoré. Nous avons continué à nous embrasser, mais je sentais déjà le déchirement de la déception – il n'y avait pas la moindre chance qu'il se passe autre chose dans cette salle de bains ce soir – et le téléphone n'a cessé de vibrer dans ma poche arrière jusqu'à ce que je me décide à répondre.

Aimee, finalement, m'a repoussé. « OK – ça suffit.

— Pour l'instant », ai-je répliqué de ma voix la plus sexy, mais elle a sonné de façon inquiétante. Mon bras encore autour d'elle, j'ai collé le téléphone à mon oreille de ma main libre.

« Yo ? ai-je dit en vérifiant le numéro.

— C'est moi. » C'était Jay, mais je l'entendais à peine.

« Où es-tu ? Bon Dieu, Jay, tu es encore perdu, mon con.

— Comment ça où est-ce que je suis ?

— On a l'impression que tu es dans une fête ou un truc dans le genre. » J'ai marqué un temps d'arrêt. « Ne me dis pas qu'il y a autant de gens qui sont venus à ta putain de lecture.

— Eh bien, ouvre la porte et tu verras où je suis, a été sa réponse.

— Quelle porte ?

— Celle qui est derrière toi, abruti.

— Oh. » Je me suis tourné vers Aimee. « C'est ce bouffon de Jay.

— Pourquoi ne pas me laisser sortir la première », a suggéré Aimee en se penchant vers le miroir pour s'assurer que tout était bien en place.

Mais, pété et désinvolte, j'ai ouvert la porte et Jay était là : les cheveux savamment ébouriffés, en pantalon noir et chemise à col boutonné orange.

« Ah, je pensais bien te trouver dans une salle de bains. » Et puis Jay a détourné le regard vers Aimee et a dit, l'air approbateur, « C'est là en général qu'on peut le trouver.

— J'ai une petite vessie, ai-je dit en haussant les épaules et je me suis penché pour récupérer mon sombrero.

— Et tu as aussi… » Jay a tendu la main et m'a essuyé le nez au moment où je me relevais « … ce que j'espère et n'espère pas, du talc sur la lèvre supérieure. »

Je me suis tourné vers le miroir et j'ai essuyé la traînée de coke, ajusté le chapeau de paille dans un angle que j'ai trouvé assez canaille.

« Si créatif et en même temps si destructeur, je sais, je sais, a dit Jay, ce qui a fait éclater de rire Aimee.

— Jay McInerney, Aimee Light. » Je me suis collé au miroir pour examiner mon nez encore une fois.

« Je suis une grande fan…, a commencé à dire Aimee.

— Hé, fais gaffe. Aimee est étudiante à l'université et elle fait sa thèse sur *moi*.

— Et donc ceci explique cela ? » a dit Jay en pointant le doigt vers la salle de bains.

Aimee, un peu nerveuse, a détourné les yeux et dit, « Ravie de vous avoir rencontré, mais il faut que j'y aille.

— Tu veux une ligne ? ai-je demandé à Jay, en empêchant Aimee de partir.

— Écoutez, il faut vraiment que j'y aille », a insisté Aimee en se faufilant entre Jay et moi, et après avoir jeté un dernier coup d'œil dans le miroir je l'ai suivie en ayant soin de refermer la porte. Tous les trois dans l'entrée, nous avons été accostés par une grande chatte sexy qui tenait un plateau de *nachos*. J'ai ramené ma guitare sur la poitrine et j'ai failli la frapper avec le manche, mais elle a esquivé à temps. *Superstition* de Stevie Wonder résonnait dans toute la maison.

« Miaou, a dit Jay en prenant un *nacho* dégoulinant de fromage.

— À demain », a murmuré Aimee.

J'ai hoché la tête et je l'ai regardée s'éloigner vers son amie qui parlait toujours avec le loup-garou. « Hé, profite bien de la soirée. » Et j'ai continué à la regarder jusqu'à ce qu'il soit évident qu'elle ne se retournerait pas.

M'arrachant à ma rêverie, Jay a fait un geste en direction de la chatte aux *nachos*. « J'imagine que manger quelque chose est le cadet de tes soucis ?

— Tu veux te faire une ligne ? lui ai-je soufflé à l'oreille, presque involontairement.

— Même si tu as une voix de perroquet, il n'y a

vraiment aucune autre raison d'être ici. » Il a contemplé la salle de séjour sombre au moment où un type déguisé en Anna Nicole Smith est passé devant nous pour aller dans la salle de bains. « Mais il n'y a pas un endroit un peu plus discret ?

— Suis-moi, ai-je dit et, quand j'ai vu qu'il prenait un autre *nacho* : Et arrête de flirter avec le personnel. »

Mais nous étions piégés. Jay et moi étions coincés à la périphérie de la fête, et j'essayais de trouver la stratégie qui nous permettrait d'aller dans mon bureau sans être vus de Jayne. De retour dans la maison, elle présentait David Duchovny aux Allen, nos voisins et emmerdeurs de première, et il fallait trouver un stratagème de façon urgente parce que j'avais désespérément besoin d'une autre ligne – le garage, me suis-je dit soudain, le *garage* – quand j'ai senti qu'on tirait sur ma guitare. J'ai baissé les yeux : c'était Sarah. « Papa ? » a-t-elle dit, le front plissé par une contrariété. Elle portait un tout petit tee-shirt avec BABE imprimé dessus.

« Et qui est cette petite fille ? a demandé Jay en s'agenouillant à côté d'elle.

— Papa, a répété Sarah en l'ignorant complètement.

— Elle t'appelle Papa ? a demandé Jay sur un ton inquiet.

— Nous travaillons sur la question. Que se passe-t-il, ma chérie ? »

J'ai aperçu Marta à l'entrée de la salle de séjour, tendant le cou dans toutes les directions.

« Papa, Terby est furieux », a dit Sarah, la mine boudeuse.

Terby était l'oiseau en peluche que j'avais offert à Sarah en août pour son anniversaire. C'est un jouet horrible mais très populaire qu'elle voulait à tout prix, un truc très mal conçu et grotesque – des plumes noires et rouges, les yeux exorbités, un bec jaune pointu qui gargouillait sans cesse – que Jayne et moi rechignions à acheter jusqu'à ce que les plaintes de Sarah aient noyé toute capacité de la raisonner. Comme ce truc ignoble était introuvable où que ce soit, j'avais eu recours à Kentucky Pete – qui était excellent pour tout ce qui était contrebande – pour en trouver un passé en douce depuis le Mexique.

« Terby est furieux, pleurnichait Sarah.

— Eh bien, il faut le calmer, ai-je dit en continuant à regarder autour de moi. Apporte-lui quelques *nachos*. Peut-être qu'il a faim.

— Terby dit qu'il y a trop de bruit et Terby est furieux. » Elle avait croisé les bras très haut dans une imitation d'enfant en colère.

« OK, mon bébé, nous allons nous en occuper. » Je me suis dressé sur la pointe des pieds et j'ai fait signe à Marta, le doigt pointé vers le sol, et articulé, « Elle est ici ». Soulagée, Marta a commencé à se frayer un chemin vers nous à travers la masse des corps.

Et soudain Sarah s'est retrouvée encerclée. Les enfants adorables, j'avais déjà remarqué, ont cet effet sur les gens. Mettez-les dans une pièce remplie d'adultes et ils sont toujours le pôle d'attraction. Des filles de mon atelier d'écriture et des chattes du traiteur étaient à présent penchées vers elle et posaient des questions avec des voix de bébé, et Sarah a rapidement oublié, semblait-il, toute cette histoire de Terby et j'ai lentement entraîné Jay avec moi. L'adorable petite BABE se réjouissait de l'attention qu'on lui accordait, quand bien même *Don't Fear the Reaper* faisait trembler toute la maison – moment troublant, mais parfaite opportunité pour m'échapper.

Alors que je l'entraînais vers la porte qui donnait sur le garage, Jay a dit, « Tu as traité ça remarquablement bien.

— Jay, elle a six ans et elle pense que son oiseau en peluche est vivant. Alors tu veux que je reste là et que je m'en occupe, ou bien la fermer et te faire une ligne avec moi ?

— Tu ne sais vraiment pas comment t'y prendre, hein ?

— Pour quoi faire ? Une fête d'enfer ?

— Non. Pour être un mari. Pour être le papa.

— Euh, le mari, ça va – mais faire le papa, c'est un peu plus dur, ai-je dit. Papa, je peux avoir du jus d'orange ? Pourquoi pas un peu d'eau, ma chérie ? Papa ? Oui ? Je peux avoir du jus d'orange ? D'accord, ma chérie, tu veux du jus d'orange ? Non, ça va. Je vais boire de l'eau. C'est comme une putain de pièce de Beckett qu'on répète sans arrêt. »

Jay se contentait de me regarder, l'air un peu sombre.

« Mais j'ai acheté un livre, ai-je ajouté sur un ton désinvolte. *La Paternité expliquée aux imbéciles*, et ça m'a aidé énormément. Si seulement *mon* père…

— OK, je vois quel genre de soirée ça va être.

— Hé, comment s'est passé la lecture ? ai-je dit pour changer de registre.

— J'aime bien ta petite ville », a été sa réponse évasive et j'ai compris que la lecture avait dû être un bide. Si je n'avais pas été pété, j'aurais aimé en parler ; mais pété, sûrement pas.

J'ai ouvert la porte et fait entrer Jay dans le garage, et puis j'ai jeté un dernier coup d'œil dans le couloir pour voir si nous avions été suivis. J'ai fermé la porte, tourné la clé et allumé les néons. Le garage pour quatre voitures contenait ma Porsche, la Range Rover de Jayne et une moto que je venais d'acheter avec des droits d'auteur suédois inattendus. Et, je le remarquais à l'instant, un misérable golden retriever qui nous attendait dans le coin, couché contre la bicyclette de Robby. Mais Jay a suscité si peu d'intérêt que Victor a à peine levé les yeux.

« Ignore le chien.

— Ah oui. Tes problèmes d'intimité avec les animaux. J'avais oublié.

— Hey, je suis sorti avec Pidgin O'Brien pendant trois mois. » Et puis, « Prêt pour un peu d'*accion* ?

— Certes. » Jay s'est frotté les mains avec impatience.

« Je nous ai trouvé de la Poudre de Marche Militaire Bolivienne très pure.

— Ooh – les pellicules du diable. »

J'ai mis la main sur ma petite réserve et passé le sachet à Jay. Il l'a ouvert, a examiné la coke et puis fait sa ligne sur le capot de la Porsche et commencé à rouler un billet de vingt.

Après avoir sniffé deux énormes lignes de mon gramme à moi, j'ai voulu lui montrer ma nouvelle moto.

« Hé, bouffon de Jay – regarde-moi ça. La Yamaha YZF-RI. Cent cinquante-deux chevaux. Vitesse maxi : deux cent soixante-dix kilomètres/heure ou presque, ai-je ronronné.

— Combien ?

— Dix mille seulement.

— Bien dépensés. Qu'est devenue la Ducati ?

— J'ai dû la vendre. Jayne trouvait que c'était donner de mauvaises idées à Robby. Et mon argument de dire que le gamin ne s'intéressait à rien est resté totalement inefficace.

— Tel père, tel…

— Magne-toi un peu et sniffe la putain de coke. »

Jay s'est fait la ligne et puis s'est arrêté pour faire la grimace. Un ange est passé.

« Il y a un problème ?

— En fait, cette levure est coupée avec un peu trop de laxatif.

— Désolé, pas la bonne came. » J'ai pris la merde coupée des mains de Jay, replié le sachet et lui ai passé le bon gramme.

« Où est ton type, ton dealer ? a-t-il demandé, toujours grimaçant et se léchant les lèvres.

— Euh, à l'université. Pourquoi ? Et s'il te plaît, ne va pas chier dans notre garage.

— Donc te faire rembourser cette merde paraît improbable ? a-t-il demandé en ouvrant l'autre sachet. Espèce de pigeon !

— Cette merde, c'est pour les gaspilleurs qui ne font pas la différence – je viens de te passer le bon truc.

— Tu es tellement radin. » Il a sniffé deux lignes et basculé la tête en arrière avant de sourire et de dire lentement, « Voilà qui est beaucoup mieux.

— Qu'est-ce que je ne ferais pas pour un pote ?

— Alors, sincèrement, c'est comment la vie conjugale ? a-t-il demandé en allumant une Marlboro et pour lancer la vraie conversation de cokés. La femme, les enfants, la banlieue chic ?

— Ouais, la tragédie complète, hein ? ai-je dit avec un rire creux.

— Non, sérieusement. » Jay avait l'air vaguement intéressé.

« Le mariage, c'est génial, ai-je dit en ouvrant le sachet encore une fois. Sexe illimité. Rires. Ah ouais, et compagnie ininterrompue. Je crois que je suis parvenu à une véritable science de l'affaire.

— Et la présence de l'étudiante dans la salle de bains ?

— Ça fait partie des commodités de la Casa Ellis. » Je me suis fait une ligne et je lui ai piqué une cigarette.

« Non, sérieusement – c'est qui ? a-t-il dit en l'allumant. J'ai entendu dire que les femmes à l'université sont "prodigieuses" maintenant.

— Prodigieuses ? C'est ce que tu as entendu dire ?

— Enfin, j'ai lu ça dans un magazine. C'était un truc que j'avais envie de croire.

— Ce bouffon de Jay. Toujours le même rêveur.

— Je suis vraiment soulagé. Je savais que ce machin de la banlieue, c'était une idée formidable pour toi. Au fait, a-t-il dit en désignant un squelette en plastique pendu à un matelas gonflable, la maison ressemble à ça d'habitude ?

— Ouais, ouais, Jayne aime beaucoup. »

Il est resté silencieux un instant. « Et tu dors toujours sur le sofa ?

— C'est la chambre d'amis et c'est seulement une phase – mais, attends un peu, comment tu sais ça ? »

Il a tiré sur sa cigarette, se demandant s'il allait dire quelque chose ou pas.

« Jay ? Pourquoi penses-tu que je dors dans la chambre d'amis ?

— Helen m'a dit que Jayne lui avait dit un truc concernant tes cauchemars. »

Ouf, j'étais soulagé d'avoir une excuse et j'ai dit, « Je ne rêve même pas ».

L'expression sur le visage de Jay m'a fait comprendre que ce n'était pas du tout ce qu'on lui avait raconté.

« Écoute, nous suivons une thérapie de couple. » Il a réfléchi à ce que je venais de dire pendant que je hochais la tête.

« Après trois mois de mariage ? Ce n'est pas de très bon augure, l'ami.

— Hé, bienvenue sur terre, Jay le bouffon ! Nous nous connaissons depuis près de douze ans, mec. Ce n'est pas comme si nous nous étions rencontrés en juillet dernier et avions décidé de nous marier en cachette. » Je me suis interrompu. « Et merde, comment tu savais que je dors dans la chambre d'amis ?

— Euh, bouffon de Bret, Jayne a appelé Helen. » Il s'est tu, a sniffé une autre ligne. « Je me suis dit que je devais te prévenir.

— Oh, nom de Dieu, pourquoi Jayne appellerait-elle ta femme ? » J'ai essayé de repousser négligemment cette question, mais en fait j'ai frissonné avec la paranoïa du sniffeur de coke.

« Elle redoutait que tu aies replongé et je suppose que… », Jay a levé la main en l'air, « … elle se trompe, non ?

— Tu n'es toujours pas fatigué de cette ironie infantile ? Nous n'étions pas censés ne plus agir comme des adolescents ?

— D'accord, mais tu portes un tee-shirt à la gloire de la marijuana pour ta fête d'Halloween et tu viens de rouler des pelles à une étudiante dans la salle de bains, et donc la réponse, mon pote, c'est définitivement non. »

Tout à coup, le chien en a eu marre et s'est mis à aboyer pour nous faire vider les lieux.

« Sur cette note, nous retournons à la fête. »

Nous sommes revenus dans le labyrinthe et, en glissant dans l'obscurité, je me suis senti nerveux. Les pièces avaient l'air encore plus bondées qu'auparavant et dehors les gens nageaient dans la piscine. En m'apercevant que pas mal d'étudiants parasitaient la fête, j'ai commencé à m'inquiéter de la façon dont Jayne allait réagir à tout ça. Il y avait tellement de monde dans les couloirs que Jay et moi avons dû passer par la cuisine pour revenir prendre un verre dans la salle de séjour juste au moment où on entendait les premiers accords familiers de *Life's Been Good to Me* de Joe Walsh qui ont provoqué chez Bret le désir frénétique de faire semblant de l'accompagner à la guitare. Jay avait l'air passablement amusé. Le doux arôme du shit se répandait dans la salle de séjour. Mon cœur battait deux fois plus vite à cause de la cocaïne et j'avais atteint une nouvelle concentration cristalline et j'avais envie que tout le monde soit ami. C'est là que j'ai remarqué Robby en tee-shirt Kid Rock et jean qui traînait, je l'ai donc brusquement attrapé par le cou et je l'ai tiré vers nous.

« J'imagine que ça t'a coûté, hein ? De bien vouloir descendre ? » Robby a haussé les épaules et je l'ai présenté à Jay, et puis je leur ai donné à tous les deux une margarita, que Robby a prise avec tant de réticence que j'ai dû faire semblant de le gifler pour le forcer à la boire. Robby et Jay ont commencé la conversation débile typique de l'enfant de onze ans avec une personne approchant de la cinquantaine. Robby avait adopté son attitude habituelle en face d'un adulte : tu ne signifies rien pour moi. J'ai vu qu'il tenait à la main une balle de base-ball décorée pour ressembler à la lune.

Et puis, de nouveau, quelqu'un qui secoue ma guitare : encore Sarah.

J'ai levé les yeux au ciel et marmonné un juron. Puis j'ai baissé la tête et soupiré : elle portait un minuscule short moulant blanc.

« Voilà les enfants, ai-je annoncé à Jay en désignant Robby et Sarah. Son look à elle, c'est *glam* et le rose est très tendance pour les six-sept ans cette saison. Robby, lui, s'habille hip-hop, en blanc et il est désormais officiellement un *tween*.

— Un *tween* ? a beuglé Jay, puis murmuré en se penchant vers moi, Attends, ce n'est pas un truc gay, non ?

— Non, c'est un *tween*. Tu comprends, c'est quelqu'un qui n'est plus un enfant et qui n'est pas encore un teenager.

— Mon Dieu, a soufflé Jay. Ils ont pensé à tout, hein ? »

Notre conversation n'avait pas découragé Sarah.

« Papa ?

— Oui, mon amour ? Pourquoi est-ce que tu n'es pas là-haut, dans ton lit ? Où est Marta ?

— Terby est toujours furieux.

— Ah bon, contre qui est-il furieux ?

— Terby m'a griffée. » Elle a tendu le bras et j'ai

plissé les yeux dans l'obscurité violette, mais sans rien pouvoir discerner. C'était un peu exaspérant.

« Robby – emmène ta sœur dans sa chambre. Tu sais qu'elle a besoin de douze heures de sommeil et il est déjà tard. C'est l'heure de se coucher, c'est officiel.

— Je peux redescendre ensuite ?

— Non, tu ne peux pas, ai-je répondu en remarquant qu'il avait bu la moitié de sa margarita. Où est ton ami ?

— Ashton a pris un Zyprexa et puis il s'est endormi.

— Eh bien, je suggère que tu en prennes aussi, mon pote, parce que demain il y a école.

— C'est Halloween. Il ne se passera rien.

— Hé, j'ai dit que c'était l'heure de se coucher, mon pote. C'est dingue, les enfants demandent une telle attention.

— Papa ! a crié Sarah.

— Chérie – il faut que tu ailles au lit.

— Mais Terby *vole*.

— OK, nous allons le mettre au lit lui aussi. »

Robby a levé les yeux au ciel, l'air anxieux, et s'est remis à boire sa margarita. Un truc s'est coincé entre ses dents et il a sorti une araignée verte et l'a observée comme si ça voulait dire quelque chose.

« Terby est en colère, pleurnichait Sarah, en tirant sur ma guitare jusqu'à ce que je m'agenouille devant elle.

— Je sais, ma chérie. Terby m'a l'air d'être dans un sale état.

— Il est collé au plafond.

— Allons chercher Maman. Elle va le faire descendre.

— Mais il est *au plafond*.

— Eh bien, je vais prendre un balai et faire descendre Terby. Bon Dieu, où est Marta ?

— Il a essayé de me mordre.

— Peut-être qu'il veut que tu te brosses les dents et ailles te coucher. »

Tout à coup, Jayne était derrière moi, au-dessus de moi, en train de parler à Jay, mais je ne pouvais rien entendre de leur conversation à cause de la musique. Ils me regardaient tous les deux avec un air accusateur et lorsque je lui ai fait signe, elle s'est excusée auprès de Jay et m'a jeté un regard méprisant à l'instant où je me redressais, Sarah toujours accrochée à ma main. Je me suis soudain rendu compte que j'agitais une cigarette et transpirais abondamment. La pièce était bourrée de gens écrasés les uns contre les autres.

« Tu te sens bien ? a-t-elle dit, mais c'était une affirmation, pas une question.

— Bien sûr, chérie, pourquoi je ne me sentirais pas bien ? ai-je dit en reniflant bruyamment. C'est une super fête. Mais ta fille…

— Tu es bien bavard et bien morveux. » Elle était furieuse. « Et tu transpires. »

Sarah m'a tiré le bras encore une fois.

« C'est parce que je m'amuse.

— Et regarde autour de nous, la moitié de l'université est là et dans un état d'ivresse proche de l'inconscience.

— Chérie, il faut que tu t'occupes de ta fille – sa peluche la terrorise.

— Les gens se plaignent du volume de la musique, a répliqué Jayne.

— Tes amis seulement, *chica*. » J'ai marqué un temps d'arrêt. « Et je t'entends parfaitement bien.

— *Chica* ? Tu viens de m'appeler *chica* ?

— Écoute, si tu ne veux pas te montrer sociable et ne peux pas te montrer formidablement cool pour faire la fête… » Je me suis aperçu que, sans m'en rendre compte, j'avais mis la main dans un bol de pop-corn.

« Il y a des étudiants dans notre piscine, Bret.

— Je sais. Et alors ? Ils nagent.

— Mon Dieu, Jay est complètement pété et toi aussi.

— Jay fait de la gymnastique suédoise. Il n'est jamais pété.

— Et toi, Bret ? Est-ce que ça t'arrive ?

— Écoute, ce n'est pas facile d'être le plus grand écrivain américain de moins de quarante ans. C'est tellement dur. »

Elle m'a jeté un regard noir. « Je suis époustouflée par ton courage.

— Est-ce que tu vas t'occuper de ta fille, s'il te plaît ?

— Pourquoi tu ne t'en occupes pas toi ? C'est *ta* main qu'elle tient.

— Mais qui va accueillir les invités-surprise et… »

Jayne est partie au milieu de la phrase pour aller parler à un type déguisé en Zorro, qui dans la vie réelle s'était classé second de l'émission « Survivor », l'année dernière.

J'ai traîné Sarah jusqu'à Jayne, « Écoute, est-ce que tu vas aller coucher Sarah ? ai-je demandé sans rire.

— Fais-le toi-même », a-t-elle répondu sans me regarder.

L'instant d'après, s'apercevant que j'étais toujours là, elle a ajouté, « Dégage ».

Mais Sarah ne voulait pas retourner dans sa chambre – elle était trop effrayée et Marta l'a donc accompagnée jusqu'à la nôtre. La cocaïne circulait en moi pendant que les Ramones chantaient « *I don't want to be buried in a pet cemetery/I don't wanna to live my life again* » et lorsque j'ai avancé en titubant à travers la foule des étudiants qui dansaient et que j'ai vu que le type déguisé en Patrick Bateman était toujours là, j'ai eu la sensation que la fête était au bord du chaos. Quelque chose en moi s'est effondré et a explosé – un instant de pur désespoir, presque viscéral – et j'ai éprouvé le besoin de me faire encore une ligne. Je me suis retourné au milieu de la foule. Jay s'était éloigné vers les célébrités – ma femme et David Duchovny – et Robby avait disparu. J'ai donc monté le grand escalier en demi-cercle pour aller voir la chambre de Sarah – l'incident du Terby à tirer au clair était une bonne excuse pour me faire une autre ligne.

Tout était tellement calme à l'étage que je pouvais à peine entendre la fête au-dessous ; ça donne une idée de la taille de la maison. Il faisait aussi un froid de canard et j'ai frissonné sans pouvoir me contrôler en avançant dans le couloir sombre. Je suis passé devant la chambre de Robby – son ami était endormi en travers du lit immense, *1941* de Steven Spielberg (qui repassait beaucoup ces temps-ci) jetait une lueur dans la chambre de mon fils, la seule, depuis la télévision à grand écran. J'ai continué ma progression dans le couloir et je me suis arrêté devant une grande fenêtre qui donnait sur l'arrière de la maison : des gens nageaient dans la piscine chauffée, d'autres étaient vautrés sur les chaises longues. Un groupe d'étudiants s'étaient rassemblés dans le faux cimetière, pour partager un joint, un autre groupe rampait autour des pierres tombales. Et au-dessus des pierres tombales j'ai remarqué la lune et une lumière lunaire se répandant sur le champ et en fait une brume descendait depuis les bois en direction de la maison. J'ai eu une soudaine envie de me faire une énorme ligne et de les rejoindre, lorsqu'un truc a clignoté derrière moi, puis s'est tamisé – c'était une applique sur le mur, en fer forgé doré, une de celles qui éclairaient le couloir à environ deux mètres du sol. Ce soir, elles étaient pourtant toutes éteintes.

Mais quand j'avançais vers une applique, elle s'allumait brièvement et s'éteignait au moment où je la dépassais. Cela s'est produit avec la deuxième applique et puis la troisième. À chaque applique, la lumière s'est allumée et éteinte quand je l'ai dépassée, comme si elles se déplaçaient avec moi, éclairant mon chemin dans le couloir obscur. J'ai commencé à ricaner de ce que je croyais être une brève hallucination, mais comme elle se reproduisait à chaque applique, mon espoir d'expliquer cette vision par l'absorption de drogues ne se justifiait plus. J'ai donc conclu que cela avait à voir avec les complications de l'installation électrique occasionnées par la fête – toutes les lumières violettes et les câbles qui couraient partout étaient sans doute la cause de ces problèmes dans la maison. C'est ce que je me suis dit en me dirigeant vers l'obscurité de la chambre de Sarah.

La première chose que j'ai remarquée, c'était que la fenêtre était ouverte et les rideaux gonflés par le vent de cette nuit chaude. J'ai allumé la lumière et j'ai avancé au milieu du mobilier faux rustique français et j'ai regardé par la fenêtre. La guitare m'empêchait de m'avancer pour bien voir, je l'ai donc enlevée et posée délicatement sur la peau de vache qui couvrait le plancher. Au-dessous de la fenêtre, je pouvais voir les videurs discuter avec deux filles qui essayaient de parasiter la fête, les quatre riant et se touchant un peu et j'ai compris que les filles étaient déjà entrées et revenaient maintenant flirter avec les types qui gardaient l'entrée. J'ai aussi remarqué le nombre de voitures qui encombraient Elsinore Lane et puis, avançant au milieu des voitures garées, une haute silhouette en costume. J'ai aspiré une longue goulée d'air et je me suis penché un peu plus pour mieux voir. La silhouette s'est brièvement tournée comme si elle se savait observée, et j'ai entraperçu le visage du type qui était venu déguisé en Patrick Bateman. J'ai frissonné, soulagé de le voir partir – mais ça m'a rappelé aussi que j'avais besoin d'un stimulant (ce n'était qu'un farceur, me suis-je dit ; ce n'était que le détail inattendu qui se matérialise chaque fois qu'on fait une fête, me suis-je dit). Quand j'ai fermé la fenêtre et que je me suis retourné, le côté fantaisie de la chambre – cool, très petite fille, comme dessinée au Crayola – avait inexplicablement disparu.

Le seul dommage apparent que j'avais remarqué en entrant était la petite bibliothèque renversée. Je me suis accroupi et je l'ai redressée contre le mur et j'ai replacé n'importe comment les livres et les jouets sur les étagères, lorsque je me suis souvenu de ce qu'avait dit Sarah et j'ai lentement levé les yeux vers le plafond. Il y avait des marques juste au-dessus de son lit. Je n'étais pas tout à fait sûr de ce que c'était mais en me rapprochant j'ai vu qu'elles ressemblaient à des égratignures – comme si quelque chose avait rampé au plafond, planté ses griffes dedans. Je fouillais ma poche pour trouver le sachet de coke quand mon regard est tombé sur le lit. Et c'est à cet instant-là que j'ai vu l'oreiller. Quelque chose avait déchiré l'oreiller, l'avait ouvert en deux d'un coup de serres (oui, c'est le mot qui m'est venu à l'esprit : *serres*) et il y avait des plumes répandues un peu partout sur la couette. L'oreiller donnait l'impression d'avoir été, eh bien, attaqué, puisque la taie d'oreiller était déchiquetée, comme si quelque chose s'était acharné dessus et lorsque j'ai touché l'oreiller, un peu hésitant, j'ai eu un mouvement de recul, parce que l'oreiller était humide aussi. À ce moment-là – mon index était gluant – je l'ai immédiatement essuyé sur mon jean et j'ai décidé de redescendre et d'aller m'enfermer dans mon bureau pour le restant de la soirée. J'allais laisser Jayne et Marta s'occuper de tout ça. Ma première pensée a été de me dire que la fille perturbée de Jayne avait fait tout ça elle-même et qu'il fallait que je laisse l'oreiller en évidence.

Mais en me retournant pour sortir de la chambre, je suis tombé dessus : le Terby. Il était posé innocemment près de la porte. Je ne me souvenais pas de l'avoir vu en entrant dans la pièce et il était pourtant là, immobile, couvert de plumes rouges et noires, avec ses yeux de peluche exorbités et son bec pointu et brillant. Je me suis rendu compte, avec un certain malaise, qu'il me faudrait passer à côté du truc pour sortir de la chambre. Je me suis approché prudemment, j'ai avancé comme s'il était vivant, et soudain il s'est mis à bouger. Il s'est mis à tanguer sur ses serres dans ma direction.

J'ai eu le souffle coupé et j'ai reculé.

J'étais terrifié, mais cela n'a pas duré puisque j'ai vite compris que quelqu'un l'avait laissé en marche. Je me suis ressaisi et j'ai de nouveau avancé vers lui. Ses mouvements étaient si maladroits et mécaniques que je me suis mis à ricaner de ma propre frayeur. Les bruits de gargouille qu'il faisait à présent avaient l'air enregistrés et parasités – rien de comparable aux cris d'oiseau anormaux auxquels je m'attendais.

J'ai soupiré. Il fallait que je prenne un Xanax et j'irais dans mon bureau, finirais peut-être ce qui restait de mon gramme, boirais une autre margarita et resterais seul jusqu'à ce que je me sois calmé. C'était le plan. J'étais complètement soulagé et j'ai continué à rire de moi-même – de la façon dont la coke et la peluche avaient déclenché un truc atroce en moi et comment cette sensation atroce s'était entièrement dissipée quand je me suis penché pour ramasser l'oiseau. Je l'ai retourné et j'ai vu la lumière rouge qui clignotait sous le cou, ce qui voulait dire que le truc était en marche. J'ai poussé le bouton à côté de la lumière pour éteindre le Terby. Il y a eu une sorte de vrombissement et puis la peluche s'est immobilisée. En la posant sur le lit de Sarah, à côté de l'oreiller déchiqueté, je me suis rendu compte que le truc était chaud et que quelque chose battait sous les plumes. Un silence un peu déroutant avait envahi la pièce, même si on continuait à danser au-dessous de moi. Soudain, j'ai eu besoin de sortir de là.

Et comme je m'éloignais de la chambre de Sarah, quelque chose s'est mis à chanter d'une voix claire, haut perchée, qui s'est transformée en un cri guttural – qui provenait du lit – et une poussée d'adrénaline m'a envahi, dépassé, pour aller envelopper la chambre caverneuse. Je ne me suis pas retourné pendant que je courais dans le couloir, les appliques clignotant de plus belle sur mon passage, et en dévalant l'escalier vers le sanctuaire de mon bureau, j'ai compris que pour moi la fête était finie.

3

Vendredi 31 octobre

Matin

Je me suis réveillé dans la chambre d'amis, incapable de me souvenir comment j'y étais arrivé, mais je n'ai pas paniqué – j'ai accepté avec sérénité – puisque la chambre d'amis était un épisode qui se produisait avec une régularité que je n'avais pas encore jugée alarmante. Victor aboyait depuis une pièce dans la maison et le réveil sur la table de nuit indiquait qu'il était 7 h 15. J'ai grogné et enfoncé mon visage dans l'oreiller (il était humide ; j'avais pleuré pendant mon sommeil encore une fois), puis je me suis redressé rapidement, conscient d'avoir quelque chose à prouver ce matin : que j'étais responsable, que je n'étais pas un drogué, que j'étais *clean*. Mais je n'arrivais pas à me réveiller, parce que la gueule de bois était intense et accompagnée de l'habituelle envie de baiser : une érection douloureuse avait surgi de mon caleçon et je contemplais ça avec insouciance, sans rien faire. J'ai fini par me retrouver devant le miroir de la salle de bains de la chambre d'amis, en train de m'examiner. J'avais le visage hagard et déshydraté d'un homme âgé de plus de dix ans que moi, et les yeux tellement rouges qu'on ne pouvait plus voir les iris. J'ai avalé de l'eau au robinet et puis j'ai décidé de me rendre quelque peu présentable en retirant le tee-shirt à feuille de marijuana et en le remettant à l'envers. Comme je ne retrouvais pas mon jean, j'ai tiré le drap supérieur du lit et je m'en suis enveloppé. Je suis sorti de la pièce comme un fantôme.

Avançant péniblement en direction de la cuisine, j'ai croisé la bonne qui passait l'aspirateur dans la salle de séjour et j'ai suivi les grandes empreintes de pas qui ressemblaient à de la cendre sur la moquette beige, qui avait l'air, ce matin, plus longue et plus sombre que d'habitude. En traversant d'un pas lourd la salle de séjour, le fantôme s'est arrêté lorsqu'il a remarqué l'agencement étrange du mobilier. Le sofa à éléments, les fauteuils Le Corbusier et les tables Eames avaient été déplacés pour la fête, et pourtant cette nouvelle disposition me paraissait bizarrement familière. Je voulais comprendre pourquoi, mais le bruit de l'aspirateur superposé aux aboiements de Victor ont obligé le fantôme à se déplacer rapidement vers la cuisine.

La maison avait été présentée dans un article de *Talk* comme une « demeure » : 900 m² situés dans une banlieue chic en plein développement et le 307 Elsinore Lane n'était pas la plus grandiose du quartier – elle était le simple reflet de l'opulence habituelle dans cette communauté. C'était, selon un grand article illustré paru dans *Elle Decor*, « minimaliste et globalement éclectique avec une touche de revival espagnol » mais « avec des éléments de château français mi-XIXᵉ et un soupçon de modernisme Palm Springs des années 1960 » (imaginez-vous ça si vous en êtes capable ; ce n'était pas un concept architectural à la portée de tout le monde). L'intérieur était dans des tonalités château de sable et maïs blanc, lys et farine décolorée. Imposante et somptueuse, luxueuse et peu meublée, la maison avait quatre chambres au plafond élevé et une chambre de maître qui occupait la moitié de l'étage et incluait une cheminée, un bar complet, un réfrigérateur, deux dressing-rooms de 20 m², des stores qui disparaissaient dans des boîtiers intégrés au plafond et chacune des deux salles de bains avait une immense baignoire encastrée dans le sol. Il y avait une salle de gym entièrement équipée où je faisais de temps en temps un peu d'exercice, sans aucune conviction, et où le coach de Jayne, Klaus, l'aidait à sculpter son corps parfait – et il y avait une immense pièce pour le home-cinéma, avec écran plasma qui avait la taille d'un pan de mur, avec son *surround*, avec DVD par centaines rangés en ordre alphabétique de chaque côté de l'écran, ainsi qu'un billard ancien avec feutre rouge. Et la maison était merveilleusement distribuée : de grands espaces vides, soigneusement conçus, s'emboîtaient sans heurt pour donner l'illusion qu'elle était encore plus vaste qu'elle ne l'était en réalité. Le fantôme a flotté jusqu'à la cuisine ou « quartier général familial » qui était véritablement une merveille – toute en acier inoxydable et comptoirs en béton brésilien, une cuisinière Thermador, un réfrigérateur Sub Zero, deux lave-vaisselle, deux fours à ventilateur silencieux, deux éviers, une armoire à vin climatisée, un freezer horizontal et un mur entier en baie vitrée coulissante qui surplombait une piscine olympique (sans rail de protection puisque Sarah et Robby étaient déjà des nageurs expérimentés) et un jacuzzi, et puis une pelouse d'un vert intense et luxuriant, qui était entourée d'un jardin immense, parfaitement entretenu, regorgeant de fleurs dont je ne connaissais pas le nom et, au-delà, un champ et enfin les bois. Le fantôme n'a pas vu le moindre détritus de la fête souillant la maison. C'était immaculé. Troublé et impressionné, le fantôme a regardé fixement un vase rempli de tulipes fraîches au centre de la table de la cuisine.

Marta était déjà levée, s'activant sur la machine à café Gaggia, et le fantôme chic à gueule de bois, enveloppé dans son drap Frette, s'est mis à tourner dans la cuisine, collant rapidement son front sur l'armoire à vin climatisée (le fantôme a remarqué avec tristesse qu'elle était vide) avant de s'effondrer sur une chaise près de la table ovale géante à l'extrémité de la pièce. Marta était une femme très peu attirante, à dessein, d'une trentaine d'années, avec qui Jayne avait sympathisé pendant qu'elle tournait un film à LA. Elle était loyale, discrète et s'occupait de toutes les affaires de Jayne sans effort – une des milliers de femmes de cette ville irrésistiblement attirée par la célébrité, et si soumise à ses exigences qu'elle avait suivi Jayne à l'autre bout du pays dans ces banlieues froides et inconnues. Avant Jayne, elle avait travaillé pour Penny Marshall, Meg Ryan et, brièvement, Julia Roberts, et elle avait cette capacité étrange de pressentir n'importe quel besoin, n'importe quelle requête que pouvait avoir à tout moment la célébrité. Et puis les enfants semblaient bien s'entendre avec elle, ce qui déchargeait leur mère d'une lourde charge. La confiance que Jayne lui accordait était ce qui donnait à Marta motivation et ambition ; c'était ce qui la flattait et la soutenait. C'était ce qui la rapprocherait le plus de la célébrité et Marta prenait le travail au sérieux. Mais elle me paraissait triste, parce que j'avais grandi dans ce monde et rencontré des centaines de Marta – des femmes (et des hommes) si soumises à la cause de la célébrité que leur propre monde s'en trouvait annihilé. Elle avait un petit appartement – que Jayne louait – en ville (je ne savais pas où vivait Marta, seulement que son père, paisible Salvadorien, venait la chercher à Elsinore Lane vers huit heures le soir et la ramenait le matin à l'aube).

Le fantôme avait besoin de café.

Et aussitôt Marta a posé une tasse Hermès Chaîne d'Ancre en porcelaine, remplie d'un café au lait fumant, devant lui et le fantôme a marmonné un remerciement pendant qu'elle repartait vers le presse-agrumes Waring et commençait à presser les oranges. Complètement cassé, le fantôme regardait les casseroles en cuivre suspendues au râtelier au-dessus du bloc au centre de la cuisine, sirotant son café, l'air morose, parcourant d'un œil le *Daily Variety* au sommet d'une pile qui comprenait le *New York Times*, la chronique mondaine du *Los Angeles Times* et le *Hollywood Reporter*. En entendant des voix à l'étage, j'ai pris une longue inspiration et je me suis penché pour prendre notre journal local, afin de me préparer, parce que j'avais encore du mal – même sans gueule de bois – à m'adapter aux horaires que tous les occupants de cette maison respectaient. Et donc après le départ de Marta, partie chercher Sarah (qui apprenait sa deuxième langue grâce à un système de cartes qu'elle devait nommer), je me suis levé pour me verser un grand verre de jus d'orange pressée et je l'ai dilué avec le reste d'une bouteille de Ketel One de la fête, habilement dissimulée parmi les bouteilles d'huile d'olive au bout du comptoir. C'était un petit miracle que personne ne l'ait vidée. J'ai avalé le cocktail consciencieusement et suis retourné m'asseoir à la table.

La lecture des journaux n'a fait que réveiller ma peur. De nouvelles enquêtes donnaient des statistiques atroces sur à peu près tout. Les preuves apportées suggéraient que nous n'allions pas bien. Les chercheurs en convenaient sinistrement. Des psychologues de l'environnement étaient interviewés. Des dégâts avaient été commis « involontairement ». On « redoutait des défaillances ». On parlait d'« estimations erronées » du potentiel. Les situations s'étaient « détériorées ». La cruauté augmentait et il n'y avait rien que l'on pût faire à ce sujet. La population était déconcertée et pourtant s'en fichait. Des études non publiées faisaient allusion au fait que nous allions tous devoir en payer le prix. Les scientifiques scrutaient les données et concluaient qu'il nous fallait être inquiets. Personne ne savait plus ce qu'était un comportement normal ; certains prétendaient que c'était une chose positive et personne ne soutenait le contraire. Personne ne contestait plus quoi que ce soit. L'angoisse imprégnait la vie de tous les jours de la plupart des gens. Tout le monde était désormais préoccupé par l'horreur. La folie rôdait partout. Il y avait cinquante années de recherche qui confirmaient ces données. Il y avait des schémas qui illustraient tous ces problèmes – des cercles, des hexagones, des carrés, des sections coloriées en citron vert ou en lilas ou en gris. Vous ne pouviez vous empêcher d'être à la fois effrayé et fasciné. La lecture de ces articles vous donnait l'impression que la survie de l'humanité ne semblait plus très importante à long terme. Nous étions condamnés. Nous le méritions. J'étais tellement fatigué (qu'est-ce qui inquiétait Jayne en dehors des scènes qu'il lui fallait retourner bientôt ? Les enfants imitaient nos expressions, qui au cours du mois qui venait de s'écouler avaient consisté en des grimaces harassées).

Et tant d'enfants disparaissaient que c'en était presque une épidémie. Près d'une douzaine de garçons avaient disparu depuis mon arrivée en juillet – uniquement des garçons. Leurs photos apparaissaient brièvement sur Internet et dans des mises à jour sur des sites spéciaux qui leur étaient consacrés, leurs visages solennels qui vous dévisageaient, leurs ombres qui vous suivaient partout. J'ai lu un nouvel article sur la disparition d'un nouveau boy-scout – le troisième de l'année. Ce garçon aussi avait l'âge de Robby et son visage stupide, angélique, ornait à présent la une du journal. Mais aucun de ces enfants n'avait été retrouvé. Pas de corps découverts dans un ravin ou dans une conduite en béton ; pas de restes dans un cours d'eau asséché ou dans le sac suspect balancé le long d'un échangeur d'autoroute ; rien de nu et de profané au fond des bois. Ces garçons disparaissaient sans laisser de traces et il n'y avait pas le moindre signe d'un éventuel retour de l'un d'eux. Les enquêteurs se lançaient dans des « recherches frénétiques ». Les parents des enfants disparus étaient sommés de faire des apparitions sur CNN pour rendre leur enfant plus humain, au cas où les kidnappeurs auraient regardé la télé. En dehors des records d'audience, ces conférences de presse ne produisaient rien d'autre et servaient seulement à rappeler, je cite, « la cruauté insigne de l'univers » (avec la gracieuse permission du magazine *Time*). Cette publicité était censée encourager la mobilisation des volontaires, mais les gens perdaient espoir – tant de garçons avaient disparu que les gens s'étaient coupés du monde et cherchaient à se consoler avec une horreur moins grande. Il y avait des veillées à la bougie où les familles se donnaient la main et baissaient la tête, torturées par le chagrin, priant, même si elles me faisaient souvent l'effet, à moi, de participer à une séance de spiritisme. Diverses organisations avaient proposé de poser des plaques commémoratives pour les. enfants perdus. Les élèves de Buckley (l'école privée où allaient Robby et Sarah) étaient encouragés à envoyer leurs e-mails de condoléances aux parents endeuillés. Nous étions censés répéter à nos enfants la litanie convenue et épuisée : ne parlez pas aux inconnus, ignorez le monsieur bien habillé à la voix douce qui a besoin de votre aide pour retrouver son petit chien ; « Hurlez pour alerter », « Connaissez bien votre trajet » et « Éloignez-vous du clown ». Ne faites confiance à personne, c'était ça le message. Partout des gens entendaient des enfants en train de pleurer. On utilisait la pâte à modeler dans les écoles pour que les enfants se détendent en la pétrissant. Nous avions reçu la consigne d'avoir toujours sur nous des photos récentes de nos enfants.

Et maintenant le boy-scout disparu déclenchait inévitablement le tremblement d'inquiétude que je ressentais tous les matins avant le départ de Robby et de Sarah pour l'école, particulièrement si la gueule de bois était sévère ou si j'avais bu trop de café. Ce cauchemar éveillé ne durait pas plus de trente secondes, un photomontage rapide qui n'en réclamait pas moins un Klonopin : un tireur fou à l'école, quelqu'un qui murmure « J'ai tellement peur » sur le portable, des bruits de pétards qui éclatent dans le fond, la balle en ricochet qui abat l'élève de cours élémentaire, les coups de feu tirés au hasard dans la bibliothèque, le sang répandu sur une copie d'examen non terminé, les flaques rouges qui s'étalent sur le linoléum, le bureau maculé de viscères, un professeur blessé poussant des enfants hébétés hors de la cafétéria, le gardien abattu d'une balle dans le dos, la petite fille murmurant « Je crois que je suis touchée » avant de s'évanouir, les camionnettes de CNN qui arrivent, le shérif qui bégaie à la conférence de presse, les bulletins d'information sur les écrans de télévision, le présentateur « soucieux » donnant les dernières nouvelles, les hélicoptères en vol stationnaire, les derniers instants quand le tireur fou place le canon de son magnum dans sa bouche, les salles d'urgence bondées à l'hôpital et les gymnases en morgues improvisées, le ruban jaune des scènes de crime tout autour de la cour de récréation – et puis dans les jours qui suivent : la 22 long rifle manquante dans le placard du beau-père, le journal retrouvé qui détaille le désespoir et le sentiment de rejet du garçon, un garçon qui prenait les plaisanteries au premier degré, un garçon qui n'avait rien à perdre, l'Elavil qui ne faisait pas son effet et le trouble bipolaire non détecté, le livre sur la sorcellerie trouvé sous son lit, le X scarifié sur sa poitrine et la tentative de suicide le mois précédent, la fracture de la main après le coup de poing dans le mur, les nuits passées à compter jusqu'à mille allongé sur son lit, le lapin domestique retrouvé un peu plus tard cet après-midi-là, pendu dans un petit placard – et enfin les images finales du reportage sans fin : le drapeau à mi-hauteur sur sa hampe, les services commémoratifs, les centaines de bouquets, de bougies, de jouets qui couvrent les marches qui mènent à l'école, la main sanguinolente d'une victime en couverture de *Newsweek*, les questions posées, les haussements d'épaules désabusés, les plaintes des parties civiles, les crimes similaires, les raisons pour lesquelles vous cessez de prier. Et pourtant, la pire vérité sort de la bouche de votre propre fils : « Mais il était normal, Papa – il était exactement comme moi. »

Je ne m'en étais pas rendu compte, mais Jayne avait fait son entrée dans la cuisine sans dire un mot à la masse informe enveloppée dans un drap et reniflant penchée sur la table. Elle était devant la cuisinière attendant que l'eau bout (elle faisait du porridge pour les enfants), me tournant le dos. J'ai essayé d'interpréter son langage corporel et échoué. Je suis parti errer du côté du comptoir réservé aux bouteilles d'huile d'olive. Victor s'est glissé dans la cuisine à son tour. Le chien m'a regardé fixement. Son regard disait *Tu m'ennuies.* Son regard disait *Vas-y – provoque-moi.*

« Pourquoi ce golden retriever mal élevé aboie-t-il à longueur de nuit ? ai-je demandé en jetant un œil noir au chien.

— Peut-être parce qu'il a été effrayé à la vue de tes étudiants de dix-neuf ans qui baisaient dans notre garage, a immédiatement répliqué Jayne, sans se retourner. Peut-être parce que Jay McInerney se baignait à poil dans notre piscine.

— Ce n'est pourtant pas le style de… ce bouffon de Jay.

— Quelqu'un a dû le repêcher après que tu as disparu. À l'épuisette.

— Il était épuisé ? » J'ai compris au même instant. « Quoi ? Une épuisette ? Nous n'avons pas d'épuisette. » Silence inquiet. « Non ?

— Je t'ai cherché, mais tu avais déjà perdu connaissance dans la chambre d'amis. » Elle a dit ça avec cette fausse nonchalance qu'elle avait adoptée depuis mon arrivée dans la maison.

J'ai soupiré. « Je n'avais pas "perdu connaissance", Jayne. J'étais claqué.

— Pourquoi, Bret ? Pourquoi étais-tu claqué à ce point ? » Elle me tournait toujours le dos, mais sa voix s'était durcie.

J'ai bu mon verre. « Eh bien, ce chien nous a gratifiés de ses aboiements et a réclamé notre attention toute la semaine. Tu sais, chérie, il se trouve que ça coïncide avec le démarrage de mon nouveau roman et c'est extrêmement contrariant et louche.

— Oui, je sais, Victor ne veut pas que tu écrives un autre livre, a dit Jayne en éteignant la cuisinière avant d'aller vers l'évier. Je suis entièrement d'accord avec toi.

— Je ne vois jamais ce chien s'ébattre. Il est déprimé depuis que je suis arrivé ici et je ne le vois jamais jouer.

— Quand tu lui as donné un coup de pied l'autre soir…

— Il essayait de voler une plaquette de beurre, me suis-je exclamé en me redressant. Il allait s'emparer de ce pain à la farine de maïs sur le comptoir.

— Pourquoi est-ce que nous avons cette conversation à propos du chien ? » a-t-elle dit, brusquement hargneuse, en se tournant enfin vers moi.

Après un silence appuyé, j'ai bu mon jus d'orange et je me suis éclairci la voix.

« Alors tu veux me faire connaître mes droits ?

— Pour quoi faire ? Tu es encore dans le coma.

— Je suppose que nous discuterons de tout ça avec notre thérapeute. »

Elle n'a rien dit.

J'ai décidé de changer de sujet, dans l'espoir d'une réaction plus calme. « Alors qui était ce type qui est venu déguisé en Patrick Bateman, hier soir ? Le type en costume Armani couvert de faux sang ?

— Pas la moindre idée. Un de tes étudiants ? Un de tes milliers de fans ? Qu'est-ce que ça peut bien te faire ?

— Je… ne l'ai pas reconnu. Je pensais que…

— Tu pensais quoi ? Que je le connaissais ?

— Laisse tomber. » Je me suis tu et j'ai réfléchi à différentes choses un instant. « Et est-ce que tu as compris ce qui s'était passé dans la chambre de Sarah ? Parce que je crois, Jayne, que c'est elle qui l'a fait. » Je me suis interrompu pour marquer le coup. « Mais elle soutient que c'est sa peluche qui l'a fait – cet oiseau, tu sais, ce Terby que je lui ai acheté cet été – et, tu sais, c'est un peu inquiétant. Et au fait où se trouvait Marta quand cette soi-disant attaque a eu lieu ? Je trouve que c'est un peu… »

Jayne a foncé vers moi. « Pourquoi écartes-tu la possibilité que ce soit un de tes étudiants taré et ivre qui l'ait fait ?

— Mes étudiants avaient mieux à faire hier soir que de mettre à sac la chambre de notre…

— Ouais, baiser dans notre douche par exemple – je ne sais absolument pas qui c'était – ou sniffer de la coke dans notre cuisine. » Elle me jetait des regards furieux, les mains sur les hanches.

Long silence pendant lequel j'ai pu élaborer un « Il y avait des gens dans la cuisine hier soir ?!? » outragé.

« Ouais. Des gens qui se droguaient dans la cuisine, Bret. » Elle a prononcé cette réplique sur son ton méfiant-mais-cool.

« Chérie, écoute, il y a peut-être eu consommation de drogues, mais je suis sûr que cela s'est fait calmement et discrètement. » Je me suis tu, désemparé.

« Et je sais que tu en as pris toi aussi. » Quelque chose s'est bloqué dans sa gorge, le ton sarcastique a disparu et elle s'est détournée de moi. Elle a incliné la tête. J'ai remarqué qu'elle avait le poing serré. J'entendais la respiration désordonnée qui précède les larmes.

« Tu veux dire que j'en prenais autrefois. Ta phrase devait être au passé. Je suis debout, non ?

— À peine. Tu es une loque.

— Écoute. » J'ai fait un geste parfaitement inutile. « Je bois du jus d'orange et je lis les journaux. »

Elle s'est ressaisie. « Oh, laisse tomber, laisse tomber, laisse tomber.

— Et pourquoi as-tu appelé la femme de Jay pour lui demander…

— Je n'appellerais pas la femme de Jay si tu n'avais pas recommencé », a-t-elle dit d'une voix aiguë et angoissée. Elle s'est interrompue pour respirer à fond et se calmer. « Je ne peux avoir cette conversation maintenant. Laissons tomber.

— Ça me semble raisonnable », ai-je murmuré gentiment, avant de me repencher sur les journaux. J'ai tenté d'avaler une longue rasade, mais le jus a débordé et j'ai donc abandonné et reposé d'une main tremblante le verre sur la table.

Ulcérée par mon ton désinvolte, Jayne s'est de nouveau précipitée vers moi. « C'est illégal, Bret. Ce n'est pas parce que c'est consommé chez nous…

— Dans une résidence privée ! ai-je hurlé à mon tour.

— … que ça rend les choses plus légales.

— Euh, techniquement, ce n'est pas légal, mais… »

Elle attendait que je termine ma phrase. J'ai préféré ne pas.

« Je n'ai pas pris de drogue hier soir, Jayne.

— Tu mens. » Elle a craqué. « Tu me mens et je ne sais pas quoi faire face à ça. »

Au prix d'un grand effort, le fantôme s'est levé et a marché en traînant les pieds jusqu'à elle. Le fantôme l'a enveloppée de ses bras et elle l'a laissé faire. Elle était secouée de spasmes et, entre deux sanglots, par les soubresauts de sa respiration irrégulière.

« Et si tu me croyais… et que… » je l'ai tournée pour que nous soyons face à face et je l'ai regardée avec un air implorant, les yeux tristes et nostalgiques « … tu m'aimais tout simplement ? »

Un silence nouveau a envahi la cuisine. J'ai jeté un coup d'œil au chien au moment où Jayne se collait contre moi, me serrant si fort que j'ai commencé à émettre des sifflements. Victor m'observait. Son regard disait *Tu m'ennuies*. Son regard disait *Tu es un con*. Je lui ai lancé des coups d'œil furieux jusqu'à ce qu'il n'y prête plus attention, se lèche une patte et s'en aille. C'est ce qui me rendait dingue : le chien savait que *je* savais qu'il me détestait et il *aimait* ça. Quand j'ai recroisé le regard de Jayne, il y avait un tel espoir dans ses yeux que son expression était proche de la folie et j'ai voulu le premier m'éloigner.

Mais Jayne m'a alors gentiment repoussé et dit tout simplement, « Nous dînons chez les Allen dimanche. Je n'ai pas pu éviter.

— Ça m'a l'air… » Ma voix s'est étranglée. « Génial. Vraiment génial. »

Après qu'elle est partie chercher Robby, mon ventre a grondé comme un volcan et, laissant mon cocktail sur la table, j'ai couru dans la salle de bains la plus proche et me suis assis sur les toilettes à l'instant où un torrent de diarrhée s'échappait de moi. Le souffle coupé, j'ai tendu la main pour m'emparer du dernier numéro de *Wallpaper* que j'ai feuilleté pendant que mes intestins se vidaient. J'ai regardé une autre baignoire encastrée et puis par la petite baie vitrée, alors que Elsinore Lane s'éveillait. J'ai vu le garçon qui avait passé la nuit ici s'éloigner de notre maison – les citrouilles toujours alignées le long du chemin – et entrer chez nos voisins et je me suis rendu compte que c'était Ashton Allen ; il était passé si près que j'avais pu lire l'inscription sur son tee-shirt – *Ouvrez l'Œil, je pourrais vous faire un sale coup* – et puis un moineau s'est posé sur le rebord de ma fenêtre et j'ai détourné la tête. La salle de bains était envahie de l'odeur typique des restes d'une nuit d'ivresse – un relent rance d'excréments et d'alcool mélangés qui m'a fait fuir aussi vite que j'étais arrivé.

Quand je suis entré d'un pas lourd dans la cuisine, Jayne était en train de verser de l'eau chaude dans des bols en céramique et Robby était assis à la table et buvait dans mon verre en faisant la grimace, « Maman, ce jus d'orange a un drôle de goût. Est-ce qu'il reste du Tropicana ?

— Robby, mon chéri, je ne veux pas que tu boives du Tropicana. Marta a pressé des oranges pour toi. C'est à côté de l'évier.

— Ça, c'est du jus frais », a-t-il murmuré.

Je suis resté sur le seuil de la cuisine jusqu'à ce que Robby pose mon verre et se dirige vers le presse-agrumes (les jus de fruits en conserve étaient interdits parce qu'ils donnaient des caries et favorisaient l'obésité). Alors que j'avançais vers la table, Robby s'est retourné et m'a vu et, subtilement, a jeté un deuxième coup d'œil avant de se déplacer, l'air de rien, vers son sac à dos qu'il était en train de mettre en ordre. Robby ne semblait toujours pas habitué à ma présence, mais je ne l'étais pas à la sienne non plus. On se faisait peur, on se méfiait l'un de l'autre, et j'étais celui qui aurait dû établir la connexion, le lien, mais sa réticence – aussi puissante et insistante qu'une antienne – me paraissait impossible à surmonter. Il n'y avait pas moyen de gagner sa confiance. Il n'avait absolument pas pu compter sur moi – ce que son regard baissé, quand j'entrais dans une pièce, me rappelait constamment. Et pourtant j'étais contrarié du fait que lui – et non pas moi – n'ait pas eu le courage de faire le premier pas.

« Salut, petit », ai-je dit en m'asseyant à la table et en sifflant le reste du screwdriver. Le liquide était amer et j'ai fermé les yeux jusqu'à ce que la chaleur de l'alcool commence à se répandre en moi, provoquant des battements de paupières. Robby a marmonné une réponse. C'était suffisant. L'école commençait à 8 h 15 et finissait à 15 h 15, et les diverses activités après l'école repoussaient leur retour à la maison à 17 h 15. J'avais donc neuf heures de tranquillité. Mais je me suis aperçu au même instant que ce soir, c'était « *trick or treat* » avec les enfants et que je devais être à l'université à midi (une journée de tutorat, mais surtout un prétexte pour voir Aimee Light) et ensuite j'avais un rendez-vous chez mon psy, le docteur Kim, et pendant toutes ces tribulations il faudrait avaler pas mal de Xanax et faire une petite sieste. La bonne est entrée et a dit quelque chose en espagnol à Jayne. Elles ont eu une petite conversation qu'il m'était impossible de suivre jusqu'à ce que Rosa hoche activement la tête et reparte de la cuisine.

Puisque c'était Halloween et qu'on pouvait s'habiller comme on voulait à l'école, Robby portait un tee-shirt *Quoi ? Moi, inquiet ?* et un pantalon kaki trop grand

– ses vêtements étaient toujours trop grands, trop amples, et tous portaient une marque. Il avait une paire de rollers sur l'épaule et il a fait savoir à Jayne qu'il venait de télécharger un site de *Buffy et les vampires*, et il se demandait comment caser un ballon de football dans son nouveau sac à dos Targus Rakgear Kickflip, qui ne pesait pas moins de douze kilos (le sac Nike Bioknx avait provoqué des « douleurs de dos », selon son médecin). Il avait un magazine à la main, *Gamepro*, qu'il allait lire pendant le trajet jusqu'à l'école, et il était un peu anxieux à l'idée d'être interrogé oralement sur la formation des cascades. Pendant que je feuilletais de nouveau les journaux, Robby s'est plaint des bruits d'hier soir, après la fin de la fête. Mais il ne savait pas très bien d'où ils provenaient – du grenier ou peut-être du toit, mais aussi, il en était sûr, des côtés de la maison. Il avait entendu des grattements contre sa porte, disait-il, et lorsqu'il s'était réveillé ce matin, les meubles avaient été déplacés, et il avait découvert trois ou quatre entailles profondes dans le bas de la porte de sa chambre (qu'il n'avait pas faites, insistait-il) et lorsqu'il avait saisi la poignée, elle était humide. « Quelqu'un avait bavé dessus », a-t-il ajouté en frissonnant.

J'ai levé les yeux du journal et vu Jayne me jeter un regard noir pendant qu'elle lui demandait, « Qu'est-ce que tu veux dire, chéri ? »

Mais, comme d'habitude, lorsqu'on demandait quelque chose de précis à Robby, il faisait la tête et restait silencieux.

J'ai essayé de me ranimer et de réfléchir à une question à lui poser qui n'exigerait pas une réponse élaborée, mais Sarah et Marta sont arrivées. Sarah portait un tee-shirt à froufrous sur lequel était inscrit en paillettes argentées le mot *Lingerie*. Et Victor a bondi vers elle, soulagé, remuant la queue, avant de se tourner vers la baie vitrée et le fond du jardin, et de se mettre à aboyer violemment. Ma tête était sur le point d'exploser.

« Couché, Victor ! Au pied. Au pied ! Bon Dieu, quelqu'un peut faire taire ce chien ? » Je suis retourné à mes journaux, mais Sarah est venue s'appuyer contre moi avec la liste des cadeaux de Noël qu'elle avait déjà choisis, un stade Pokémon en tête d'une longue page qui sortait de son imprimante. Je lui ai rappelé que nous étions seulement en octobre (cela n'a pas eu d'effet) et puis j'ai commencé à passer en revue la liste avec elle, jusqu'à ce que je lève les yeux vers Jayne pour solliciter son aide, mais elle était au téléphone tout en enveloppant les déjeuners des enfants (les crackers Graham sans sucre, les bouteilles de Diet Snapple) et en déclarant à son interlocuteur des trucs du genre, « Non – les enfants sont archibookés ».

Sarah continuait à m'expliquer ce que signifiait chacun de ses choix sur la liste et je l'ai interrompue de façon un peu désinvolte. « Comment ça se passe avec Terby, chérie ? » (en avais-je eu si peur, la nuit dernière ? Tout semblait différent maintenant dans la lumière du matin : brillant, propre, sain).

« Terby va bien », s'est-elle contentée de dire, mais ça a marché : elle a oublié la liste de Noël et elle s'est approchée des peintures qu'elle avait faites avec les doigts la veille pour les présenter en classe aujourd'hui et elle les a glissées dans une grande enveloppe beige. Robby vérifiait son palm-pilot tout en se pavanant dans la cuisine – sa façon à lui de jouer les durs.

J'ai soudain remarqué un exemplaire de *Sa Majesté des mouches* au milieu de la pile des affaires de classe sur la table et je m'en suis emparé. En ouvrant la couverture, j'ai été sidéré de découvrir le nom de Sarah écrit à la main sur la première page. « Hé, une minute. Je ne peux pas croire qu'ils laissent des petits du cours préparatoire lire ça. »

Tout le monde – sauf Sarah – m'a regardé fixement.

« Je ne peux même pas comprendre ce livre *aujourd'hui*. Nom de Dieu, pourquoi ne pas lui faire lire *Moby Dick* ? C'est absurde. C'est *dingue* ! » J'agitais le livre en direction de Jayne quand j'ai aperçu Sarah qui me dévisageait, l'air confuse. Je me suis penché vers elle et j'ai dit d'une voix calme, apaisante, raisonnable, « Chérie, tu n'as pas besoin de lire ça ».

Sarah a jeté un coup d'œil effrayé à sa mère. « C'est sur notre liste de livres à lire », a-t-elle dit posément.

Exaspéré, j'ai demandé à Robby de me montrer son programme.

« Mon quoi ?

— Ton programme, crétin. »

Robby a fouillé sans conviction son sac à dos et en a sorti une liste d'ordinateur froissée : Histoire de l'art, Algèbre 1, Science, Probabilités élémentaires, Éducation physique, Statistiques, Anglais, Éducation civique et Conversation espagnole. J'ai examiné la liste d'un œil morne et il est venu s'asseoir à la table et je la lui ai rendue. « C'est fou. C'est scandaleux. Mais où est-ce que nous les envoyons ? »

Robby s'est soudain concentré sur son bol de muesli – après avoir écarté le porridge que Marta avait placé devant lui – et a tendu la main vers un carton de lait de soja. Jayne oubliait constamment que Robby ne supportait pas le porridge, et c'était quelque chose que je n'oubliais jamais parce que je ne supportais pas le porridge non plus.

Il a fini par hausser les épaules. « Ça va.

— La conseillère d'orientation dit que pour qu'un enfant se retrouve dans une université Ivy League, il faut commencer dès le cours préparatoire, a déclaré Jayne sur un ton détaché, comme pour ne pas alarmer les enfants, qui ne devaient pas écouter, je crois.

— Et même avant, lui a rappelé Marta.

— Elle est plus forte que toi, baby, ai-je soupiré. Joue pas ce jeu-là, petite sœur. »

Robby, tout à coup, m'a gratifié d'un ricanement.

Jayne a pris un air renfrogné. « N'emploie pas ce langage de faux rappeur devant les enfants. Je déteste ça.

— Et moi, je déteste cette conseillère. Tu sais pourquoi ? Parce qu'elle alimente ton angoisse, baby.

— Essayons de ne pas avoir cette conversation maintenant, a dit Jayne en se lavant les mains dans l'évier, les muscles de son cou saillant. Nous sommes prêts, les enfants ? »

J'étais encore abasourdi par le programme de Robby et j'aurais voulu lui dire quelque chose de réconfortant, mais il avait terminé son muesli et était en train de remettre toutes ses affaires dans son sac à dos. Il a examiné un jeu vidéo, Quake III, comme s'il ne savait qu'en faire et puis sorti son portable pour contrôler qu'il était bien en charge.

« Hé, mon pote, pourquoi emportes-tu ton portable à l'école ? »

Il a jeté un regard inquiet du côté de Jayne, qui se séchait les mains avec du papier absorbant. « Tous les enfants en ont un, a-t-elle dit.

— Il n'est pas normal que des enfants de douze ans aient un portable, Jayne, ai-je insisté en espérant toucher la note de l'indignation.

— Tu. Es. Vêtu. D'un. Drap », a dit Jayne – c'était sa réponse.

Robby semblait perdu, comme s'il n'avait su que faire.

Finalement, heureusement, Sarah a rompu le silence.

« Maman, je me suis lavé les dents.

— Et tu ne les laves pas après avoir mangé, chérie ? a demandé Jayne tout en montrant quelque chose dans son agenda à Marta concernant le voyage à Toronto pour les scènes à retourner. Je crois que tu devrais te brosser les dents après le petit-déjeuner.

— Je me suis lavé les dents, a répété Sarah et lorsque c'est resté sans réponse de la part de Jayne, elle s'est tournée vers moi. Bret, je connais l'alphabet.

— C'est bien, c'est normal à ton âge, ai-je dit sur un ton encourageant, un peu troublé par le fait qu'une petite fille si fière de connaître l'alphabet soit en train de lire *Sa Majesté des mouches*.

— Je connais l'alphabet, a-t-elle déclaré fièrement. A B C D E F.

— Chérie, Bret a très mal à la tête. Je te crois totalement.

— G H I J K L M N.

— Tu es capable d'identifier les sons que représentent les lettres. C'est très bien, ma poupée. Jayne ?

— O P Q R S T U V.

— Jayne, tu ne peux pas lui donner un beignet sans sucre ou je ne sais quoi ? » J'ai touché ma tête pour faire comprendre : migraine assurée. « Sérieusement.

— Et je connais aussi les losanges ! a crié Sarah joyeusement.

— Fabuleux.

— Et les hexagones !

— OK, mais aie un peu pitié de moi maintenant, mon ange.

— Et un trapézoïdal !

— Chérie, Papa est de mauvaise humeur et pas encore réveillé et sur le point de vomir, alors tu veux bien te calmer un petit peu ? »

Elle s'est immédiatement tournée vers Jayne. « Maman, je tiens un journal, a-t-elle annoncé. Et Terby m'aide beaucoup pour ça.

— Peut-être que Bret pourrait se faire un peu aider par Terby pour écrire, a dit Jayne, caustique, sans lever les yeux des notes qu'elle passait en revue avec Marta.

— Baby, mon roman avance tellement vite en ce moment que je n'arrive pas à le croire moi-même, ai-je laissé tomber, en feuilletant les pages sport de *USA Today*.

— Mais Terby est triste, a dit Sarah, boudeuse.

— Pourquoi ? Je croyais qu'il allait bien, ai-je dit, un peu désintéressé par le problème. Il s'est levé de la mauvaise patte ?

— Il dit que tu ne l'aimes pas, a dit Sarah en se tortillant sur sa chaise. Il dit que tu ne joues jamais avec lui.

— Mais il ment. Je joue avec lui tout le temps. Pendant que tu es à l'école. En fait, Terby m'a battu au backgammon mardi. Ne crois pas un mot de ce que Terby peut…

— Bret, a coupé Jayne. Arrête.

— Maman, a demandé Sarah. Papa a un rhume ?

— Chérie, ton papa est contaminé en ce moment, a dit Jayne en plaçant un bol de porridge couvert de framboises devant Sarah.

— Et Maman est une vraie garce », ai-je murmuré.

Jayne ne m'a pas entendu ou bien elle a préféré m'ignorer. « Et nous allons être en retard si nous ne nous dépêchons pas. »

Et moi j'ai barré tout ce qui m'entourait jusqu'à ce que j'entende Jayne dire, « Il faudra que tu demandes à ton père ».

Quand je suis revenu à moi, Robby me dévisageait, l'air anxieux.

« Laisse tomber, a-t-il marmonné.

— Non, vas-y. Dis-moi ! »

Il avait l'air tellement troublé que j'aurais aimé connaître la question et y répondre sans que Robby eût à la poser.

Avec appréhension, il a demandé, « On peut acheter le DVD de *Matrix* ? »

J'ai vite réfléchi à tout. Il s'est raidi en attendant ma réponse.

« Mais nous l'avons déjà en vidéo, ai-je dit lentement comme si je répondais à une question-piège.

— Ouais, mais il y a des bonus sur le DVD et…

— De quoi ? Keanu…

— Bret, a clamé Jayne, interrompant sa conversation avec Marta sur le programme de danse de Sarah, et puis elle s'en est prise à Robby. Pourquoi portes-tu ce tee-shirt ?

— Qu'est-ce qu'il a ? ai-je coupé, en tentant de me sauver moi-même.

— Nous n'avons pas le droit de nous déguiser à l'école, tu te souviens ? a murmuré Robby, l'air sombre. Tu t'en souviens ? » a-t-il répété sur un ton accusateur.

Il faisait allusion à l'e-mail envoyé aux parents concernant Halloween cette année. Il y aurait bien des fêtes dans l'après-midi, mais l'école mettait en garde contre les déguisements, préférant que les enfants viennent « déguisés en eux-mêmes ». Au départ, l'école avait approuvé les déguisements « convenables » et découragé tout ce qui pouvait être malvenu (rien de « violent » ou de « terrifiant », « pas d'armes »), mais comme on pouvait s'y attendre, les enfants, en dépit de tous leurs médicaments, ont commencé à flipper en masse et donc les déguisements ont été purement et simplement interdits (des parents épuisés avaient plaidé pour un compromis – « déguisements en principe effrayants ? » – qui fut rejeté). Robby était profondément déçu et pendant que Jayne examinait des verres qui venaient de sortir du lave-vaisselle, j'ai essayé de consoler mon fils. Très paternel, je lui ai assuré que l'absence de déguisement était sans aucun doute dans l'intérêt de tous, offrant en guise de conte moral ma propre expérience d'Halloween au même âge, lorsque j'étais allé à l'école en Vampire Sanglant et que je n'avais pas été autorisé à figurer dans la parade des classes primaires parce que j'avais, selon le principal, trop de faux sang étalé sur la bouche, les joues et le menton et que j'allais certainement terrifier mes camarades. L'épisode avait été tellement gênant – un tournant, en fait – que ce fut la dernière fois que je me déguisais. J'avais eu vraiment honte. Le souvenir d'être resté assis sur un banc pendant que mes camarades de classe défilaient devant les élèves du primaire ravis était encore cuisant. Soudain, je me suis attendu à ce que Robby me trouve beaucoup plus intéressant qu'il ne l'aurait cru.

Un silence embarrassé a envahi la cuisine. On avait écouté mon histoire. Jayne tenait à la main un verre à margarita fêlé et m'observait avec un regard étrange. J'ai remarqué avec lenteur que les autres – Sarah, Robby, Marta, et même Victor – m'observaient aussi avec un regard étrange.

Robby, l'air profondément troublé, a finalement parlé, posément et avec toute la dignité dont il était capable. « Qui a dit que je voulais me déguiser en... Vampire Sanglant ? » Il s'est interrompu un instant. « Je voulais me déguiser en Eminem, Bret.

— Ce n'est pas parce que ton père était un dingue à ton âge que tu dois l'être aussi, mon chéri, a dit Jayne.

— Le Vampire Sanglant ? » Robby me dévisageait, horrifié.

Je me suis tourné, désemparé, vers Jayne, dont le visage s'était brusquement détendu. Elle m'a considéré un instant, essayant visiblement de comprendre quelque chose.

« Ouais ? lui ai-je dit, en tendant un billet de cinquante dollars à Robby.

— Je m'aperçois que j'avais quelque chose à te demander, a dit Jayne.

— C'est quoi ? »

Le chien, impatient de connaître ma réponse, m'a jeté un bref regard oblique.

« As-tu jamais vidé un lave-vaisselle ? Je suis curieuse.

— Euh, Jayne… » L'histoire du lave-vaisselle me faisait l'effet d'une de ces insinuations hostiles dont elle me gratifiait régulièrement. Le sentiment de culpabilité que je ressentais – l'impression d'avoir fait quelque chose de mal – ne me quittait jamais dans cette maison. J'ai essayé de me donner une contenance paisible et réfléchie, à la place de l'autre option que j'avais : m'évanouir sous l'effet de la douleur et de la défaite.

« Eh bien ? » Elle attendait une réponse.

« Non, mais je vois le Dr Kim aujourd'hui. »

J'ai imaginé un soulagement submergeant la cuisine comme un raz de marée. Je voulais à tout prix que le petit-déjeuner prenne fin – j'ai fermé les yeux et j'en ai fait le vœu – et que tout le monde s'en aille paisiblement. Et c'est ce qui s'est passé.

4
Le roman

J'ai esquissé les grandes lignes de *Teenage Pussy* pendant l'été et ça avait pas mal avancé en dépit des heures passées à jouer au Tetris sur mon Gateway et à contrôler mes e-mails et à réarranger sans fin les étagères des éditions étrangères qui s'alignaient sur les murs de mon bureau. Interférence du jour : il me fallait trouver une phrase pour la promo d'un livre banal et inoffensif, écrit par une connaissance à New York, encore un roman médiocre et poli (*La Plainte du mille-pattes*) qui allait obtenir quelques critiques respectueuses et puis être oublié à jamais. La phrase que j'ai fini par concevoir était désinvolte et évasive, une suite de mots si vagues qu'elle aurait pu s'appliquer à n'importe quoi : « Je ne pense pas être tombé sur une œuvre aussi résolument tournée vers elle-même depuis des années. » Et puis je me suis mis à lire une nouvelle d'un de mes étudiants de l'atelier d'écriture et je l'ai rapidement terminée. Dans les marges, j'ai inscrit des points d'interrogation, j'ai encerclé des mots, j'ai souligné des phrases, j'ai corrigé la grammaire. J'ai eu le sentiment d'avoir émis des jugements mesurés.

Avant de me remettre au travail sur *Teenage Pussy*, j'ai vérifié mes e-mails. Il n'y en avait que deux. L'un en provenance de Buckley : un truc concernant une réunion parents/professeurs un soir de la semaine prochaine, avec un PS souligné du principal nous rappelant à Jayne et à moi que nous avions manqué celle du début du mois de septembre. J'ai soupiré en voyant que l'autre e-mail était envoyé par la succursale de la Bank of America à Sherman Oaks, j'ai soupiré une deuxième fois en voyant qu'il l'avait été à 2 h 40 du matin, j'ai cliqué dessus et, comme d'habitude, un écran vide s'est affiché. Je recevais ces e-mails depuis le début du mois d'octobre, sans la moindre explication ou demande. J'avais appelé la banque plusieurs fois puisque j'avais un compte dans cette succursale (où se trouvaient encore, dans un coffre, les cendres de mon père), mais la banque n'avait aucune trace de l'envoi de ces e-mails et m'avait expliqué avec patience que personne ne travaillait à ces heures-là (c'est-à-dire en pleine nuit). Frustré, j'avais laissé tomber. Et les e-mails continuaient d'arriver, à une cadence à laquelle je m'étais tout simplement habitué. Mais aujourd'hui j'avais décidé de les passer en revue dans ma boîte de réception pour retrouver le premier. Le 3 octobre à 2 h 40. La date avait un petit air familier, l'heure aussi, mais j'étais incapable de savoir pourquoi. Agacé par mon incapacité à résoudre cette énigme, j'ai fermé AOL et me suis précipité sur le dossier *Teenage Pussy*.

Le titre initial de *Teenage Pussy* avait été *Holy Shit !*, mais Knopf (qui avait casqué une avance de près d'un million de dollars pour les seuls droits d'Amérique du Nord) m'a assuré que *Teenage Pussy* était un titre plus commercial (*Outrageous Mike* a été brièvement envisagé mais jugé finalement « pas assez provocateur »). Knopf avait l'intention de le présenter comme un « thriller pornographique » dans leur catalogue ce qui m'excitait formidablement et me faisait savoir secrètement qu'Alfred et Blanche Knopf allaient se retourner dans leur tombe quand le truc serait publié. Comme je me rendais compte que j'étais en train de créer un genre entièrement nouveau, mon problème de blocage avait disparu et je travaillais sur le livre tous les jours, même si j'en étais encore à l'esquisse. Le livre était l'histoire de Michael Graves et de cette vie érotique de jeune célibataire dans le coup à Manhattan – « un type qui aime donner de l'amour et aime être aimé en retour » était ce que j'avais promis à mes éditeurs – et j'avais envisagé un récit qui était du hardcore élégant, agrémenté de quelques touches folâtres de mon humour laconique. Il allait contenir au moins une centaine de scènes de sexe (« Et pourquoi pas, nom de Dieu ? » avais-je dit, en partant d'un gros éclat de rire, à mon éditeur pendant un déjeuner au bar de Patroon, pendant qu'il mesurait son taux de sucre dans le sang pour passer le temps) et on pouvait voir dans le roman aussi bien une satire de « la nouvelle turpitude sexuelle » que la simple histoire d'un type banal qui aime bien souiller les femmes dans sa luxure. J'allais exciter les gens *et* les faire penser et rire. C'était la combinaison parfaite. L'humour scatologique voulu et consommé. C'était le plan. Il avait l'air bon.

Teenage Pussy allait contenir des épisodes innombrables de filles faisant des sorties fracassantes dans des chambres de gratte-ciel et des transcriptions de conversations sur portables chargées de tension et des équipes de cinéma suivant partout les personnages principaux, ainsi que six ou sept overdoses (tentatives des filles pour capter l'attention de notre libertin). Il y aurait des milliers de *Cosmopolitan* commandés et les personnages filmant le sexe anal des uns et des autres et de véritables stars du porno invitées pour des séances réelles. Le livre ferait ressembler *Sodomania* à *Microcosmos*. Les titres des chapitres étaient « Éjaculation faciale », « La reine du silicone », « Le faux micheton »,

« Le trio intrépide », « Seins en travaux », « Clittérature », « L'équipée », « Poils d'abricot », « Je suis pas trop énorme pour toi ? », « Tu sais, je n'ai vraiment pas envie d'une petite amie en ce moment », « Écoute, j'ai un avion tôt demain matin, OK ? », « Hé, au fait – tu as pu passer chez le teinturier ? », « Je vais probablement être assez distant maintenant » et « Ça t'embête si je me branle ? »

Notre héros, qui se surnomme le Sexpert, ne sort qu'avec des mannequins et trimballe en permanence un grand sac rempli de divers lubrifiants, de boules orientales, de vibromasseurs pour stimulation clitoridienne, et d'une douzaine de cordons à boules anales. Chaque fille qu'il rencontre mouille comme une folle. Il a cette habitude adorable de leur lécher le visage en public et de leur mettre un doigt sous la table au Balthazar, pendant qu'il les drogue à l'OxyContin versé en douce dans leur Gimlet. Il baise une fille tellement fort qu'il lui brise le pelvis. Il baise une actrice de télévision à moitié célèbre dans le foyer des acteurs quelques minutes avant qu'elle fasse son apparition dans « Live With Regis and Kelly ». Il exhibe ses biceps et montre ses abdominaux de rêve (« Michael n'a pas la tablette de chocolat – il a *la plaque* de chocolat ») à qui veut les voir. Les femmes ne cessent de le supplier d'être plus ouvert et plus sensible, et elles balancent des répliques indignées du genre « Je ne suis pas une salope ! » et « Tu ne veux jamais parler de rien ! » et « Nous aurions dû prendre une chambre ! » et « C'était ça qui était mal élevé ! » et « Non – je ne vais pas baiser avec ce sans-abri pendant que tu mates ! », et mes deux préférées : « Tu m'as piégée ! » et « J'appelle la police ! » À quoi il répond habituellement : « Avaler est précisément une histoire de communication, baby » et « OK, je suis désolé, mais je peux quand même venir sur ton visage ? » Sa mauvaise conduite était en partie pardonnée du fait qu'il était, à bien des égards, un innocent, même s'il est plus probable que le pardon était toujours accordé parce que toutes les filles qu'il baisait avaient des orgasmes multiples. Mais de nombreuses femmes devenaient tellement furieuses à cause de son comportement qu'il fallait leur donner des tranquillisants avant de les renvoyer à leur « passé de lesbiennes », et puis il y avait le scandale des vidéos tournées par Mike pendant qu'il baisait avec diverses femmes mariées d'un certain âge qui commençaient « curieusement » à apparaître sur Internet. « Quoi ? Tu veux arriver au sommet en baisant, c'est ça ? » hurle une de ces femmes d'un certain âge (l'épouse d'un richissime industriel). Il la regarde comme si elle était givrée, puis il la force à mettre un masque à gaz. Il invente aussi toute une série de cocktails, dont le Bareback, le Crotchless Pantie, le Raging Boner, le Weenus, le Double Penetration, le Shag et le Jizzbag.

Sa plus récente conquête – d'où le titre – est une adolescente de seize ans particulièrement mièvre, qui pense qu'on peut être enceinte en pratiquant une fellation et qu'on peut attraper le sida en buvant un Snapple. Elle parle aussi aux oiseaux et elle a un écureuil domestique appelé Corky, ainsi qu'un problème avec les couverts : au restaurant, quand le garçon récite les plats du jour, elle l'interrompt pour demander, oh, d'une voix toujours très lente : « Il faut se servir d'une fourchette pour manger ça ? » Mais Mike trouve son innocence attirante et il l'introduit rapidement dans son monde, un univers où il lui fait porter des vêtements légers (les strings en dentelle transparente sont en tête de la liste) et lui fait dire « Jette-moi un os » avant de baiser et « Qui est mon papa ? » une fois qu'il l'a pénétrée. Il applique de la cocaïne sur son clitoris. Il l'oblige à lire des livres de Milan Kundera et lui fait regarder l'émission « Jeopardy ! ». Ils prennent l'avion pour LA, participent à une orgie au Chateau Marmont, achètent des jouets sexuels à la boutique Hustler de Sunset Boulevard et ils mettent tout ça dans le coffre de leur 4 × 4 Cadillac Escalade noire de location et pendant tout ce temps elle glousse « allégrement ». Il parvient même à séduire son père – qui a menacé de botter le joli cul de notre héros s'il ne laissait pas tomber sa fille mineure. Au cours d'un moment très tendre, Mike lui achète une fausse carte d'identité. « Elle ne fait pas exprès d'être à ce point idiote », s'excuse-t-il constamment auprès de ses amis consternés, d'autres célibataires qui vivent sur le même astre errant que Mike. Un soir, il la drogue tellement avec des champignons qu'elle est incapable de trouver son propre vagin.

Mais au-delà de cette vie débridée, il y a l'ex-petite amie tragique qui a pris tellement de cocaïne que son visage s'est affaissé (« Espèce de sale putain russe ! » hurle Mike désespéré) et il y a des chambres remplies de fleurs fanées et Mike perd presque tout l'argent de son héritage au Hard Rock Casino de Las Vegas et participe à une autre orgie (cette fois à Williamsburg, dans Brooklyn, pas la ville coloniale) qui tourne à la « dépravation absolue » et le roman s'achève tristement sur un avortement et un dîner de Saint-Valentin tendu chez Nello (scène émouvante). « Comment tu as pu me faire ça ? » est la dernière phrase du roman. Le livre devrait se vendre à tout prix (l'avance d'un million de dollars en était la garantie), mais il serait aussi poignant et paisiblement dévastateur et ferait honte à tous les autres livres écrits par les gens de ma génération. J'aurais encore un succès et une notoriété énormes pendant que mes pairs bien élevés iraient languir sur les sites Internet « Que sont-ils devenus ? »

Aujourd'hui, je passais en revue la liste de toutes les « blessures » sexuelles que Mike allait endurer : genoux brûlés sur les tapis, dos griffé jusqu'au sang, crampes musculaires intenses, testicules éclatés, suçons sur les testicules, rupture de vaisseaux sanguins, bleus provoqués par une succion excessive, fracture du pénis (« Il y eut un pop assourdissant, puis une douleur insoutenable, mais Tandra enveloppa de la glace pilée dans une serviette Ralph Lauren et emmena Mike aux urgences ») et, enfin, déshydratation tout simplement.

Le téléphone a sonné – ma ligne s'est allumée – et j'ai laissé le répondeur filtrer l'appel pendant que je regardais fixement l'ordinateur. C'était Binky, mon agent. J'ai décroché immédiatement.

« Comment va mon auteur préféré ?

— Oh, j'imagine que vous dites ça à tous vos auteurs. En fait, je sais que vous le dites.

— C'est vrai, mais n'en parlez à aucun d'eux.

— C'est promis. Mais c'est important de vous l'entendre dire en tout cas.

— D'ailleurs, un de mes auteurs préférés m'a appelé aujourd'hui.

— Et qui pourrait-il bien être ?

— C'était Jay. » Binky a fait une pause. « Il a dit que vous aviez fait une sacrée bringue la nuit dernière.

— En effet, une fête d'enfer. » J'ai fait une pause moi aussi, me rendant compte d'un truc. « Et ne croyez pas un mot de ce que raconte Jay.

— En effet, a-t-elle dit sur un ton menaçant. Au fait, vous avez reçu le gros chèque de droits d'auteur d'*American Psycho* envoyé par les Brits ? Je l'ai fait virer sur votre compte à New York.

— Ouais, j'ai reçu l'avis. Excellent. » Je faisais mon Monty Burns.

« Comment va Jayne ? Comment vont les enfants ? » Elle s'est tue, puis elle a dit d'une voix blanche, « Je n'arrive pas à croire que je vous ai posé ces questions. Je vous connais depuis plus de quinze ans et je n'aurais jamais cru pouvoir vous demander une chose pareille.

— Je suis désormais un père et un mari responsable, ai-je dit fièrement.

— Oui, a murmuré Binky, un peu hésitante. Oui. » Je l'ai arrachée à son incrédulité. « Et j'enseigne.

— Incroyable.

— Ce n'est qu'un jour par semaine à l'université, mais les gamins m'adorent. La légende veut qu'il y ait eu plus d'étudiants à vouloir s'inscrire à mon atelier d'écriture que pour n'importe quel autre écrivain invité. C'est ce qu'on m'a dit.

— Combien d'étudiants avez-vous ?

— Eh bien, je n'en voulais que trois, mais l'administration a dit que ce n'était pas un chiffre acceptable. » J'ai respiré. « Alors je me retrouve avec quinze de ces petits cons.

— Et comment avance le livre ?

— Oh, je vois, fini les plaisanteries ?

— C'étaient des plaisanteries ?

— J'ai presque terminé l'esquisse et le livre progresse comme prévu. » J'avais besoin d'une cigarette et je me suis mis à chercher un paquet dans mes tiroirs. « Je ne trime plus sur les petits boulots, Binky.

— Bon, auriez-vous un peu de temps pour un détour ?

— Mais c'est le titre phare de Knopf à l'automne prochain, ce qui veut dire que je dois l'avoir terminé en janvier, non ?

— Bret, c'est vous qui aviez dit que vous pourriez écrire ce truc en six mois. Personne ne l'a cru mais c'est la date de remise qui figure dans votre contrat et les Allemands qui dirigent votre maison d'édition sont contrariés par les atermoiements.

— Je vous sens réticente, Binky, ai-je dit en abandonnant la quête de la cigarette. Je vous sens très réticente. Et j'aime ça.

— Et je vous sens repris par vos allergies, a dit

Binky sur un ton monocorde. J'ai l'impression que vous n'avez pas pris votre Claritin aujourd'hui. Et je n'aime pas ça.

— C'est dément la façon dont les allergies ont repris, ai-je protesté et puis j'ai réfléchi. Et ne croyez pas un mot de ce que raconte Jay.

— Sérieusement, Bret – des allergies ?

— Ne vous moquez pas de mes allergies. J'ai le nez qui siffle parce qu'il est bouché. À cause… d'elles. » Je me suis tu, sachant que je n'étais pas très convaincant. « Hé – je fais vraiment du yoga et j'ai un coach pour le Pilates. C'est pas de la rééducation, ça ? »

Elle a laissé tomber avec un soupir. « Vous avez entendu parler d'Harrison Ford ?

— L'acteur très célèbre qui était autrefois populaire ?

— Il a aimé la réécriture que vous avez faite pour *Much To My Chagrin* et il voudrait vous parler d'un projet d'écriture. Il faudrait que vous alliez là-bas pour le rencontrer lui et son équipe dans les deux semaines qui viennent. Un jour ou deux simplement. » Elle a soupiré de nouveau. « Je ne suis pas sûre que ce soit une idée géniale en ce moment. Je vous transmets juste l'information.

— Et vous l'avez fait tellement bien. » Je me suis interrompu. « Mais pourquoi ne viennent-ils pas ici ? Je vis dans une petite ville tout à fait charmante. » Une autre interruption, plus longue. « Allô ? Allô ?

— Vous n'auriez qu'un ou deux jours à y passer.

— C'est quoi l'histoire ?

— Un truc sur le Cambodge ou Cuba. C'est vraiment très vague.

— Et je suppose qu'ils veulent que moi – l'écrivain – j'arrange tout ça, hein ? Nom de Dieu.

— Je ne fais que transmettre l'info, Bret.

— À moins que Keanu Reeves ne soit l'autre star

du film, je serais absolument ravi de rencontrer Harrison. » Et puis je me suis souvenu de certaines histoires que j'avais entendues. « Mais est-ce qu'il n'a pas la réputation d'être un vantard phénoménal ?

— C'est pourquoi je pense que vous feriez un couple parfait.

— Oh, Binky, qu'est-ce que ça veut dire ?

— Écoutez, il faut que j'y aille. C'est une journée infernale. » Je pouvais entendre un assistant appeler dans le fond. « Je vais leur dire que vous êtes intéressé et que vous réfléchissez à des dates pour venir à LA.

— Merci beaucoup de votre appel. J'adore votre côté faussement formel.

— Oh, au fait…

— Ouais ?

— Joyeux Halloween. »

Et en raccrochant, j'ai brusquement su ce qui m'avait tracassé à propos de ces e-mails en provenance de la Bank of America à Sherman Oaks. Le 3 octobre. C'était la date de l'anniversaire de mon père. Et ça m'a conduit à comprendre autre chose. 2 h 40. C'était, selon l'officier de police judiciaire, le moment où il était mort. J'ai considéré le truc pendant une minute – c'était une connexion troublante. Mais j'avais la gueule de bois, j'étais épuisé et il fallait que je sois sur le campus dans trente minutes, et donc c'était peut-être une coïncidence tout simplement, et peut-être que je lui accordais plus de sens qu'elle ne le méritait. En me levant pour sortir de mon bureau, j'ai remarqué une dernière chose : les meubles avaient été déplacés. Mon bureau était maintenant face au mur et non plus devant la fenêtre, où se trouvait le sofa à présent. Une lampe avait été poussée dans un autre coin. De nouveau, à ce moment-là, je l'ai attribué à la fête, comme je l'avais fait pour tout le reste ce jour-là.

5
L'université

Une partie de la ville où nous vivions avait l'air inventée et fracturée et moderne : des constructions penchées, à grande distance les unes des autres, avec des façades qui ressemblaient à des rubans en cascade, des plaques de béton qui se chevauchaient légèrement, et des signaux électroniques encastrés dans les immeubles, et il y avait aussi des écrans à cristaux liquides géants et d'autres à défilement horizontal qui donnaient les cotations en Bourse et les nouvelles du jour, et aussi des néons qui décoraient le tribunal, et une télévision Jumbotron perchée sur le toit du Bloomingdale qui occupait quatre blocs au centre de la ville. Mais au-delà de ce quartier, la ville s'enorgueillissait d'un parc naturel de mille hectares, d'élevages de chevaux et de deux parcours de golf, et il y avait plus de librairies pour enfants que de Barnes & Noble. Mon trajet jusqu'à l'université passait devant de nombreux terrains de jeux et un terrain de base-ball, et dans Main Street (où je me suis arrêté pour acheter un *café latte* chez Starbuck) on trouvait toute une variété d'épiceries fines, un fromager de premier ordre, une série de pâtisseries, un pharmacien sympathique qui prenait mes ordonnances de Klonopin et de Xanax, un Cineplex discret et une quincaillerie tenue par une famille, et toutes les rues adjacentes étaient bordées de magnolias et de cornouillers et de cerisiers. À un feu rouge décoré de fleurs fraîches, j'ai observé un tamia grimper sur un poteau téléphonique, tout en sirotant mon *latte* sans matière grasse. Le *latte* m'a ranimé au point de me donner l'impression que la gueule de bois datait de la semaine dernière. Et soudain, sans raison, je me suis senti heureux en roulant dans les rues ombragées de la ville. Je suis passé devant un champ de pommes de terre. Je suis passé devant des chevaux qui broutaient le long d'une grange. À l'entrée du campus, l'agent de sécurité m'a fait un petit salut et j'ai levé mon *latte* pour le lui rendre.

La première fois que j'ai repéré la 450 SL crème, ça a été au cours de cet après-midi d'Halloween, doux et ensoleillé. Elle était garée contre le trottoir devant le parking des professeurs et j'ai souri quand je suis passé devant, en reconnaissant que c'était le même modèle et la même couleur que celle que mon père conduisait à la fin des années 1970 et dont j'avais hérité pour mes seize ans. Celle-ci était aussi une décapotable et cette étrange coïncidence a fait remonter toute une série de souvenirs – une autoroute, le soleil resplendissant sur le capot, la vision des lacets de Mulholland à travers le pare-brise et les Go-Go's qui braillaient à la radio, la capote baissée et les palmiers se balançant au-dessus de moi. Je n'en ai rien fait sur le moment : il y avait pas mal de gamins friqués à l'université et la présence d'une voiture comme celle-là n'était pas nécessairement saugrenue. Les souvenirs se sont donc effacés dès que je me suis garé à ma place réservée et que j'ai pris la pile d'exemplaires de l'édition de poche de *Zombies*, mon recueil de nouvelles, qui se trouvait sur le siège du passager, avant de me diriger vers mon bureau situé dans une petite grange rouge charmante surplombant le campus. Le sourire toujours aux lèvres, je me suis rendu compte que l'unique raison de ma présence ici aujourd'hui tenait au fait que mon bureau était le seul endroit où Aimee Light accepterait de me voir à présent – sous les auspices d'un tutorat, bien qu'elle ne fût pas mon étudiante, ni moi son professeur et qu'aucun tutorat ne fût prévu (nous avions fait une tentative de rendez-vous galant dans son studio hors du campus, mais un chat odieux y vivait et j'y étais sévèrement allergique).

Sur les marches de la bibliothèque gainée de verre et d'acier, des étudiants soignaient leur gueule de bois aux rayons du soleil. En traversant l'esplanade, je me suis arrêté pour aider à mettre en route un baril de bière (j'en ai sifflé une au passage) devant une nouvelle installation d'art. Des types qui jouaient au football en tenue DKNY traversaient à grandes enjambées la pelouse de l'esplanade et, à l'exception de quelques gothiques assis sous le fronton des Commons (où j'avais déposé ma pile de *Zombies* sur la table marquée d'un « Gratuit pour les étudiants »), tout le monde avait l'air de sortir d'un catalogue d'Abercombie and Fitch. Tout cela faisait penser à quelque chose d'alléchant et une fois encore j'ai été renvoyé dans le passé, à mes années révolues à Camden. En fait, tout le campus – l'ambiance, la situation des dortoirs, la conception des bâtiments principaux – me rappelait Camden, même si ce n'était qu'une autre petite université chic au milieu de nulle part.

« Yo, Mr. Ellis, géniale la fête hier soir, tout baigne ? » a crié quelqu'un. C'était un athlète de mon atelier d'écriture qui avait un semblant de talent.

« Yo, je suis mal, je suis très mal, Jesse, ai-je répondu plaisamment et puis j'ai ajouté, en y repensant : Rock on. »

Les étudiants m'appelaient de toutes parts pendant que je me dirigeais vers la Grange, pour me remercier de la fête à laquelle tous étaient venus sans y avoir été invités. Et mon sourire professoral était accueilli par leurs rires de remerciement. Il y avait aussi l'étudiant juif un peu nerveux (David Abromowitz) que j'ai salué de la tête en passant et qui, je dois le confesser, me plaisait pas mal. Les compliments sur la fête démente continuaient à fuser et je saluais gentiment d'un geste des étudiants que je n'avais jamais vus auparavant.

Sur la porte de mon bureau était épinglé le mot d'une étudiante dont je n'avais jamais entendu parler qui annulait un rendez-vous que je ne me souvenais pas avoir pris, et présentait ses excuses pour son « éclat » pendant le cours de mercredi dernier. J'ai vraiment essayé de me rappeler de l'étudiante et de la cause de l'éclat, mais rien n'est venu, parce que le cours était une expérience somnambulique – tellement décontractée et confortable et informelle que l'évocation d'un éclat en devenait inquiétante. En cours, je m'efforçais toujours de paraître enjoué et encourageant, mais comme j'étais tellement célèbre et probablement d'un âge plus proche du leur qu'aucun autre professeur (j'étais complètement autonome à l'université et je n'en étais donc pas vraiment sûr), mes étudiants me considéraient avec crainte. Quand je faisais la critique de leurs nouvelles, j'essayais d'ignorer leurs expressions apeurées et alarmées.

Je me suis assis à mon bureau et j'ai immédiatement ouvert mon ordinateur portable afin d'inventer un rêve à refiler au Dr Kim, la toute petite psy coréenne que ma femme avait trouvée grâce à notre conseillère conjugale, le Dr Faheida. Le Dr Kim, de stricte obédience freudienne, croyait fermement à l'expression de l'inconscient dans l'imaginaire onirique et souhaitait que je présente un rêve nouveau chaque semaine pour que nous puissions l'interpréter, mais elle avait un accent tellement fort qu'une fois sur deux je ne savais pas de quoi elle parlait, et le fait que je ne faisais plus jamais de rêves rendait ces séances presque insupportables. Mais Jayne insistait (et payait) pour que je les suive, et il était donc plus facile d'endurer ces heures de psychothérapie que de subir les harcèlements qu'aurait provoqués mon refus (de plus, cette mascarade était pour moi le seul moyen d'obtenir des ordonnances de Klonopin et de Xanax – et sans elles j'étais foutu). Entre-temps, le Dr Kim commençait à comprendre – devenant un peu plus suspicieuse à chaque rêve inventé – mais je devais lui en raconter un aujourd'hui et donc, en attendant qu'Aimee Light arrive (et, avec un peu de chance, se déshabille), je me suis sérieusement concentré sur le genre de rêve qui pourrait émerger, en l'état actuel, de mon inconscient. En jetant un coup d'œil à ma montre, j'ai vu qu'il allait falloir faire vite. Je devais inventer le rêve, le taper, l'imprimer et puis – sans doute après avoir baisé avec Aimee Light – foncer pour arriver chez le Dr Kim avant 15 heures. Aujourd'hui : eau, accident d'avion, poursuivi par un blaireau… très excité (souvenez-vous : les animaux ne sont pas mes amis), j'étais nu dans l'avion, le blaireau excité était… aussi dans l'avion, et peut-être que son nom était… Jayne.

Lorsque j'ai levé les yeux, un étudiant est apparu dans l'encadrement de la porte et m'a regardé d'un air gêné. Au premier regard, il n'y avait rien d'inhabituel chez lui : grand, une sorte de beauté générique, un visage fin, légèrement anguleux, des cheveux brun-roux bien coupés, un sac à dos sur l'épaule. Il portait un jean et un vieux pull Armani vert olive (vieux parce que c'était un pull que j'avais porté quand j'étais étudiant). Il avait un gobelet Starbuck à la main et il avait l'air un peu plus vif que le glandeur moyen à yeux mi-clos qui peuplait le campus. Et sans pouvoir me rappeler exactement où, je savais que je l'avais déjà vu, et j'étais donc intrigué. De plus, il avait en main un exemplaire de mon premier roman, *Moins que zéro*, ce qui m'a fait me lever et dire, « Salut ».

Le garçon a eu l'air presque choqué par mon salut et s'est trouvé tout à coup incapable de dire quoi que ce soit avant que je ne parle de nouveau.

« C'est un roman merveilleux que vous avez en main…

— Oh, ouais, salut, j'espère que je ne vous dérange pas.

— Non, pas du tout. Entrez, entrez. »

Il a détourné le regard et rougi, puis il est entré d'un pas lent dans le bureau et s'est assis avec précaution sur la chaise qui était devant mon bureau.

« Je suis un grand fan, Mr. Ellis.

— Il n'y a pas une loi qui interdit les politesses ici ? ai-je dit avec une expression de faux dégoût, en espérant que ça le détendrait parce qu'il avait l'air vraiment raide sur cette chaise. Appelez-moi Bret. » J'ai marqué un temps d'arrêt. « Nous ne nous sommes pas déjà rencontrés ?

— Euh, je m'appelle Clayton et je suis en première année, et non je ne crois pas. Je voulais simplement vous demander si vous pouviez me le dédicacer. » Sa main tremblait légèrement lorsqu'il m'a tendu le livre.

« Bien sûr. Je serais ravi. » Je l'ai observé pendant qu'il me donnait le livre, qui était dans un état immaculé. Je l'ai ouvert à la page de copyright et j'ai vu que c'était une première édition, ce qui faisait de l'exemplaire que j'avais en main quelque chose de très rare et très onéreux.

« J'ai un cours dans quelques minutes, alors… » Il a fait un geste en l'air.

« Oh, bien sûr. Je ne vous retiendrai pas longtemps. » J'ai posé le livre sur le bureau et cherché un stylo.

« Donc, Clayton… Je suppose que tous vos amis vous appellent Clay. »

Il m'a dévisagé et puis – comprenant où je voulais en venir – il a souri et dit, « Ouais ». Il a pointé le doigt vers le livre. « Comme Clay dans le roman.

— C'est le lien que j'ai fait, ai-je dit en ouvrant un tiroir. Y en a-t-il un autre ? » J'ai trouvé un stylo et levé les yeux. Il me regardait fixement, l'air dubitatif. « C'est bien lui. Vous avez raison », l'ai-je rassuré, mais je n'ai pas pu m'empêcher d'ajouter, « Vous avez un visage qui m'est très familier. »

Il s'est contenté de hausser les épaules.

« Et quelle est votre matière principale ?

— Je veux être écrivain. » Il semblait avoir du mal à l'admettre.

« Vous avez cherché à vous inscrire dans mon cours ?

— Je suis en première année. Il n'est ouvert qu'aux troisième et quatrième années.

— Oh, j'aurais pu user de mon influence, ai-je dit avec délicatesse.

— Pour quelle raison ? » a-t-il demandé, un peu sèchement.

Je me suis rendu compte que je flirtais et j'ai donc baissé les yeux vers le livre et le stylo que je tenais, un peu gêné pour moi-même.

« Je ne suis pas très bon, a-t-il concédé, en se redressant après avoir constaté le subtil et soudain changement de l'atmosphère dans la pièce.

— Eh bien, aucun de mes autres étudiants non plus, vous seriez donc parfaitement à votre place », ai-je dit avec un rire sardonique. Lui n'a pas ri.

« Mes parents… » De nouveau, il a hésité. « Mon père, en fait… il voulait que je fasse des études de commerce et…

— Ah oui, l'éternel dilemme. »

Clayton a regardé sa montre avec insistance – façon de me faire comprendre qu'il devait y aller. « Vous n'avez qu'à signer mon nom – je veux dire, votre nom. » Il s'est levé.

« Vous travaillez sur quelque chose en particulier ? » J'ai posé la question gentiment en signant mon nom d'un paraphe fleuri inhabituel sur la page de titre.

« J'ai un roman en partie écrit. »

Je lui ai rendu le livre. « Eh bien, si vous avez un jour envie de me montrer quelque chose… » J'ai laissé l'offre en l'air, attendant qu'il l'accepte.

Et c'est à cet instant-là que j'ai su où j'avais vu Clayton.

Il était à la fête d'Halloween hier soir.

Il était déguisé en Patrick Bateman.

Je l'avais vu quand je regardais par la fenêtre de la chambre de Sarah au moment où il disparaissait dans l'obscurité d'Elsinore Lane.

J'ai respiré avec difficulté, quelque chose s'était bloqué en moi, et j'ai frissonné.

Il rangeait le livre dans son sac à dos quand je lui ai demandé, « Alors vous n'êtes pas venu à la fête que ma femme et moi avons donnée hier soir ? »

Il s'est raidi et a dit, « Non. Non, je n'y étais pas ».

C'était dit avec une telle ingénuité qu'il m'était impossible de juger s'il mentait ou non. Et s'il avait parasité la fête, pourquoi l'admettrait-il maintenant ?

« Vraiment ? J'ai l'impression de vous y avoir vu. » Je ne pouvais m'empêcher d'insister.

« Euh, non, ce n'était pas moi. » Il était debout devant mon bureau, il attendait.

Je me suis aperçu qu'il fallait que je dise un truc pour le faire bouger.

« Bon, j'ai été heureux de faire votre connaissance, Clayton.

— Oui, moi aussi. »

J'ai tendu la main. Il l'a serrée brusquement en détournant le regard, marmonnant ses remerciements au moment même où j'entendais des pas dans le couloir.

Clayton les a entendus, lui aussi, et, sans rien ajouter, s'est tourné pour sortir.

Mais il s'est heurté à Aimee Light sur le seuil et ils ont rapidement échangé un regard avant que Clayton ne s'éloigne précipitamment.

« C'était qui ? » a demandé Aimee d'une voix détachée, la démarche chaloupée.

J'ai avancé jusqu'à la porte, encore un peu sidéré par la rencontre, et j'ai regardé Clayton disparaître au fond d'un couloir vide. J'ai essayé de comprendre pourquoi il avait menti à propos de la fête hier soir. Oh, il était timide. Oh, il n'avait pas été invité. Oh, il avait voulu venir quand même. Peu importe.

Aimee a parlé de nouveau. « C'était un de vos étudiants ?

— Ouais, ouais, ai-je répondu en fermant la porte. Un jeune homme très intéressant qui venait d'épuiser les sept minutes qui lui étaient allouées. »

Aimee s'était appuyée contre mon bureau, face à moi, et elle portait une robe d'été ravissante, et elle savait exactement ce qu'allait provoquer une robe d'été ravissante à la fin du mois d'octobre – une promesse charnelle. Je me suis immédiatement approché d'elle et elle s'est redressée pour s'asseoir sur le bureau et écarter les jambes, et je me suis glissé entre elles et elle les a enroulées autour de ma taille pendant que je baissais les yeux vers elle. Tout cela était extrêmement encourageant.

« Un adorateur ? a-t-elle demandé avec un air faussement modeste.

— Non – dans ce cas, il aurait eu droit à dix minutes. »

Nous nous sommes embrassés.
« Tellement démocratique.
— Hé, ça fait partie de mon serment de professeur. » En l'embrassant, je continuais à goûter son brillant à lèvres, qui me ramenait à l'époque du lycée et des filles avec qui je sortais quand le brillant à lèvres parfumé faisait fureur, quand je roulais des pelles sur une chaise longue au bord d'une piscine à fond noir à Encino, quand j'étais bronzé et que je portais un collier en nacre vrai de vrai, quand on entendait *Feels Like the First Time*, quand son nom était Blair, et l'odeur délicieuse et légèrement fruitée du chewing-gum envahissait mon bureau à présent et j'étais perdu jusqu'à ce que je m'aperçoive qu'Aimee s'était écartée et me dévisageait. Ma main était encore posée sur sa nuque.
« Je viens de voir Alvin. »
J'ai soupiré. Alvin Mendolsohn était son directeur de thèse. Je ne l'avais jamais rencontré.
« Et qu'a dit Alvin ? »
Elle a soupiré à son tour. « Pourquoi est-ce que vous perdez votre temps là-dessus ?
— Pourquoi est-ce que ton directeur de thèse me hait à ce point ?
— J'ai quelques hypothèses.
— Tu voudrais bien me les faire connaître ? » Je passais doucement le bout du doigt le long de son avant-bras. Je caressais délicatement son poignet.
« Il pense que vous faites partie du problème.
— Non de Dieu, quel trou du cul. » Je l'ai embrassée de nouveau, le sens inné de la direction de mes mains les dirigeant vers ses seins.
Elle les a repoussées. « Comment est la maison – pas trop abîmée, j'espère », a-t-elle demandé pendant que je pressais mon érection contre sa cuisse qu'elle a contractée. J'étais de plus en plus impatient et j'allais écarter mon ordinateur et la coucher sur le bureau

lorsqu'elle a dit, « Est-ce que Jayne est au courant pour nous ? »

Je me suis légèrement éloigné d'elle, mais elle a souri et m'a maintenu en position avec ses jambes.

« Pourquoi tu me poses la question ? Pourquoi est-ce que tu me poses la question *maintenant* ?

— Elle me regardait d'un air bizarre, hier soir. »

Je me suis recollé contre elle, je l'ai embrassée dans le cou et dans le creux du bras – elle avait la chair de poule. « C'était l'éclairage. N'y pense plus. »

Aimee s'est écartée de moi. « J'ai vraiment eu l'impression qu'elle m'observait. »

J'ai soupiré et je me suis redressé. « Est-ce qu'on va le faire un jour ou pas ?

— Oh, mon Dieu…

— Parce que, tout d'abord, je ne pense pas que je sois trop jeune. »

Elle a ri très fort, en renversant la tête en arrière. « Non, ce n'est pas ça.

— Et tu deviens rapidement la plus grosse allumeuse que j'aie jamais rencontrée et ce n'est pas drôle, Aimee. » J'ai attrapé sa main et l'ai plaquée contre mon entrejambe. « Tu veux sentir à quel point ce n'est pas drôle ?

— Je ne devrais pas avoir de liaison avec vous pour plusieurs raisons », a-t-elle dit en se redressant. Mais je n'ai pas bougé d'un centimètre. Elle a continué à soupirer. « Écoutez, un, vous êtes marié…

— Mais depuis trois mois seulement !

— Bret… »

Je me suis recollé contre elle, en frottant mon visage dans son cou. « Les hommes mariés vivent plus longtemps.

— Il n'y a pas une seule étude qui prouve que ce soit une bonne idée d'être marié. »

Je me suis agenouillé jusqu'à ce que j'aie en face des yeux ses cuisses écartées. J'ai glissé une main sous sa robe, senti l'anneau de son nombril au milieu de son ventre doux et bronzé. Ma main est descendue vers le bas de son abdomen et autour de ses hanches. L'incurvation en bas de sa colonne vertébrale, juste au-dessus du cul – j'ai caressé délicatement la déclivité, un petit massage très doux, des mouvements circulaires, et puis mes mains sont descendues à l'endroit où les fesses rejoignent les cuisses. Mes mains se sont déplacées vers le bord de sa culotte et le territoire inconnu au-dessous. Elle a essayé de serrer les cuisses, mais je les ai tenues fermement pour les maintenir écartées. Avec un effort, je suis parvenu à dire, « J'ai lu une étude quelque part dans un magazine ». Elle s'est débattue pour serrer les cuisses. Moi, je serrais les dents. « Un truc sur le lien entre la fréquence du coït et l'espérance de vie. » J'ai fini par lâcher prise, un peu essoufflé.

« Qu'est-ce que c'est que ces conneries ? a-t-elle dit en riant.

— Écoute, j'essaie de provoquer une réaction sexuelle chez toi, alors pourquoi est-ce que tu n'es pas tordue de plaisir ? »

Elle s'est détendue quand je me suis relevé, et nous nous sommes embrassés. Je me suis de nouveau perdu en elle. « Mon Dieu, mais qu'est-ce que tu portes ? Ce parfum, ça me ramène très loin.

— Où ça ? »

Je léchais sa bouche. « Euh, juste très loin. Dans le passé. Je revis toute mon adolescence.

— Simplement avec le brillant à lèvres ?

— Ouais. C'est comme ces petites mandarines chez Proust.

— Vous voulez dire madeleines.

— Ouais, comme ces petites mandarines.

— Comment… est-ce que vous avez décroché ce boulot ?

— Belles jambes. » Je caressais de nouveau son ventre, en tirant doucement sur l'anneau qui lui traversait le nombril. « Est-ce que je pourrais en avoir un aussi ? Nous aurions des anneaux de nombril assortis. Ce serait pas génial ?

— Ouais, ça mettrait en valeur vos abdos.

— Tu veux parler de ma tablette ?

— Je crois que je parle de votre plaque.

— Tu es très sexy, baby, mais je le suis aussi. »

Et puis, comme d'habitude, ça s'est arrêté. Cette fois, c'était mutuel. Elle devait aller quelque part et moi je devais imprimer un rêve et foncer chez le Dr Kim.

Alors que nous nous apprêtions à sortir du bureau, Aimee a dit quelque chose.

« Ce garçon qui était là tout à l'heure…

— Ouais. Tu le connais ? »

Elle est restée silencieuse un instant. « Non, mais j'ai déjà vu sa tête.

— Ouais, c'est ce que j'ai pensé moi aussi. Tu l'as vu à la fête, hier soir ? ai-je demandé pendant que l'imprimante commençait à cracher mon devoir.

— Je ne suis pas sûre, mais il m'a fait penser à quelqu'un.

— Ouais, il était déguisé en Patrick Bateman. C'était le type en costume Armani. Vraiment affreux.

— Euh, Bret, j'ai une information pour vous : vous étiez tellement pété que je ne crois pas que vous auriez pu reconnaître qui que ce soit pendant cette fête. »

J'ai haussé les épaules, glissé le rêve dans ma veste et ramassé quelques nouvelles que des étudiants avaient laissées pour moi. Tout était silencieux. Aimee réfléchissait à un truc en allumant sa cigarette.

« Ouais ? Qu'est-ce qu'il y a ? ai-je demandé. Je vais être en retard.

— C'est bizarre que vous ayez dit Patrick Bateman ?

— Pourquoi ?

— Parce qu'il ressemblait un peu à Christian Bale. »

Nous sommes restés sans parler un bon moment, parce que Christian Bale était l'acteur qui avait joué Patrick Bateman dans la version cinématographique d'*American Psycho*.

« Mais il vous ressemblait aussi. À vingt ans près. »

J'ai recommencé à frissonner.

Au parking, la 450 SL crème n'était plus là.

J'ai remarqué.

6

Les psys

Comme j'étais en retard, j'ai pris la voiture au lieu de marcher jusqu'à l'immeuble où se trouvaient les cabinets du Dr Kim et de notre conseillère conjugale, le Dr Faheida. Tout en dépliant mon rêve, j'ai couru dans le hall d'entrée et je suis tombé sur une femme qui sortait de l'ascenseur. J'avais les yeux fixés sur mon rêve, avec le sentiment d'être un petit garçon qu'on allait interroger, quand elle s'est écartée et a dit, « Bonjour, Bret ». J'ai levé la tête et dévisagé la femme : décharnée, la quarantaine, l'air un peu espagnole, cheveux noirs et fins, sourire en biais. Les bras chargés de dossiers et de livres, elle est restée devant moi pendant que je plissais les yeux, me demandant qui elle pouvait bien être.

Il m'a fallu un petit moment pour y arriver.

« Ah, Dr Fahjita. Comment allez-vous ? »

Elle a marqué un temps d'arrêt. « C'est en fait Dr Fa-hei-da.

— Dr Fa-hei-da, ai-je reproduit comme un perroquet. Oui, comment allez-vous ?

— Je vais bien. Je vous vois vous et votre femme la semaine prochaine ?

— Oui et cette fois nous viendrons tous les deux.

— C'est bien. À la semaine prochaine. » Elle s'est éloignée d'un pas lent et j'ai bondi dans l'ascenseur.

Les séances de thérapie de couple avaient commencé à cause d'un manque de sexe. C'était, je le reconnais, de ma faute et la culpabilité que j'en concevais m'avait conduit à suivre Jayne chez le Dr Faheida. Même lorsque je suis arrivé en juillet, nous ne faisions l'amour qu'une fois par semaine, en dépit des tentatives de Jayne pour que cela ait lieu plus régulièrement. Mais elle était repoussée si souvent qu'elle avait bientôt renoncé. Et j'étais incapable de comprendre d'où venait ce manque d'intérêt de ma part. Jayne – qui était autrefois tellement attirante qu'elle s'était plainte de la fréquence de nos rapports – ressemblait à quelque chose de nouveau pour moi, quelque chose d'autre que la petite amie sexy. Elle était l'épouse, la mère, celle qui m'avait sauvé. Comment cela avait-il conduit à un rapport de célibat ? (« Ah oui, comment en effet ? » murmurait la voix sombre dans un recoin de ma tête.) Je l'imputais simplement au premier mensonge qui me venait à l'esprit quand nous étions couchés dans le lit monumental de la chambre obscure, la porte fermée à clé, les rideaux tirés, mon pénis flasque posé sur ma cuisse : fatigue, stress, roman, marée montante et descendante du désir, antidépresseurs que je prenais ; j'ai même évoqué des blessures sexuelles de l'enfance. Elle s'efforçait de contrôler son ressentiment. Je dissimulais ma honte, mais pas assez pour qu'elle ne se considère pas coupable de questionner ma virilité, coupable au point de se sentir mal de chercher à tout prix une solution. Elle ne cessait de me demander si je la trouvais toujours séduisante – ce qui était le cas, je l'en avais constamment assurée. J'étais fier d'avoir pour épouse Jayne Dennis. Des millions d'hommes trouvaient son image d'un magnétisme sexuel absolu. Elle était une star de cinéma jeune et populaire. Et pourtant, mystérieusement, le sexe était devenu quelconque et de plus en plus rare entre nous. Je n'avais plus pour elle la gaule que j'avais autrefois et j'essayais de l'apaiser avec des généralités que j'avais piquées chez Oprah. « Est-ce que le sexe est plus important que nos enfants et nos carrières, Jayne ? ai-je demandé un soir. Je trouve que tout va bien pour nous. » Elle soupirait dans la pénombre. « Ce n'est pas parce que le désir n'est pas là en ce moment que toi tu ne l'es pas », ai-je dit gentiment (c'était la première nuit que j'avais passée dans la chambre d'amis). Et donc en thérapie conjugale avec notre « éducatrice matrimoniale », les théories fusaient dans tous les sens. Peut-être que c'était la détérioration de mon niveau de testostérone. Mais j'ai subi des tests et les niveaux étaient normaux. J'ai commencé à prendre des compléments quotidiens à base de plantes. Nous avons écarté le Viagra puisque j'avais eu un prolapsus d'une valvule mitrale – un petit problème cardiaque que la drogue pouvait réveiller. Les autres options étaient le Levitra et le Cialis, *mais je ne suis pas impuissant !* avais-je envie de crier. Cependant j'affichais une « indifférence aux valeurs ». Je ne saisissais pas l'idée de « responsabilité partagée ». J'étais passé maître en « communication négative ». J'avais contribué à créer une « union instable ». J'avais besoin de développer des « pactes de collaboration ». Je n'offrais que des « contre-propositions ». J'étais accusé de « rompre des accords » (Jayne était celle qui était dans une « attitude de fuite par rapport à la séparation », même si elle reconnaissait avoir un problème d'« autodifférenciation »). On nous a conseillé de prendre une baby-sitter, de nous adresser des petits billets provocants, de faire semblant de nous rencontrer pour la première fois, de prendre une chambre à l'hôtel, d'organiser notre intimité, de programmer les rapports. Mais à la fin du mois de septembre, nos relations sexuelles étaient dans une impasse majeure et c'est à ce moment-là que j'ai compris pourquoi. Le truc qui en était la cause avait un nom à présent : Aimee Light. Selon Jayne, « l'aspect le plus incroyablement triste » de notre mariage était le fait qu'elle m'aimait encore.

J'ai pris une grande inspiration et je suis entré dans le cabinet du Dr Kim. Sa porte était ouverte et elle feuilletait la *New York Review of Books* en m'attendant. Elle a levé la tête – son petit visage brun, inquisiteur, plissé par un sourire coincé.

« Je suis désolé d'être en retard », ai-je dit en refermant la porte derrière moi avant de m'effondrer dans le fauteuil en face d'elle. L'anonymat serein qui régnait dans son bureau m'avait toujours aidé à me détendre avant le début des séances, mais aujourd'hui elle avait décidé de démarrer tout de suite et son inquiétude croissante concernant mes « problèmes d'abus divers » a rapidement dominé notre conversation. C'était probablement dû aux Kleenex que je n'arrêtais pas de prendre et à la morve sanguinolente que je ne cessais d'extraire de mon nez ravagé et douloureux. Puis elle a souhaité que nous parlions de Robby et voulu savoir si je lui en voulais encore, et ensuite ça s'est déplacé vers Jayne et ce à quoi je voulais en venir avec elle, et très vite ma patience a été à bout et j'ai dû interrompre ce qui ressemblait alors à un interrogatoire. Elle avait un bloc-notes en équilibre sur les genoux, sur lequel elle notait furieusement.

« Écoutez, je suis ici uniquement parce que j'ai promis à ma femme que j'essaierais d'obtenir de l'aide et je suis donc ici pour obtenir de l'aide et non pas pour entendre une énième leçon sur le fait que je fais perdre du temps à tout le monde, d'accord ? » J'ai pris un autre Kleenex et je me suis mouché. Le mouchoir était rouge et luisant.

« Alo' pou'quoi vous êtes ici, monsia' Ellis ?

— Hé bien, je souffre d'anxiété et j'ai ces, vous savez, troubles dus à l'anxiété.

— À cause de quoi ?

— Euh... des accidents d'avion... des terroristes... » Je me suis interrompu et puis j'ai ajouté avec sincérité, « De ces garçons qui disparaissent ».

Elle s'est redressée. « Monsia' Ellis, je 'edoute plus la ci'hose du foie dans vot' cas que l'accident d'avion. » Elle a soupiré et noté quelque chose, avant d'enchaîner, « Alo' des 'êves ces de'niers temps ?

— Oui, un sacré rêve », ai-je répondu en essayant de dissimuler ma réticence au moment où je lui ai donné la page imprimée.

Dr Kim a parcouru les mots tapés rapidement un peu plus tôt dans l'après-midi et elle est parvenue à une phrase qui l'a fait blêmir, puis elle m'a regardé de là où elle était assise. J'étais en train d'admirer tranquillement un petit cactus sur une étagère, fredonnant sourdement en attendant qu'elle eût terminé.

« Ce 'êve me semble t'ès, t'ès faux, monsia' Ellis. » Elle m'a jeté un regard noir et suspicieux. « Je pense que vous avez inventé ce 'êve.

— Comment osez-vous ? » Je me suis redressé, indigné – posture que j'avais souvent adoptée dans son bureau, je m'en rendais compte.

« Vous pensez que je vais c'oi'e ça ? » Elle a baissé les yeux vers la page. « Un bar avec une g'ande mâchoi'e vous pou'suit dans une ma'e et vous vous échappez dans un avion qui passe et puis vous êtes en classe affai'es – un avion qui po'te le nom de vot'e pè'e su' le fuselage ?

— C'est mon inconscient, Dr Kim. » J'ai haussé les épaules. « Ce sont peut-être des angoisses légitimes. » J'ai soupiré et abandonné.

« Vous n'avez pas dit à vot'e femme que vous p'enez enco'e des d'ogues, a-t-elle dit.

— Non, ai-je soupiré de nouveau et j'ai détourné le regard. Mais elle le sait. Elle le sait.

— Et vous do'mez toujou's su' le divan ?

— C'est la chambre d'amis ! Je suis dans la chambre d'amis, bordel ! On ne peut pas dormir sur notre putain de divan.

— Monsia' Ellis, vous n'avez pas besoin de c'ier.

— Écoutez. » J'ai soupiré. « Ça a été très dur de s'adapter au monde et à toutes ces pressions, au fait d'être l'homme dans la maison ou je ne sais comment vous appelez ça, ainsi qu'au fait de, ouais, d'en prendre de nouveau – un tout petit peu seulement – et de boire de nouveau – un tout petit peu seulement – et ouais, OK, Jayne et moi nous ne faisons plus l'amour et je flirte avec cette fille à l'université et je pense qu'un autre étudiant prétend être un personnage d'un de mes romans et la petite fille de Jayne est, je pense, dans un sale état et elle croit que sa peluche est vivante et l'attaque, plus le fait qu'elle m'appelle "Papa" et qu'Harrison Ford veuille que j'écrive un scénario pour lui et que je reçoive ces e-mails bizarres de LA qui ont quelque chose à voir avec mon père, je pense, et tous ces garçons qui disparaissent me foutent une putain de trouille et c'est tout ça qui cause ces énormes conflits au sein de mon inconscient. » Je me suis interrompu au beau milieu de ma tirade. « Oh, et notre golden retriever qui me hait. » J'ai laissé échapper un énorme soupir. « Alors j'en ai gros sur la patate – lâchez-moi. » Et je me suis emparé de la feuille qu'elle tenait à la main en disant, « Donnez-moi ça ».

Elle n'a pas lâché, l'œil furieux. J'ai tiré plus fort. Elle n'a pas lâché prise. Nous ne nous quittions pas des yeux. J'ai fini par me rasseoir, essoufflé.

Elle a attendu patiemment. « Monsia' Ellis, vous êtes ici pou' t'ouver le moyen de mieux connaîtr' vot'e fils.

C'est essentiel. C'est nécessaire. Que vous établissiez un lien avec vot'e fils. »

Il n'y avait rien à dire sinon, « Je commence à avoir la situation en main.

— Je ne le pense pas.

— Pourquoi pas ?

— Pa'ce que vous ne l'avez pas mentionné une seule fois depuis que vous êtes ici. »

7

La chambre de Robby

Marta préparait le dîner dans la cuisine, des légumes poêlés dans un wok en aluminium, pendant que les enfants s'habillaient à l'étage pour le « *trick or treat* ». Il faisait sombre à présent, mais sur le trajet du cabinet du Dr Kim à la maison, j'avais remarqué que des parents accompagnaient déjà leurs enfants déguisés dans tout le quartier alors que le crépuscule approchait, ce qui a fait revenir en mémoire le souvenir sinistre des garçons disparus et m'a poussé à m'arrêter pour acheter une bouteille de Groth Sauvignon Blanc et un magnum de Ketel One, et une fois réfugié dans mon bureau, j'ai versé la moitié du vin dans une tasse géante et caché les deux bouteilles sous mon bureau (le mobilier était toujours déplacé). J'ai traîné dans la maison, n'ayant rien à faire, je suis passé devant le saladier rempli de minibarres Nutrigran, posé sur une table près de la porte d'entrée. Je suis sorti. Quelqu'un avait déjà allumé les citrouilles-lanternes. Victor était couché sur la pelouse. Lorsqu'il m'a jeté un rapide coup d'œil, j'ai fait de même, et puis j'ai ramassé un Frisbee et je l'ai jeté au chien. Il a atterri près de lui. Il l'a considéré avec un air méprisant, il a soulevé la tête et m'a regardé comme si j'étais un idiot, avant de pousser le disque orange du bout du museau.

En rentrant dans la maison, j'ai traversé la salle de séjour et j'ai remarqué que le mobilier avait été remis dans sa position initiale. Pourtant j'avais encore l'impression de voir la pièce sous un angle inhabituel. La moquette paraissait plus sombre, plus longue, le beige pâle virait maintenant à quelque chose qui se rapprochait de la sarcelle ou du vert – et le passage de l'aspirateur dans la matinée n'avait toujours pas effacé les empreintes de pas qui s'y étaient fixées. J'ai frotté le pied légèrement sur l'une d'elles – elle était grande et de couleur cendre – et essayé de la faire fondre dans la moquette avec la pointe de mon mocassin, quand j'ai soudain entendu, en provenance de l'étage, Jayne qui criait, « Non, tu n'iras pas déguisé en Eminem ! » et une porte qui claquait. J'ai pris un Klonopin, terminé le vin, versé le reste de la bouteille et je suis monté prudemment à l'étage dans la chambre de Robby pour voir s'il allait bien.

En approchant de sa porte, j'ai vu les rayures dont il avait parlé ce matin. Elles étaient concentrées sur le bas de la porte et même si ce n'étaient pas les entailles que j'avais imaginées, la peinture avait été arrachée et j'ai pensé que c'était probablement Victor qui avait tout simplement essayé de rentrer. Personne n'était monté ici pendant la fête, mais j'ai eu un flash de l'oreiller déchiré de Sarah et la pensée fugitive que Robby avait fait ces rayures lui-même – un geste d'hostilité, quelque chose pour capter l'attention, je ne sais quoi – avant de me rendre compte que ce n'était pas le genre de chose que Robby aurait pu faire. Il était bien trop passif et asthénique pour faire un coup pareil. Et de nouveau j'ai revu le Terby et l'oreiller déchiqueté. Il était impossible de faire confiance aux enfants – les médicaments qu'ils prenaient en étaient la preuve. Qui plus est, Robby avait récemment changé d'antidépresseurs. On avait ajouté du Luvox pour les crises d'anxiété qui l'empoisonnaient depuis l'âge de six ans et dont l'intensité avait augmenté depuis mon arrivée – et qui pouvait dire quels étaient les effets secondaires ? Son médecin nous avait assuré qu'en dehors de problèmes gastriques et intestinaux mineurs, il n'y en avait aucun, mais ils disaient toujours ça, et de toute façon sans les drogues Robby ne tenait pas en place. Sans les médicaments, il n'aurait pas été capable de visiter le planétarium. Sans la Ritaline, il n'aurait pas pu tenir dans le centre commercial à la recherche d'un déguisement, au début de la semaine. J'ai failli trébucher sur un skate-board en entrant dans sa chambre, mais le volume de la télévision était si élevé que Robby, qui était assis sur le lit, n'a rien remarqué.

La chambre de Robby était un décor de science-fiction : des décalcomanies de planètes, de comètes, de la Lune étaient collées un peu partout sur les murs et donnaient l'impression de flotter dans un ciel noir au fin fond de l'espace. La moquette était un paysage martien, incroyablement détaillé avec ses canyons, ses fissures et ses cratères. Des sphères en billes de verre pendaient à un astéroïde scintillant, à l'aspect désolé, fixé au plafond au-dessus d'un immense lit Art déco couvert d'une couette très étudiée. Au milieu des inévitables posters des Beastie Boys et de Limp Bizkit se trouvaient ceux de plusieurs lunes : celle de Jupiter, Io, et celle de Saturne, Titan et celle d'Uranus, Miranda avec ses énormes crevasses. La chambre avait aussi son miniréfrigérateur, des lampes aux couleurs vives, un sofa en cuir, une stéréo et un des murs était entièrement recouvert d'une photo en noir et blanc d'un terrain de skate-board désert. Le sol était jonché de cassettes de jeux vidéo devant un écran de télévision géant, à présent connecté à PlayStation 2 au milieu d'un amoncellement de DVD des *Simpson* et de *South Park*. Il y avait aussi une pile de chemises Tommy Hilfiger neuves sur son lit. Des soldats japonais étaient alignés sur les étagères qui contenaient pour l'essentiel des magazines de lutte et la série complète des *Harry Potter*, et au-dessus des étagères une grande peinture de couleur bronze représentant les signes du zodiaque. Le reste d'un thé vert glacé de Starbuck trônait à côté d'une énorme lune translucide qui resplendissait sur l'écran de l'ordinateur – l'écran de veille de Robby.

Les yeux rivés sur *Nintendo Power Monthly*, Robby a enfilé une paire de chaussettes Puma, puis attaché les lacets de ses Nike. La télévision était allumée sur la chaîne WB et alors que j'étais encore sur le seuil, j'ai pu voir un dessin animé dégueulasse faire place à ces pubs destinées aux enfants, que je détestais. Un sublime adolescent débraillé, les mains sur ses hanches de maigrichon, regardait la caméra avec un air de défi et faisait, d'une voix neutre, les déclarations suivantes, sous-titrées en rouge sang : « Pourquoi tu n'es pas encore un millionnaire ? », suivie de « Il n'y a rien d'autre que l'argent dans la vie », suivie de « Tu dois posséder une île à toi », suivie de « Tu ne devrais jamais dormir parce qu'on ne te donnera jamais une seconde chance », suivie de « C'est important d'être astucieux et attirant », suivie de « Viens avec nous te faire un paquet de pognon », suivie de « Si tu n'es pas riche, tu ne mérites pas mieux que d'être humilié ». Fin du spot publicitaire. C'était fini. Je l'avais vu de nombreuses fois et je n'avais toujours pas pigé ce qu'il voulait dire ou même quel produit il essayait de vendre.

Robby avait les épaules voûtées et le pull Hilfiger attaché autour de sa taille est tombé par terre quand il s'est levé et étiré. Sur son oreiller était posé un livre pour jeune adolescent, intitulé *Ce qu'était la Terre autrefois*. Mon fils avait onze ans et un portefeuille

Prada et un bandeau couleur camouflage sur l'œil de chez Stussy, et un serre-poignet en éponge Lacoste et il avait voulu créer un club d'astronomie, mais en raison du manque d'intérêt chez ses pairs cela ne s'était jamais concrétisé et chacune des chansons qu'il aimait avait le mot « voler » dans son titre, et tout cela m'attristait. Il s'est aspergé de l'eau de Cologne Hugo Boss sur le dos de la main et il ne l'a pas sentie. Il n'avait toujours pas remarqué que j'étais sur le seuil de sa chambre.

« Alors Maman ne veut pas te laisser sortir déguisé en star du rap, hein ? »

Il a pivoté sur lui-même et eu une sorte de hoquet. Et puis il a repris contenance.

« Non », a-t-il répondu d'une voix lasse. Il avait l'air honteux, comme si on lui avait passé les menottes.

Quelque chose en moi s'est brisé. J'ai bu une autre gorgée de vin et j'ai avancé dans la chambre.

« Il te faudrait des cheveux blond platine et une femme que tu pourrais battre, et comme tu n'as ni l'un ni l'autre… » Je ne savais absolument pas où je voulais en venir ; tout ce que je voulais, c'est qu'il se sente mieux, mais chaque fois que j'essayais quelque chose, cela ne faisait qu'accroître sa confusion.

« Ouais, mais Sarah y va en Posh Spice, a-t-il ronchonné au moment où je baissais le volume de la télévision.

— Tu sais, ta mère a un problème notoire avec toute cette histoire de rap…, ai-je enchaîné avant de me ressaisir. Alors tu vas te déguiser en quoi ?

— Euh, en rien. En rien, j'imagine. » Silence. « Peut-être en astronaute.

— Simplement en astronaute ? Tu ne peux pas penser à quelque chose d'un peu plus… amusant ? Maman a dit que c'était ton déguisement de l'année dernière. »

Il n'a rien dit.

J'ai tourné dans la chambre immense d'un pas lent et fait semblant de m'intéresser à toutes sortes de choses.

« Est-ce qu'il y a un truc qui ne va pas ? l'ai-je entendu demander sur un ton inquiet. Est-ce que j'ai fait quelque chose de mal ?

— Non, non, non, Robby. Bien sûr que non. J'admirais tout simplement ta chambre.

— Mais, euh, pourquoi ?

— Tu as beaucoup… de chance.

— Ah bon ? »

J'ai détesté la façon dont il a dit ça. « Ouais, je veux dire que tu devrais être reconnaissant pour toutes ces choses que tu as. Tu es un enfant très gâté. »

L'air las, voûté, les bras ballants, il a jeté un coup d'œil tout autour de la pièce, pas du tout impressionné. « Ce sont juste des choses, Bret.

— Tout ce que je voulais à ton âge, c'était une télévision dans ma chambre et un verrou sur la porte. » J'ai fait un geste vague. « Tout ce que je voulais, c'était jouer avec mes Lego. »

J'ai observé les planètes suspendues au milieu de la pièce – l'univers qui flottait sous le plafond étoilé. Les satellites en orbite, les fusées et les astronautes, les vaisseaux spatiaux et les roches lunaires et Mars et le météore en feu fonçant vers la Terre et les soucis créés par l'apparition d'extraterrestres et le besoin d'établir des colonies à travers tout le système solaire. Tout me paraissait terriblement inutile parce que le ciel était toujours noir dans l'espace et qu'il n'y avait pas le moindre son sur la Lune et que c'était un autre monde où l'on serait toujours perdu. Mais je savais que Robby soutiendrait que sous ses cratères glacés et ses traîtresses étendues de sable balayées par le vent, il y avait un cœur chaud et élastique. Il ne fallait que deux secondes et demie à un laser pour parcourir la distance de la

Terre à la Lune et retour, comme me l'avait expliqué Robby au cours de ce mariage à Nashville, des années plus tôt.

« Ouais, j'imagine en astronaute.

— OK, c'est cool. Je pense que c'est cool comme déguisement. »

J'ai enfin remarqué le casque sur le lit et la combinaison orange de la NASA qui pendait à un clou dans le placard. « Je te retrouve en bas, mon pote. »

Robby m'a regardé fixement jusqu'à ce que je sois sorti de la chambre et il a refermé la porte derrière moi. J'ai sursauté quand j'ai entendu qu'il la fermait à clé. Une applique s'est mise à clignoter quand je suis passé devant.

8
Halloween

On étouffait de chaleur – le 31 octobre le plus chaud jamais enregistré – mais j'avais grandi à LA et j'étais habitué à ce genre de climat. Jayne et les enfants, eux, étaient en nage quand nous sommes arrivés au bout du pâté de maisons. Robby avait déjà enlevé son casque, les cheveux collés de sueur, et rejoint Ashton Allen, qui avait renoncé à l'idée de venir déguisé en célèbre joueur de base-ball, une fois les rumeurs d'homosexualité répandues, et dont les parents, Mitchell et Nadine, nous retrouvaient à l'instant avec leur petite fille Zoe, qui faisait équipe avec Sarah pour le « *trick or treat* », et Marta, leur gardienne pour la soirée (Zoe était déguisée en Hermione Granger et, en effet, Sarah était en Posh Spice, avec un tee-shirt sur lequel on pouvait lire *Mon petit ami pense que je suis en train de faire mes devoirs*). Les deux garçons attendraient sur le trottoir et puis inspecteraient ce qu'avaient obtenu leurs sœurs avant d'attaquer telle ou telle maison. J'étais ivre.

À mesure que nous progressions dans le quartier, j'ai vaguement reconnu les déguisements inspirés par divers jeux vidéo (des garçons habillés en Ninja Shadow Phoenix et Mortal Kombat Scorpion) et films (des Anakin Skywalker avec leur tresse de Jedi brandissant leur sabre lumineux). Où que vous regardiez, les Harry Potter avaient envahi Elsinore Lane – avec leurs tenues de Quidditch, leurs balais et leurs baguettes magiques, des cicatrices de foudre sur le front d'un vert phosphorescent dans l'obscurité, discutant avec des ogres bouffis qui sortaient, je les ai reconnus, de *Shrek*. Il n'y avait ni danseuses, ni sorcières, pas de clochards ou de fantômes – aucun des déguisements simples et faits à la maison de mon enfance – et lorsque j'ai vu Nadine boire une gorgée à sa bouteille de Fiji, j'ai eu une folle envie d'un autre verre. Sarah ne cessait de courir devant nous, de faire demi-tour, pendant que Zoe et Marta essayaient de suivre, et les quatre parents ne cessaient de crier à leurs enfants de rester en vue. Il y avait une rumeur concernant la présence de tant de voitures cette année – une longue file se déplaçant lentement – avec les enfants déguisés descendant en grappes et courant jusqu'aux maisons et puis regrimpant dans les 4 × 4 en parade dans la rue embouteillée. Une sourde hésitation planait au-dessus de tout. C'était une autre façon de remettre en mémoire les garçons disparus, et Nadine a remarqué qu'il y avait plus de lampes de poche que d'habitude et que les lanternes taillées dans les citrouilles étaient plus souriantes (c'était censé être un Halloween optimiste). J'essayais d'écouter attentivement quand un zombie, l'air furieux, est passé devant moi en bicyclette. Jayne avait une caméra digitale à la main dont elle se servait un peu de temps en temps et pas du tout la plupart du temps. Nous sommes tombés sur Mark et Sheila Huntington, un duo séduisant composé de deux lames affûtées, et sur Adam et Mimi Gardner – deux couples de voisins invités du dîner des Allen, dimanche soir. Pendant que nous observions nos enfants aller de maison en maison, j'ai remarqué combien chacun de nous semblait tendu et combien nos tentatives pour le dissimuler étaient dépourvues de conviction. Les gens disaient à voix basse qu'ils allaient emmener leurs enfants du côté de North Hill cette année, même si aucun des garçons disparus n'appartenait à notre communauté. Et j'ai remarqué combien c'était calme, comme si personne n'avait voulu attirer l'attention de l'étranger qui rôdait dans l'ombre. Quelqu'un s'est approché de Jayne et lui a demandé un autographe.

Je ne parvenais pas à me concentrer sur la conversation des couples amis (le chat qui méditait, le bon produit multitâche) parce que j'avais l'impression que nous étions suivis – ou, plus précisément, que je l'étais. J'ai tenté de l'attribuer au manque de sommeil, à la bouteille de vin blanc, à ce que j'avais compris sans conviction dans le cabinet du Dr Kim, à mon échec à retrouver le jean dans lequel j'avais laissé le reste de coke de la nuit précédente, à la frustration sexuelle, au garçon qui avait menti dans mon bureau, cet après-midi.

Mais j'ai revu la voiture.

La 450 SL crème glissait le long d'Elsinore Lane et s'est arrêtée à hauteur de Bedford Street. Je n'ai pas pu m'empêcher de la regarder là, au ralenti, et j'ai voulu me distraire en réfléchissant au moment où je pourrais aller à LA, la semaine prochaine. Les huit adultes, marchant à présent par paires sur le trottoir, avançaient dans sa direction. Soudain – et rétrospectivement je ne sais pas pourquoi – j'ai demandé à Jayne de me passer sa caméra digitale. En continuant à se plaindre avec Mitchell du nouveau In n'Out Burger qui allait ouvrir dans Main Street, elle me l'a tendue. J'ai mis l'œil dans le viseur et je l'ai braqué sur la Mercedes. La lumière des réverbères était ridiculement brillante et délavait tout, ce qui ne facilitait pas la mise au point. Je n'arrivais pas à comprendre pourquoi la voiture n'avait plus un air innocent et pourquoi elle commençait – après m'être apparue deux fois seulement – à vouloir *dire* quelque chose : un truc obscur, un truc qui rappelait quelque chose de noir. Alors que je me rapprochais, en zoomant sur le coffre et la lunette arrière, on aurait dit que la voiture avait perçu mon intérêt et – comme si *elle* avait pris la décision et non la personne au volant – elle a tourné au coin d'Elsinore pour disparaître dans Bedford. J'étais dans un nuage. Je me sentais hanté et puis il y a eu un vent chaud et le ronronnement à peine audible de ce qui ressemblait au bruit d'un appareil électrique, et j'ai frissonné. Les battements de mon cœur se sont accélérés et j'ai alors éprouvé, inexplicablement, de la tristesse. La lune était géante, ce soir, très basse dans le ciel noir, d'une teinte orangée, et les gens ne cessaient de dire combien elle paraissait proche de la terre.

Jayne était en train d'expliquer aux parents fascinés pourquoi il lui fallait retourner à Toronto, la semaine prochaine, quand j'ai dû brusquement m'excuser auprès d'eux. J'ai simplement dit que j'étais fatigué. Le sol se gondolait sous mes pieds et ma peau était couverte de sueur. Jayne allait dire quelque chose quand elle a vu que Sarah s'apprêtait à faire la roue, et elle a dû crier pour l'inciter à faire attention. J'ai dit au revoir à tout le monde, assuré aux Allen que j'étais impatient de les revoir dimanche soir et j'ai rendu la caméra à Jayne. Je savais que je ne jouais pas un bon coup en partant, mais je n'avais pas le choix. J'ai noté son air ambivalent et sa déception, et j'ai pris la direction de la maison, qui était dans l'obscurité, à l'exception des lanternes-citrouilles aux visages déjà affaissés. J'ai pu sentir le soulagement de Robby au moment où je me suis éloigné, un peu titubant.

De retour dans mon bureau, je me suis servi un grand verre de vodka et j'ai fait un tour dehors sur la petite terrasse surplombant la piscine éclairée et le jardin derrière la maison et le grand champ bordé par les bois. Les arbres avaient l'air noirs et tordus sous la lumière orangée de la lune. J'ai avalé la vodka. Je me suis demandé : les étranges lumières clignotantes dans le ciel bas et gris que les gens avaient dit avoir vues en juillet dernier avaient-elles un rapport avec les disparitions des garçons qui avaient commencé à ce moment-là ? Les autres explications qui me sont venues à l'esprit m'ont fait espérer que oui.

Un truc est passé au-dessus de moi et a poursuivi son vol.

Tout à coup, Victor a bondi hors de la maison et s'est arrêté devant moi, aboyant, essoufflé. Il faisait face aux bois.

« Tais-toi, ai-je dit d'une voix lasse. Tais-toi. »

Il m'a regardé avec des yeux inquiets et puis s'est assis en gémissant.

J'ai essayé de me détendre, je sentais le vent chaud sur ma peau, mais mon regard a été attiré par un truc à côté du jacuzzi, qui faisait, je l'ai noté, des remous – quelqu'un l'avait mis en marche – et la vapeur s'élevait à la surface de l'eau chaude. J'ai posé mon verre sur le barbecue et j'ai avancé d'un pas hésitant sur la terrasse jusqu'au moment où je suis tombé sur un maillot de bain. J'ai supposé qu'il avait été laissé là après la fête, mais quand je l'ai ramassé, il était mouillé comme si quelqu'un venait de sortir du jacuzzi et de l'enlever. Et c'est alors que j'ai remarqué le motif du maillot : des grandes fleurs rouges, un peu abstraites. Hawaï m'a brusquement traversé l'esprit, qui a atterri au Mauna Kea Hotel, l'endroit où ma famille séjournait pendant les vacances quand j'étais petit. Ce maillot est-il à moi ? Je me suis posé la question, parce que j'en avais un identique autrefois (le même que mon père), mais j'ai su presque immédiatement que la réponse était non. J'ai essoré le maillot calmement et je l'ai étendu sur la balustrade de la terrasse pour le faire sécher. J'ai rebu une gorgée de vodka et pris une longue inspiration. Respirant à fond, je me suis tourné vers les bois.

La nuit était saturée d'obscurité et l'obscurité était vraiment impressionnante. Et le bruit du vent paraissait amplifié et je me suis aperçu que Victor était de nouveau debout, le regard fixé sur les bois, le vent faisant onduler son pelage beige. J'ai continué à scruter la noirceur des bois, attiré par cette obscurité comme je l'avais toujours été. Et le vent se ruait sur moi et le vent faisait l'effet d'être… sauvage.

Il n'y avait pas d'autre mot. Le vent faisait l'effet d'être sauvage.

« *Hello darkness my old friend…* » Les paroles se sont glissées dans mes pensées et j'ai eu l'impression qu'une frontière s'effaçait. J'ai fermé les yeux. J'ai soudain mesuré à quel point j'étais seul (*mais c'est comme ça que tu voyages*, a répondu le vent, *c'est comme ça que tu as depuis toujours choisi de vivre*). J'ai ouvert les yeux au moment où un papillon de nuit se posait sur mon bras. On aurait dit que le monde entier était en train de mourir et de devenir complètement noir. L'obscurité éclipsait tout.

Et puis Victor s'est mis à aboyer – beaucoup plus intensément cette fois, il tremblait sans cesser de regarder les bois et ses aboiements étaient entrecoupés de grognements. Et tout aussi brusquement il s'est tu.

Il était immobile. Il avait entendu quelque chose.

Il ne cessait de fixer les bois.

Et puis il a bondi de la terrasse et s'est mis à courir dans leur direction en aboyant.

« Victor », ai-je crié par-dessus ses aboiements.

Je pouvais voir son ombre cavaler dans le champ comme s'il avait poursuivi quelque chose, mais lorsqu'il est entré dans les bois, les aboiements ont cessé.

J'ai bu encore une gorgée et décidé d'attendre son retour.

J'ai regardé le maillot de bain. J'ai pensé à la Mercedes descendant Elsinore Lane. Depuis combien de temps nous suivait-elle ? Qui était dans le jacuzzi ?

Et puis j'ai cru voir Victor. Une forme, basse, tapie, avait émergé des bois, mais je ne distinguais pas bien ce que c'était. Elle avait la taille de Victor, peut-être un peu plus grande, mais ses mouvements faisaient penser à ceux d'une araignée parce qu'elle se déplaçait sur le côté, surgissant et disparaissant maladroitement entre les arbres à la lisière des bois.

« Victor ! »

La chose s'est brusquement arrêtée un instant. Et puis sa forme sombre a filé sur le côté et pris de la vitesse et elle est repartie dans les bois. J'ai compris, avec dégoût, qu'elle avait l'air de pourchasser quelque chose.

« Victor ! »

J'ai entendu ce qui ressemblait à des gémissements désespérés poussés par le chien, mais ils ont cessé d'un coup et le silence a tout envahi.

J'ai attendu.

En plissant les yeux, j'ai pu voir la silhouette de Victor alors qu'il revenait à travers le champ et je n'ai pas pu m'empêcher de me sentir à la fois affaibli et soulagé quand le chien – bizarrement calme à présent – est passé devant moi pour rentrer dans la cuisine. Mais c'est alors que quelque chose m'a forcé à comprendre que je n'étais pas seul ici.

Tu peux me sentir ? me demandait-elle.

« Va-t'en », ai-je murmuré. J'étais trop pété pour m'occuper de ça. « Va-t'en ! »

Il était temps que tu apprennes quelque chose, pouvais-je l'entendre gémir.

Je n'étais pas seul.

Et ce qui se trouvait là savait qui j'étais.

Quelque chose se déplaçait de nouveau dans les bois.

Les balançoires se sont mises à faire du bruit sous l'effet sulfureux d'un vent chaud et puis, presque immédiatement, elles ont cessé de bouger.

Je pouvais entendre le bruit à la fois doux et net d'un truc qui approchait. Et qui approchait de manière décidée. Qui voulait être remarqué. Qui voulait être vu et senti. Qui voulait murmurer mon nom. Qui voulait me tromper. Mais qui ne se rendait pas encore visible. Et en scrutant l'obscurité, j'ai vu une autre silhouette courant à travers le champ avec, à la main, ce qui ressemblait à une fourche. J'étais pétrifié sur la terrasse. Je claquais des dents. Le vent a soufflé de nouveau. Et puis le bruit d'un nuage de sauterelles s'est fait entendre. Je me suis mis à trembler. J'ai peur, ai-je soudain pensé. Quand le truc a senti à quel point j'étais terrifié, une étrange odeur a envahi l'atmosphère.

Rentre, me suis-je dit. Rentre dans la maison tout de suite.

Mais lorsque je me suis tourné vers la maison, j'ai su qu'elle ne pourrait pas me protéger de ce qui était là-bas. Le truc que c'était allait pouvoir entrer.

Et puis j'ai vu la pierre tombale. Elle était sur le côté à la limite de notre terrain et dans un angle un peu tordu, saillant au milieu des herbes hautes qui couvraient le champ, et mon agacement à la pensée que les décorateurs ne l'aient pas emportée a rapidement tourné à la terreur quand je me suis rendu compte que je ne pouvais pas m'arrêter d'avancer vers elle. Le sol sous la pierre tombale était soulevé – comme si une chose enterrée s'était frayé une issue avec ses griffes. Au-dessus du rugissement du vent, je pouvais entendre distinctement un claquement. En me rapprochant de la pierre tombale, j'ai eu la conviction que quelque chose s'était déterré de cette fausse tombe. Un truc énorme et noir est passé au-dessus de la maison – un truc qui volait – et puis a fait demi-tour dans l'air et le vent continuait à mugir et il y a eu un bref grognement d'animaux se battant du côté des bois et puis le truc s'est mis à tournoyer au-dessus de moi, au moment où je me suis agenouillé devant la pierre tombale à côté du trou dans le sol. Quelque chose était écrit dessus. J'ai commencé à frotter les fausses toiles d'araignée et la fausse mousse. La pierre était maculée de sang séché.

On lisait en lettres rouges :

ROBERT MARTIN ELLIS 1941-1992

Le vent m'a fait perdre l'équilibre et je suis tombé en arrière.

Le champ était humide, spongieux, et lorsque j'ai essayé de me relever, j'ai dérapé sur un carré de terre détrempée. Et lorsque j'ai posé la main pour me redresser, ce n'est pas de l'humidité que j'ai senti, mais quelque chose de visqueux, de gluant, qui puait le moisi et je m'efforçais de me relever parce que le truc se rapprochait de moi. Le vent a fait claquer les portes de la cuisine. Ce qui se rapprochait de moi avait faim. C'était pitoyable. C'était redoutable. Ça exigeait quelque chose que je ne voulais pas donner. J'ai hurlé au moment où je me suis mis debout et j'ai foncé vers la maison. Ce qui était derrière moi continuait à avancer, les bras tendus pour attraper.

Une fois à l'intérieur, j'ai couru dans la chambre d'amis et m'y suis enfermé.

J'ai attendu désespérément le retour de Jayne et des enfants.

Lorsqu'ils sont rentrés, je me suis assuré que toutes les portes de la maison étaient bien fermées et que les alarmes étaient mises. J'ai fait semblant de m'intéresser aux bonbons que Sarah avait récoltés. Jayne m'ignorait.

Robby avait à peine regardé dans ma direction avant de monter dans sa chambre.

De retour dans la chambre d'amis, en buvant le magnum de vodka, je n'ai pensé qu'à une chose, à trois mots.

Il est revenu.

9

Samedi 1er novembre

Dehors

Je me suis réveillé dans la chambre d'amis au son du chasse-feuilles et lorsque j'ai regardé par la fenêtre (le camion du jardinier dans l'allée signalait qu'on était samedi), je me suis brièvement senti bien dans mon environnement, jusqu'à ce que je m'aperçoive que j'étais entièrement habillé (pas très bon signe) et que je n'avais aucun souvenir de la façon dont je m'étais endormi la veille (pas très bon signe non plus), et que tout ça se transforme en spasme d'anxiété. J'ai balancé mes jambes hors du lit, renversé au passage la bouteille de vodka que j'avais achetée hier – mais elle était vide (pas très bon signe là encore). En même temps, la bouteille de Ketel One pouvait laisser penser que ma peur était le résultat d'une gueule de bois et rien d'autre – j'étais sain et sauf, j'étais vivant, j'étais OK. J'ai eu une réaction mitigée, cependant, en découvrant le gobelet de Jumbo Slurpee que j'avais caché sous le lit et qui était à présent sur la table de nuit, à moitié rempli d'urine, ce qui voulait dire que j'avais été ivre au point de ne pas pouvoir me rendre, au milieu de la nuit, dans la salle de bains à quelques mètres du lit, mais pas ivre au point de ne pas pouvoir diriger le jet de la miction dans le gobelet plutôt que sur la moquette beige, conclusion : OK, pissé dans le gobelet Jumbo Slurpee et pas sur la moquette – positif ou négatif ? Je suis allé rapidement jusqu'à la porte pour vérifier que je l'avais bien fermée avant de m'effondrer. Et l'anxiété habituelle du matin s'est légèrement dissipée quand je me suis aperçu que j'avais bien fermé la porte, ce qui signifiait que Jayne n'avait pas pu venir contrôler la situation (ivre mort, puant la vodka, un gobelet rempli d'urine sur la table de nuit). Mais l'anxiété est revenue dès que je me suis rendu compte qu'elle n'avait probablement même pas essayé.

J'ai emporté prudemment le gobelet à la cuisine, remarquant de nouveau la moquette tachée sous mes pieds en traversant la salle de séjour – le beige tournant à présent au vert pâle et les poils encore plus longs (première réaction : la moquette pousse). Rosa passait l'aspirateur, insistant avec le Hoover sur un endroit bien spécifique. Avec précaution, je me suis approché jusqu'à ce que je puisse voir les empreintes d'aspect cendreux et je me suis fait la réflexion : pourquoi ne les a-t-elle pas nettoyées *hier* ? Quand Rosa a levé la tête, elle a éteint l'aspirateur et attendu que je dise quelque chose, mais j'étais en train de constater que le mobilier n'avait pas été remis en place, et ma gueule de bois et ma confusion (parce que cette pièce me paraissait incroyablement familière à présent) ont rendu superflu tout commentaire.

Finalement, Rosa a fait un geste en direction de la moquette. « Je crois que c'est la fête qui a fait ça, Mr. Ellis. »

J'ai baissé les yeux vers les empreintes à l'aspect cendreux. « Comment une fête peut-elle faire changer la couleur de la moquette ?

— J'ai entendu dire qu'il y a eu beaucoup de

monde. » Elle s'est interrompue. « Peut-être qu'ils ont renversé leurs verres ? »

Je me suis tourné lentement pour lui faire face. « Qu'est-ce que vous croyez qu'on leur a servi ? Du colorant vert ? »

Rosa m'a dévisagé, l'air humble. Un silence qui a fait l'effet de durer une décennie s'est installé. J'ai essayé de dissiper la dureté de mon ton en faisant un geste un peu désinvolte. Sans réfléchir, j'ai approché nonchalamment le gobelet de Slurpee de mes lèvres et tout aussi nonchalamment je me suis arrêté.

« Miss Dennis – elle est sortie », s'est contentée de dire Rosa, puis elle a détourné la tête et remis l'aspirateur en marche, tandis que je me dirigeais vers la cuisine.

Les journaux du matin étaient sur la table, et il y avait un titre sur la disparition d'un autre garçon, du nom de Maer Cohen cette fois. J'ai jeté un rapide coup d'œil à sa photo (douze ans, pas vraiment l'air sémite) et j'ai noté qu'il avait disparu de Midland, qui était à une quinzaine de minutes de chez nous par l'autoroute. Ma réaction a été de retourner le journal. « Pas aujourd'hui, je ne peux pas entendre parler de ça aujourd'hui », ai-je dit à voix haute en m'approchant de l'évier où j'ai discrètement vidé le contenu du gobelet avant de le rincer. Et quand je me suis penché contre le comptoir, j'ai senti les vibrations du lave-vaisselle Miele ultrasilencieux, dissimulé derrière les panneaux en bois de cerisier. Les vibrations étaient apaisantes, mais très vite le bruit du chasse-feuilles contournant la maison pour aller dans le jardin à l'arrière m'a contraint à lever la tête et à regarder de l'autre côté de la baie vitrée.

Et c'est alors que je me suis souvenu de la pierre tombale.

En tendant le cou, j'ai soigneusement examiné le champ.

J'ai hésité avant d'admettre qu'elle n'était plus là.

Et l'obscurité lyrique de la nuit précédente m'a envahi de nouveau.

Mais je suis sorti sur la terrasse et c'était une journée magnifique, avec un ciel limpide et une température anormalement élevée pour la saison, et tout paraissait si peu menaçant dans la lumière, comme si les choses que j'avais vues la nuit dernière (et la peur que j'avais ressentie) n'avaient jamais existé. Victor était affalé devant moi, indifférent au rugissement du chasse-feuilles, et lorsque j'ai ouvert la porte de la cuisine, sa queue s'est mise à battre le plancher, puis s'est bloquée en l'air quand il a vu qui était là et elle est alors doucement retombée et s'est rabattue contre ses pattes arrière. Le chien a écarté les narines et lâché un long soupir humide. J'ai cherché un Xanax dans la poche de mon jean et j'en ai avalé deux et j'ai senti brièvement quelque chose se libérer en moi, mais c'est alors que j'ai vu le type de la piscine (oui, on était bien samedi) repêcher dans le jacuzzi ce qui ressemblait à un corbeau mort (le dimanche soir, chez les Allen, j'allais apprendre qu'un autre corbeau avait été cloué sur le tronc d'un grand pin devant la maison des Larson et qu'un autre encore avait été « cassé en deux » et fourré dans la boîte aux lettres des Moore. On en avait aussi trouvé un déchiqueté – « mâché » est le mot que Mark Huntington allait employer – dans le coffre de la Jeep Cherokee de Nicholas Moore, et un autre encore suspendu dans une énorme toile d'araignée qui s'étendait entre deux chênes du jardin des O'Connor). En m'approchant du jacuzzi, j'ai remarqué que ce qui différenciait ce corbeau de tous ceux que j'avais pu voir auparavant était son bec anormalement long et pointu. Le type de la piscine et moi sommes restés là à contempler l'oiseau, tous les deux sans voix, jusqu'à ce qu'il demande, « Vous avez un chat ? » Il y avait une odeur de fumée dans l'air et le soleil poursuivait son ascension dans le ciel. Sarah avait abandonné son Terby près de la piscine et, dans la lumière du matin, il ressemblait à un truc noir et mort.

J'ai regardé encore une fois vers le champ pour m'assurer que la pierre tombale avait bien disparu.

J'avais les yeux fixés sur le champ vide et sur l'endroit où le terrain s'élevait légèrement avant la lisière des bois et je me suis souvenu que Jayne appelait le champ une « prairie », ce qui le rendait beaucoup plus innocent que ce qu'il m'inspirait à présent. Le bruit du chasse-feuilles ne cessait de se rapprocher et je me suis dirigé vers le jardinier – un gamin blanc à qui je n'avais jamais parlé auparavant. Il a éteint le chasse-feuilles et m'a rejoint, les yeux plissés sous le soleil aveuglant. Je lui ai dit que je voulais lui montrer quelque chose et j'ai pointé le doigt vers le champ. Pendant que nous traversions le jardin à l'arrière de la maison, je lui ai demandé s'il avait entendu ou vu quoi que ce soit d'étrange ces derniers temps. J'ai remarqué que j'avançais d'un pas décidé en attendant sa réponse, nos pieds écrasant les feuilles mortes.

« Étrange ? Euh, Miss Dennis s'était plainte que quelque chose mangeait ses plantes et ses fleurs. Deux souris mortes, un écureuil ou deux – plutôt amochés. C'est tout. » Le jardinier a haussé les épaules. Son ton laissait entendre que rien de tout cela n'était anormal.

« C'était probablement notre chien. Ce truc sur la terrasse. Il y a quelque chose de cruel, de farceur, en lui. »

Le jardinier n'a su que répondre. Juste un silence accompagné d'un sourire qui s'est effacé quand il a vu que je ne plaisantais pas.

« En fait, les chiens ne mangent pas habituellement le genre de fleurs qu'a fait planter Miss Dennis. »

Nous étions parvenus à la limite du jardin.

« Vous ne connaissez pas ce chien. Vous n'avez pas idée de ce dont il est capable.

— Sans rire ?

— J'ai découvert une chose étrange dans le champ, la nuit dernière. »

Nous avons enjambé une barrière en béton assez basse et nous nous tenions à présent là où se trouvait la pierre tombale et où quelqu'un avait creusé un trou (mon scénario le plus optimiste). J'ai désigné la surface noire et humide sur laquelle j'avais glissé et qui maintenant s'étendait de l'endroit où ne se trouvait plus la pierre tombale jusqu'à notre jardin, brutalement interrompue par la barrière en béton. Le jardinier a posé le chasse-feuilles et, après avoir enlevé sa casquette, a essuyé la sueur sur son front. La traînée noire scintillait dans le soleil du milieu de matinée – il y avait une sorte de croûte vernie blanche par-dessus, mais la traînée n'était pas encore entièrement sèche.

« Qu'est-ce que c'est ? a-t-il demandé et j'ai surpris sur son visage une expression généralement liée aux trucs morts.

— C'est ce que je voudrais savoir.

— Ça ressemble à, euh, de la boue.

— Ce n'est pas de la boue. C'est visqueux.

— C'est quoi ?

— Visqueux. C'est *visqueux.* » Je me suis rendu compte que je venais de dire le mot trois fois.

Le jardinier a fait une petite grimace. En s'agenouillant, il a murmuré quelques explications évasives que je n'ai pas pu entendre. J'ai tourné la tête pour regarder le type de la piscine, qui jetait le corbeau dans un seau en plastique blanc. Un vent chaud faisait onduler la surface de la piscine et des nuages blancs, hauts dans le ciel, se déplaçaient rapidement, cachant le soleil et assombrissant l'endroit où nous nous trouvions. Ce champ est un cimetière, me suis-je dit tout à coup. Le sol au-dessous de nous est rempli de cadavres et l'un d'eux s'est échappé. C'est ce qui a créé cette traînée. C'est ce qui s'est traîné jusqu'à notre maison. Les cris des enfants qui jouaient quelque part dans le quartier – cris de surprise et de déception, expression de quelque chose de vivant – m'ont provisoirement réconforté, et le Xanax avait accéléré mon flux sanguin au point de pouvoir respirer sans que ma poitrine me fasse mal.

« J'ai glissé dessus, la nuit dernière », ai-je fini par dire et puis j'ai ajouté, sans pouvoir m'en empêcher, « Qu'est-ce qui a fait ça ?

— *Fait* ça ? Ben, c'est une traînée visqueuse, quoi. » Le jardinier a fait une pause. « Je dirais un escargot, une limace, ou plutôt un sacré paquet de limaces a fait ça, mais merde... c'est vraiment trop grand pour une... limace. » Il s'est tu de nouveau. « Et on n'a pas de problèmes d'escargots par ici. »

Je suis resté là, à le regarder. « Trop grand pour une limace, hein ? Bon, tout est dit. C'est encourageant. »

Le jardinier s'est relevé, sans détacher les yeux de la traînée, perplexe. « Et ça *sent* une drôle d'odeur...

— Vous ne pouvez pas nous en débarrasser ?

— C'est vraiment bizarre... » *Mais vous l'êtes aussi*, disait l'expression sur son visage. « C'est peut-être ce chien qui vous pose tant de problèmes. » Il a haussé les épaules sans conviction, cherchant à plaisanter.

« Ça ne m'étonnerait pas de lui. Il est capable de tout. Il a un sale caractère. »

Nous nous sommes tournés tous les deux pour regarder Victor couché innocemment sur le flanc, absent. Il a levé lentement la tête et, après quelques secondes, a bâillé dans notre direction. On aurait dit qu'il allait bâiller une seconde fois, mais sa tête s'est inclinée vers l'avant et posée paresseusement sur la terrasse, la langue sortie sur le côté de sa gueule.

« Il est, euh… bipolaire.

— Ouais, il m'a l'air d'être un sacré problème… je suppose. »

Je n'ai rien répondu.

« Je vais arroser et… espérons que ça ne reviendra pas. »

(*Mais ça reviendra*, ai-je entendu les bois souffler.)

Notre conversation s'est arrêtée là. Elle ne pouvait pas aller plus loin et j'ai donc laissé le jardinier et au moment où j'ai commencé à marcher dans le jardin, j'ai entendu des voix qui venaient du côté de la maison qui faisait face à celle des Allen. Je me suis dirigé vers elles.

Quand j'ai dépassé le coin, j'ai vu Jayne avec notre entrepreneur, Omar (il y avait eu de longues discussions récemment sur l'opportunité d'ajouter une verrière dans l'entrée), et tous les deux avaient pris la même posture : mains sur les hanches, visages levés vers l'étage. Jayne m'a aperçu et a même souri, ce que j'ai pris pour une invitation à lui rendre son sourire et à les rejoindre. En avançant vers eux, j'ai levé les yeux à mon tour. Autour des grandes fenêtres de notre chambre à coucher et au-dessus des portes-fenêtres qui encadraient la salle multimédia au rez-de-chaussée, il y avait de larges portions de peinture blanche qui pelaient, révélant le stuc rose qui était dessous. Omar avait à la main un café frappé de chez Starbuck, des Persol relevées sur le front, et l'air troublé. Au premier coup d'œil, on aurait dit que la maison pelait par endroits, comme si quelqu'un avait gratté à l'aveuglette le mur dans un mouvement rapide et circulaire (étaient-ce les bruits qu'avait entendus Robby au milieu de la nuit ?), mais plus on regardait, plus les taches paraissaient obéir à un motif délibéré, comme s'il y avait un message caché en elles, une sorte de code qui attendait d'être percé. Le mur nous (me) disait quelque chose. Je connais ce mur, ai-je pensé. Je l'avais déjà vu. Le mur était une page qui attendait d'être lue. À nos pieds s'étalaient les éclats de peinture si finement moulus qu'ils ressemblaient à de la farine en tas.

« Ce n'est pas normal, a dit Omar.

— Est-ce que des enfants auraient pu le faire ? Une farce d'Halloween ? Est-ce que ça aurait pu se produire le soir de la fête ? » Je me suis interrompu et puis, pour obtenir l'approbation de Jayne, j'ai ajouté, « Je parie que c'est Jay qui l'a fait.

— Non, a dit Jayne. Ça a commencé au début de l'été et ça s'est accéléré depuis. »

Omar a touché le mur de la maison (j'ai sursauté) et puis s'est frotté les mains sur son pantalon. « Euh, ça ressemble à... des griffures, a-t-il dit.

— C'est une sorte d'outil ? ai-je demandé. C'est quoi une griffure ?

— Non – comme si quelque chose l'avait griffé. » Et puis Omar s'est tu. « Mais je ne vois pas comment quelqu'un – le truc que c'était – a pu monter là-haut.

— Et qui vivait ici avant ? Peut-être que ça pèle naturellement. » Et puis je leur ai rappelé les pluies diluviennes de la fin du mois d'août et du début du mois de septembre.

Jayne et Omar m'ont tous les deux jeté un coup d'œil inquiet.

« Quoi ? Au fait, pourquoi ça a été repeint ? ai-je demandé en haussant les épaules. C'est... une jolie couleur.

— La maison est neuve, Bret, a soupiré Jayne. Il n'y a pas eu d'autre peinture.

— Et ce n'était pas la couleur de base, a ajouté Omar.

— C'est peut-être la peinture qui s'oxyde, vous savez, la peinture laquée, euh, au-dessous ? »

L'œil froncé, Omar a paru rapidement agacé par mes commentaires et a sorti un portable.

Jayne a regardé le mur une dernière fois et puis s'est tournée vers moi. Elle avait l'air d'une bonne humeur inhabituelle, ce matin, et lorsqu'elle m'a dévisagé, elle a souri de nouveau. Elle avait une queue-de-cheval et j'ai tendu la main pour la toucher – geste qui l'a fait sourire plus franchement encore.

« Je ne sais pas pourquoi tu souris, baby. Il y a un corbeau mort dans notre jacuzzi.

— Ça a dû se produire après que tu en es sorti, hier soir.

— Je n'étais pas dans le jacuzzi hier soir, baby.

— Pourtant il y avait un maillot de bain mouillé sur la balustrade de la terrasse.

— Ouais, je l'ai vu, mais il n'est pas à moi. Peut-être que Jay est passé. »

Le front de Jayne s'est froncé. « Tu es sûr qu'il n'est pas à toi ?

— Ouais, j'en suis sûr, et au fait… quelqu'un de chez le décorateur est venu ce matin ?

— Ouais, ils avaient oublié une pierre tombale. » Elle s'est interrompue une seconde. « Et un squelette et quelques chauves-souris.

— C'est toujours le samedi que ça arrive, hein ? » J'ai souri et puis, pour essayer de rester sur une note légère, j'ai demandé de la manière la plus désinvolte possible, « Tu sais que quelqu'un a écrit le nom de mon père sur cette pierre tombale ?

— Qu'est-ce que tu racontes ?

— Quand je suis rentré hier soir – attends, tu n'es pas furieuse contre moi parce que j'étais épuisé et que j'ai dû laisser tomber le “*trick or treat*”… Tu es furieuse ? »

Elle a soupiré. « Écoute, nous sommes le premier du mois. Oublions tout ce qui s'est passé et essayons de repartir à zéro. D'accord ? Repartons à zéro. Un nouveau départ. »

La gueule de bois a disparu. La peur a disparu. Je me suis dit que ça pourrait marcher.

« J'adore le temps qu'il te faut pour récupérer, ai-je dit.

— Ouais, je suis vite agacée, mais je pardonne encore plus vite.

— C'est ce que j'aime et admire chez toi. »

Elle a tressailli. « Quoi – le fait que je te facilite tout ? »

Derrière elle, Omar parlait sur son portable, faisant les cent pas et des gestes en direction du mur, que je n'ai pas pu m'empêcher de regarder encore. Comment le truc avait-il pu monter là-haut ? me suis-je demandé. *Et s'il pouvait voler ?* est la réponse qui m'a été donnée.

« Et cette pierre tombale ? demandait Jayne. Bret... coucou ? »

J'ai fait un effort pour ne plus regarder le mur et me concentrer sur Jayne. « Ouais, quand je suis rentré hier soir, j'ai remarqué qu'elle avait été oubliée et je suis allé la voir et j'ai vu que quelqu'un avait écrit le nom de mon père dessus... et ils connaissaient aussi sa date de naissance et, euh, l'année où il est mort. »

Le visage de Jayne s'est assombri. « Eh bien, ça n'y était plus ce matin.

— Comment tu le sais ?

— Parce que j'ai accompagné les types là-bas quand ils l'ont emportée. » Silence. « Et il n'y avait rien écrit dessus.

— Tu... penses qu'il a plu cette nuit ? » J'ai penché la tête sur le côté.

« Tu... penses que tu as trop bu, hier soir ? » Elle a penché la tête aussi, pour m'imiter.

« Je ne bois pas, Jayne… » Je me suis interrompu.

Nous nous sommes dévisagés un long moment. Elle a gagné. J'ai cédé. J'ai essayé d'être à la hauteur.

« OK. Nouveau départ. »

J'ai posé les mains sur ses épaules, ce qui a provoqué un sourire triste de sa part.

« Hé – qu'est-ce qui se passe aujourd'hui ? Où sont les enfants ?

— Sarah est en haut et fait ses devoirs, et Robby à un entraînement de football, et à son retour tu les emmèneras voir un film au centre commercial, a-t-elle répondu de sa voix “théâtrale”.

— Et bien sûr tu nous accompagneras.

— Malheureusement, je vais passer une grande partie de la journée avec mon coach dans son adorable petit gymnase pour répéter les scènes à retourner. Et donc, hélas, il faut que tu te débrouilles seul. » Silence. « Tu crois que tu pourras ?

— Oh oui. Tu dois apprendre comment sauter du haut d'un gratte-ciel à minuit. J'avais oublié. »

C'était dur à avaler. J'ai ressenti un léger frisson et puis j'ai accepté la réalité de mon samedi. Involontairement, j'ai jeté un coup d'œil au mur de la maison devant lequel Omar marchait de long en large et la peinture avait une couleur saumon qui touchait quelque chose en moi, qui me ramenait quelque part. Jayne a parlé de nouveau.

« Ouais, bien sûr, le centre commercial…, ai-je murmuré d'une voix rassurante.

— Je vais te demander une chose et ne te mets pas en colère. » Le sourire avait disparu.

« Chérie, je suis toujours furieux, tu ne peux donc pas me mettre en colère.

— Est-ce que tu as bu aujourd'hui ? »

Grande aspiration de ma part. Ce manque de confiance était un constat horrible. C'était une question tellement honnête et inquiète que je ne pouvais absolument pas en être offensé.

« Non. Je viens de me lever.

— Tu me le promets ? »

J'avais les larmes aux yeux. Je me sentais horrible. Je l'ai serrée dans mes bras. Elle m'a laissé faire et puis s'est détachée doucement.

« Je te le promets.

— Parce que tu emmènes les enfants en voiture au centre commercial et, euh... » Le sous-entendu était assez fort pour qu'elle n'ait pas besoin de finir sa phrase. Elle a vu ma réaction et essayé de me demander sur un ton joueur, « Je peux sentir ? »

J'ai décidé d'être joueur à mon tour. « C'est un test très facile à passer. » J'ai soufflé et je l'ai embrassée. Contre moi, elle avait l'air tendre et petite.

Le sourire était revenu quand je me suis écarté, mais elle semblait encore un peu inquiète (cet air disparaîtrait-il un jour ?) lorsqu'elle a demandé, « Et rien d'autre ?

— Chérie, écoute, je ne prendrais jamais le volant d'une voiture si j'avais absorbé quelque chose, surtout avec nos enfants, d'accord ? »

Son visage s'est radouci et pour la première fois de la matinée elle a fait un vrai sourire, sans se forcer, sans exagérer. C'était spontané, non répété.

J'ai été assez ému pour demander, « Quoi ? Qu'est-ce qu'il y a ?

— Tu as dit quelque chose.

— Qu'est-ce que j'ai dit ?

— Tu as dit "*nos* enfants". »

10

Le centre commercial

J'avais parcouru les journaux pour voir ce qu'on jouait au 16-plex du centre commercial Fortinbras et choisir un film qui ne troublerait pas Sarah et n'ennuierait pas Robby (un film qui parlait d'un bel adolescent étranger, de son refus de l'autorité et de son revirement ultérieur), et comme je suspectais que Robby n'aurait jamais accepté cette sortie sans y avoir été poussé par Jayne (je ne voulais même pas imaginer la scène – elle l'implorant, lui la suppliant sobrement), je ne m'attendais pas à ce qu'il vienne sans une confrontation, et j'ai donc été surpris du calme et de la placidité de Robby (après une douche et des vêtements nouveaux) quand il est arrivé d'un pas lent devant la maison et s'est avancé, la tête inclinée, jusqu'à la Range Rover, où Sarah, assise à l'avant, essayait d'ouvrir un CD des Backstreet Boys (j'ai fini par l'aider et glissé le disque dans le lecteur) et où moi, le regard perdu dans le pare-brise, je réfléchissais à mon roman. Lorsque Robby est monté à l'arrière, je lui ai demandé comment s'était passé l'entraînement de football, mais il était trop occupé à démêler les écouteurs du Discman qu'il avait sur les genoux pour me répondre. J'ai donc reposé ma question et tout ce que j'ai obtenu de lui a été, « C'était un entraînement de football, Bret. Qu'est-ce que tu veux dire, *Comment ça s'est passé* ? » Ce n'était pas comme ça que je voulais passer mon samedi – *Teenage Pussy* m'attendait – mais j'avais promis cette sortie à Jayne (et les samedis ne m'appartenaient plus de toute façon). La culpabilité qui n'avait cessé de croître depuis que je m'étais installé dans la maison en juillet était de plus en plus évidente et se résumait à ceci : j'étais le seul responsable du malheur de Robby et pourtant Jayne était la seule à essayer de briser la distance qui nous séparait, lui et moi. Elle était la seule à supplier à genoux et cela m'a rappelé une fois encore pourquoi j'étais avec elle.

« Les ceintures sont mises ? ai-je demandé sur un ton joyeux en sortant de l'allée.

— Maman ne me laisse jamais m'asseoir à l'avant », a dit Sarah. Elle portait un tee-shirt en imprimé Liberty avec un col à la Peter Pan et un pantalon collant en velours de coton et un poncho en pur angora (« Toutes les petites filles de six ans s'habillent comme Cher ? » avais-je demandé à Marta quand elle avait amené Sarah dans mon bureau. Marta s'était contentée de hausser les épaules et avait dit, « Je trouve qu'elle est très mignonne »). Elle tenait à la main un minuscule sac Hello Kitty, rempli des bonbons qu'elle avait collectés le soir d'Halloween. Elle a ouvert un petit flacon et commencé à avaler des Skittles comme si c'était des pilules prescrites par le médecin, tout en secouant les jambes au rythme du boys band.

« Pourquoi manges-tu tes bonbons comme ça, ma chérie ?

— Parce que c'est comme ça que Maman fait dans la salle de bains.

— Robby, tu peux enlever ces bonbons des mains de ta sœur ?

— Elle n'est pas ma vraie sœur.

— Eh bien, je ne suis pas son vrai père. Mais cela n'a rien à voir avec ce que je viens de te demander. »

J'ai regardé dans le rétroviseur. Robby me jetait un regard furieux à travers ses lunettes enveloppantes à verres orange, un sourcil dressé, tout en tirant sur le col de son pull en mérinos, que Jayne l'avait forcé à porter, j'en étais certain.

« Je vois que tu es très froid et distant aujourd'hui.

— J'ai besoin d'une augmentation de mon argent de poche, a été sa réponse.

— Je crois que si tu étais plus sympathique, cela ne poserait aucun problème.

— Qu'est-ce que tu veux dire par là ?

— Ce n'est pas ta mère qui s'occupe de ton argent de poche ? »

Un énorme soupir s'est échappé de lui.

« Maman ne me laisse jamais m'asseoir à l'avant, a répété Sarah.

— Eh bien, Papa pense que ça va. Et puis tu as l'air très à l'aise. Et s'il te plaît, arrête de manger les Skittles comme ça ! »

Nous passions devant une horreur de trois étages en faux colonial dans Voltemand Drive quand Sarah s'est redressée et a crié en désignant le bâtiment, « C'est ici qu'Ashleigh a eu son anniversaire ! »

L'évocation de cette fête en septembre a déclenché une vague de panique et j'ai serré très fort le volant.

J'avais accompagné Sarah à l'anniversaire d'Ashleigh Wagner pour faire plaisir à Jayne et il y avait un stégosaure gonflable de dix-huit mètres de haut et un spectacle d'animaux de cirque et une arche composée de Beanie Babies qui encadrait l'entrée et une machine qui faisait des bulles en permanence dans le fond du jardin. Deux semaines avant l'événement, il y avait eu une « répétition » afin de déterminer quels enfants « marchaient » ou « ne marchaient pas », qui créait des problèmes ou paraissait serein, qui avait les pires difficultés d'apprentissage et qui avait entendu parler de Mozart, qui réagissait bien aux peintures de visage et qui avait l'ODR (objet de réconfort) le plus cool, et toujours est-il que Sarah avait été reçue (même si je soupçonnais que c'était en sa qualité de fille de Jayne Dennis qu'elle avait été finalement invitée). Les Wagner avaient servi du chocolat chaud Valrhona aux parents des lauréats et il avait été préparé sans lait (autres aliments exclus ce jour-là : blé, gluten, produits laitiers, sirop de maïs) et lorsqu'ils m'avaient offert une tasse, j'étais resté pour bavarder. J'étais un papa et à un point tel que j'avais fait le vœu que plus rien ne changerait jamais ça (plus le Klonopin qui était efficace pour accroître la patience) et, avec un peu de chance, je devais paraître normal, même si j'étais révulsé par ce que je voyais. Tout le truc avait l'air parfaitement innocent – une fête d'anniversaire à grande échelle de plus, un autre caprice dispendieux – jusqu'à ce que je commence à remarquer que tous les enfants étaient sous médicaments (Zoloft, Luvax, Celexa, Paxil) qui provoquaient chez eux des mouvements léthargiques et les faisaient parler sur un ton monotone et dépourvu d'émotion. Et certains d'entre eux se rongeaient les ongles jusqu'au sang et il y avait un pédiatre sur place, « au cas où ». La petite fille de six ans d'un dirigeant d'IBM portait un bustier et des chaussures à plateforme. Quelqu'un m'a confié un cochon d'Inde pendant que je regardais comment se comportaient les enfants – une crise de jalousie à propos d'un parachute, une course de relais, faire passer d'un coup de pied un ballon à travers un disque scintillant, les petites réprimandes, les vomissements insignifiants, Sarah mâchant une crevette (« Un Crevate ! » criait-elle d'une voix aiguë – oui, les Wagner avaient servi des crevettes pochées) – et je continuais à bercer le cochon d'Inde jusqu'à ce qu'un serveur me le prenne des mains quand il s'était aperçu que l'animal se tordait de douleur. Et c'est à ce moment-là que le truc m'est apparu clairement : le désir de fuir Elsinore Lane et le comté de Midland. J'ai eu une telle envie de cocaïne qu'il m'a fallu toute ma volonté pour ne pas demander un verre aux Wagner et je suis donc parti après avoir promis de passer chercher Sarah à l'heure convenue. Pendant ces deux heures, j'ai presque roulé jusqu'à Manhattan, puis je me suis assez calmé pour que mon projet désespéré se transforme en gentille arrière-pensée, et quand j'ai récupéré Sarah, elle avait à la main un sac de cadeaux, avec un CD de Raffi et rien de mangeable, et après m'avoir dit qu'elle avait appris les quatre mots qu'elle aimait le moins, elle a annoncé, « Grand-père m'a parlé ».

Je me suis tourné pour la voir mordiller innocemment une crevette. « Qui t'a parlé, ma chérie ?

— Grand-père.

— Grand-père Dennis ?

— Non. L'autre grand-père. »

Je savais que Mark Strauss (le père de Sarah) avait perdu ses deux parents avant de rencontrer Jayne et c'est là que l'angoisse m'a saisi. « Quel autre grand-père ? ai-je demandé lentement.

— Il est venu me voir à l'anniversaire et il a dit qu'il était mon grand-père.

— Mais, chérie, ce grand-père est mort, ai-je dit sur un ton qui se voulait apaisant.

— Mais grand-père n'est pas mort, Papa », a-t-elle dit d'une voix joyeuse, en donnant des coups de pied dans le siège.

Le silence régnait dans la voiture – à l'exception des Backstreet Boys – alors que cette journée resurgissait à toute vitesse, mais je me suis efforcé de l'oublier en m'engageant sur l'autoroute.

« Papa, pourquoi tu ne travailles pas ? » demandait à présent Sarah. Elle faisait claquer ses lèvres de satisfaction après chaque Skittle avalé.

« Mais je travaille, chérie.

— Pourquoi tu ne vas pas au bureau ?

— Parce que je travaille à la maison.

— Pourquoi ?

— Parce que je suis un papa qui reste à la maison. Hé, où sommes-nous ? À un cocktail ?

— Pourquoi ?

— S'il te plaît, ne me fais pas ça maintenant, d'accord, chérie ?

— Pourquoi est-ce que tu restes à la maison ?

— Je travaille aussi à l'université.

— Papa ?

— Oui, chérie ?

— C'est quoi l'université ?

— Un endroit où j'apprends à des glandeurs dépourvus de talent à écrire de la prose.

— Tu y vas quand ?

— Tous les mercredis.

— Mais c'est du travail ?

— Le travail rend les gens de très mauvaise humeur, chérie. On ne devrait pas vraiment vouloir travailler. En fait, on devrait éviter de travailler.

— Tu ne travailles pas et tu es de mauvaise humeur. »

Robby venait de dire ça. En me raidissant, je l'ai regardé dans le rétroviseur. Il avait la tête tournée vers la vitre, le menton calé dans la main.

« Comment sais-tu que je suis de mauvaise humeur ? »

Il n'a rien répondu. Je me suis rendu compte qu'une réponse à cette question exigeait un degré d'élaboration dont Robby n'était pas capable. Je me suis dit aussi : n'allons pas de ce côté-là.

« Je crois que je suis en général un type plutôt joyeux. »

Long silence horrible.

« J'ai beaucoup de chance », ai-je ajouté.

Sarah a réfléchi à ce que je venais de dire. « Pourquoi tu as de la chance, Papa ?

— Vous aussi, vous avez beaucoup de chance. Vous avez une vie très chanceuse. En fait, vous avez plus de chance que votre papa.

— Pourquoi, Papa ?

— Eh bien, Papa a une vie très dure. Papa voudrait que ce soit l'heure d'un snack. Papa voudrait faire une petite sieste. Papa voudrait aller au terrain de jeux. »

Dans le rétroviseur, j'ai pu voir que Robby s'était bouché les oreilles.

Nous passions devant le toboggan d'une piscine qui était fermée à cette époque de l'année quand Sarah a crié, « Je veux faire du toboggan !

— Pourquoi ? » À mon tour de poser des questions.

« Parce que je veux glisser jusque dans la piscine !

— Pourquoi ?

— Parce que c'est drôle, a-t-elle répondu avec moins d'enthousiasme, troublée d'avoir à répondre aux questions.

— Pourquoi ?

— Parce que… j'aime bien ?

— Pourquoi est-ce que…

— Tu peux arrêter de lui demander pourquoi ? » a dit Robby d'une voix fervente, suppliante.

J'ai jeté un coup d'œil rapide dans le rétroviseur et vu que Robby avait l'air affligé.

J'ai baissé les yeux vers l'endroit où tournait le CD des Backstreet Boys. « Je ne sais pas pourquoi, les enfants, vous écoutez des merdes pareilles. Je devrais vous acheter des CD. Vous faire écouter quelque chose d'un peu plus décent. Springsteen, Elvis Costello, The Clash…

— C'est qui, ce Elvis Costello ? »

Nous avions quitté l'autoroute et pris la direction du centre commercial sur Ophelia Boulevard quand Robby a posé cette question et lorsque j'ai ralenti pour m'arrêter à un stop, j'ai vu la BMW d'Aimee Light sortir du parking de Whole Foods, de l'autre côté de la route.

Et j'ai pu voir qu'il y avait quelqu'un sur le siège du passager. Et que c'était un homme.

La question de Robby concernant Elvis Costello, le stop, repérer la voiture d'Aimee, le fait qu'elle roulait avec *un homme* – tout cela s'était passé en quelques secondes, presque simultanément.

J'ai immédiatement fait demi-tour et me suis lancé à leur poursuite.

Sarah faisait semblant de chanter la chanson des Backstreet Boys, lorsqu'elle s'est brusquement tournée sur son siège. « Papa, on va où ?

— Nous allons au centre commercial, chérie.

— Mais ce n'est pas le chemin du centre commercial.

— Assieds-toi convenablement et apprécie les talents de ton père au volant.

— Mais Papa, on va où ?

— Je suis intrigué par quelque chose, chérie. »

Elle conduisait. Elle riait. J'étais juste derrière eux et elle riait. Et puis elle a tendu la main et touché le visage du passager.

Au feu suivant (trois blocs pendant lesquels je n'ai rien entendu d'autre que son rire et rien vu d'autre que l'arrière d'une BMW blanche), elle l'a embrassé.

J'ai dû résister pour ne pas appuyer immédiatement sur le klaxon. J'ai décidé de me ranger à côté d'eux. Je voulais voir qui était le type – mon rival.

Mais il y avait tellement de voitures sur le boulevard que je ne pouvais passer ni sur sa gauche ni sur sa droite. Je ne me souviens pas si les enfants me disaient quelque chose (je les avais complètement écartés de ma conscience) au moment où j'ai pris mon portable et composé son numéro (j'avais prévu de l'appeler depuis le centre commercial pendant que les enfants verraient le film) et – même dans cet état de panique, de jalousie – j'ai eu une bouffée de culpabilité comme chaque fois que j'appelais Aimee Light, parce que je le connaissais par cœur et que j'avais du mal à me souvenir du numéro de la maison dans laquelle je vivais.

J'ai observé très attentivement Aimee et le type (j'avais entrevu son profil, mais pas assez pour voir un visage) regarder le tableau de bord au même instant.

J'attendais. Aimee a pris le portable et vu le numéro qui appelait.

Et puis elle a reposé le téléphone.

Sa voix : « C'est Aimee, laissez un message, merci. »

J'ai raccroché. J'étais en sueur. J'ai allumé la climatisation.

« Elle n'a pas décroché.

— Qui, Papa ? a demandé Sarah. Qui n'a pas décroché ? »

Le feu est passé au vert. La BMW a démarré. Au même instant, le passager s'est tourné dans son siège et a regardé la Range Rover, mais le soleil se reflétait sur la lunette arrière et je n'ai pas pu distinguer ses traits. Mon anxiété m'a retenu de les suivre plus longtemps. Un violent coup de klaxon de la voiture derrière moi m'a rappelé que je devais démarrer. Je ne voulais même pas savoir dans quelle direction ils allaient. Et puis qu'allaient dire les enfants à Jayne ? *Maman, Papa a suivi quelqu'un et quand il a appelé, elle n'a pas répondu.* J'ai fait de nouveau demi-tour et roulé jusqu'au centre commercial où j'ai commencé à tourner sur les kilomètres d'asphalte qui l'entouraient jusqu'à ce que Robby se penche vers moi et dise, « Il y a une place juste ici, Bret. Gare la voiture ». Ce que j'ai fait.

Nous sommes allés directement au multiplexe. J'étais trop absorbé par le type à la place du passager pour passer tranquillement cette journée. Est-ce qu'il aurait pu être Alvin Mendolsohn, son directeur de thèse ? Non, ce type était plus jeune, de son âge, peut-être un étudiant. J'ai revu le profil et le visage effacé, mais rien n'est venu. J'ai acheté les billets pour *Some Call Him Rebel* et j'étais tellement largué que lorsque les enfants m'ont demandé des bonbons, du pop-corn et des Coca, j'ai acheté tout ce qu'ils voulaient, alors que Jayne m'avait mis en garde de ne pas le faire. Je les ai laissés choisir leurs sièges dans cette caverne, qui était curieusement vide pour un samedi après-midi et j'ai craint d'avoir choisi un film impopulaire, mais Robby – qui était un fou de cinéma – ne s'est pas plaint. J'ai repensé à tout le marchandage qu'avait dû faire Jayne pour le décider à sortir et j'ai compris qu'il aurait même supporté de voir *Shoah*. Sarah s'est assise entre Robby et moi, et elle buvait son soda trop vite et lorsque je lui ai ordonné de ralentir, Robby a levé les yeux au ciel et soupiré en ouvrant une boîte de Junior Mints et très vite les deux se sont concentrés sur l'action qui faisait rage sur l'écran. Au bout de vingt minutes du film, je n'en pouvais plus et je me suis penché vers Robby pour lui dire de faire attention à sa sœur pendant que j'allais passer un coup de fil, et j'ai un peu hésité parce que je me suis souvenu du nom du dernier garçon qui avait disparu : Maer Cohen. Robby, attentif, a hoché la tête sans me regarder et j'ai compris que personne n'allait l'entraîner nulle part (*sauf s'il y consentait* est une pensée qui m'est venue spontanément à l'esprit). J'ai arpenté l'entrée du multiplexe en composant de nouveau le numéro d'Aimee et, cette fois, j'ai laissé un message : « Hé, Aimee, c'est Bret. Euh, je t'ai vue, il y a quarante minutes environ, sortir de Whole Foods et tu avais l'air de t'amuser, on dirait… » J'ai ri faiblement. « Voilà, c'est tout. Appelle-moi sur mon portable. » J'ai raccroché. Quand je suis retourné dans la caverne, l'écran était flou. C'était sans espoir. Je ne pouvais me concentrer sur rien d'autre que ce fait : je pensais avoir été dans cette voiture avec Aimee Light. Je pensais que le type dans la voiture avec Aimee, c'était moi. Quand j'ai fait la mise au point sur l'écran : des flottes d'aéroglisseurs ancrées dans l'espace.

Après le film, j'ai franchi machinalement les étapes habituelles : le yaourt glacé au rayon alimentation, la partie de pisto-laser dans la galerie de jeux vidéo, et puis Sarah qui voulait passer chez Abercombie and Fitch où j'ai feuilleté le catalogue, cramponné à mon portable que je voulais entendre sonner, et les enfants ont essayé des vêtements jusqu'au moment où Robby m'a dit qu'il voulait s'arrêter chez Mail Boxes Etc. Je me souviens de lui avoir demandé pourquoi, mais je ne me souviens plus de sa réponse (ce qui se révélerait une grossière erreur de ma part). Sarah et moi l'avons suivi jusqu'à l'autre bout du centre commercial. Sarah comptait les marches des escaliers et me disait qu'elle voulait beaucoup de néons et un rideau en perles de verre pour sa chambre. Devant Mail Boxes Etc., Robby est tombé sur un groupe de ses copains maussades qui sortaient de ce bureau de poste de luxe où (coïncidence) Robby avait voulu se rendre, et il a été obligé de me présenter.

« Je vous présente Bret, a-t-il dit, soudain rougissant.

— Je suis son père, ai-je déclaré à la bande.

— Ouais, c'est Papa », a dit Robby d'une voix éteinte, en hochant la tête.

C'était la toute première fois que Robby m'appelait « Papa », même si l'expression sur son visage suggérait qu'il n'avait pas la moindre idée de ce que cela signifiait pour moi. Quand j'ai compris qu'il n'allait pas me présenter chacun des garçons (ils étaient quatre), je suis allé m'asseoir avec Sarah sur un banc proche et je les ai observés tous ensemble. Une discussion s'est engagée sur l'interdiction à l'école de la balle au prisonnier et puis ils ont échangé leurs impressions d'Halloween. Les garçons se regardaient avec intensité en parlant, pourtant tout ce qu'ils disaient était caractérisé par un manque d'enthousiasme, même s'ils se menaçaient vaguement les uns les autres. Tous avaient des écouteurs qui pendaient autour du cou et des pantalons énormes de chez Banana Republic et ils avaient tous les lunettes enveloppantes à verres orangés que portait Robby. Quand un des garçons a jeté un coup d'œil vers moi comme si j'avais été contagieux, je me suis enfin rendu compte que j'étais La Distraction – raison pour laquelle cette conversation n'allait pas durer plus longtemps. Quand ils se sont aperçus que je les observais, celui qui m'avait instinctivement déplu m'a jeté un regard du genre « Mais qui t'es toi ? » et j'ai entendu prononcer le mot « connard » – sans savoir exactement à qui il s'appliquait. Leurs visages durs et tendres à peine touchés par l'acné, les coupes de cheveux à la mode, les mains tremblantes à cause des médicaments, le malaise ambiant – tout ça ne conduisait qu'à un truc pour moi : je ne faisais confiance à aucun d'eux. Et puis, sans avertissement, le groupe s'est défait. L'intérêt qu'ils avaient manifesté les uns pour les autres s'est évaporé si rapidement qu'il semblait ne jamais avoir existé. Robby est venu d'un pas lent vers nous sous la lumière aveuglante du centre commercial et, soudain, j'ai été agacé par le fait que sa vie eût si peu à voir avec la poésie ou la romance. Tout était ancré dans un quotidien ennuyeux et angoissé. Tout ce qu'il faisait était une comédie. Mais ce qui m'ennuyait plus encore – la chose qui m'avait captivé – c'était que j'avais entendu l'un d'eux – au moment où je m'étais tourné pour emmener Sarah vers le banc – prononcer le nom de Maer Cohen. Quand j'avais entendu ce nom, je m'étais rapidement retourné et deux des garçons faisaient chut en direction de celui qui avait parlé. Lorsqu'ils avaient vu mon expression sidérée, ils avaient pris des poses. Poses qu'ils avaient conservées en dépit du fait que Maer Cohen était l'un d'eux, avait leur âge, était un garçon qui vivait à quelques minutes de ce centre commercial et avait à présent disparu. Et ce qui me faisait me tortiller, mal à l'aise, sur ce banc, c'était le fait qu'aucun de ces cinq garçons, y compris mon propre fils, ne paraissait effrayé. Aucun d'eux ne semblait avoir peur. Ce qui me troublait au plus haut point, c'était de voir combien il leur fallait dissimuler leur enthousiasme – leur joie – devant l'adulte.

Et puis : une poussée d'adrénaline interrompue par une question de Sarah.

« Papa ?

— Oui ?

— Tu aides les gens ? »

Mais je ne lui répondais plus parce que j'avais compris qui était le passager de la BMW d'Aimee Light.

C'était le garçon qui était venu dans mon bureau pour me demander de signer un livre.

C'était le garçon qui était venu à une fête d'Halloween habillé en Patrick Bateman.

Le garçon qu'Aimee Light avait prétendu ne pas connaître.

C'était Clayton.

« Papa… tu aides les gens ? » a demandé Sarah encore une fois.

11

Détective

Soudain, tout était un mirage. J'ai ramené Robby et Sarah à la maison tout en me repassant la première rencontre avec Aimee Light : une fille, l'air ébahi, m'observant au milieu d'une fête sur le campus, la cocaïne que j'avais sniffée dans la salle de bains minable m'avait donné une confiance énorme à la limite de l'inconscience, la conversation sur sa thèse pendant laquelle j'avais senti que je pourrais sans doute la contrôler, même si elle émettait des signes contraires – j'avais repéré ça dans son bâillement qui avait suivi l'annonce du titre de la thèse (« Destination : Nulle Part ») et dans l'indifférence étudiée, le petit rire calculé (han-han), l'ennui affiché – de purs mécanismes de défense – mais j'étais si patient et expert dans l'art de faire semblant de m'intéresser à des femmes avec qui je voulais simplement coucher que j'avais pratiquement atteint la perfection : le sourire diabolique, le hochement de tête appuyé et convaincant, les commentaires spontanés sur les autres petites amies et ma femme célèbre. Au bout du compte, tout était pure comédie. Nous étions sur une scène de théâtre. Le gobelet de bière qu'elle buvait était un accessoire, et la mousse qui couronnait sa lèvre supérieure avait fait que mon regard, comme dans un film, avait cadré sa bouche, et lorsqu'elle s'était aperçue que je la fixais, elle s'était déplacée – pour s'extasier – vers une sculpture en fil de fer suspendue dans un coin de Booth House. Les étudiants mâles de deuxième cycle glissaient autour d'elle, simples silhouettes dans l'obscurité, et son visage captait les reflets orangés d'un globe couleur lave, et une heure plus tard je l'avais suivie partout dans la pièce sans m'en rendre compte et à présent elle souriait tout le temps, même lorsqu'il avait fallu que je parte parce qu'il était tard et que j'étais un bon père de famille qui devait rentrer chez lui, et ça me fendait le cœur et j'avais déjà perdu la foi. Mais je l'avais retrouvée en me retournant et en voyant son front plissé. Connaissait-elle Clayton à ce moment-là ? Clayton était-il venu me voir dans mon bureau sachant qu'elle y serait ? Avait…

« Papa, le feu est vert », ai-je entendu gémir Sarah et j'ai démarré.

J'ai roulé jusqu'à Ira's Spirits comme si j'avais été guidé par un radar et je me suis garé juste devant. J'ai dit à Robby de surveiller sa sœur, mais il écoutait son Discman, pour se couper du monde, de son avenir aplati par ma présence, et j'ai marmonné quelque chose pour Sarah et refermé la porte avant qu'elle ne puisse répondre et j'ai foncé dans la boutique pour m'acheter une bouteille de Ketel One. Il ne s'était pas écoulé une minute que j'étais de retour dans la Range Rover. La transaction s'était déroulée dans une urgence de cet ordre.

À Elsinore : Jayne ne serait pas de retour avant une heure, Marta était en pourparlers avec Rosa concernant le dîner, Robby est monté tranquillement dans sa chambre pour réviser une interrogation écrite apparemment, Sarah est allée dans la salle multimédia pour jouer au Binobee, un jeu vidéo mettant en scène un bourdon qui avait des problèmes pour voler, curieusement dépourvu de charme et dont l'expression dégoûtée avait le don de me remplir d'inquiétude. Je suis allé dans mon bureau et j'ai fermé la porte à clé, et j'ai rempli une grande tasse de vodka (je n'avais même plus besoin d'un mixer, je n'avais même plus besoin de glace) dont j'ai bu la moitié avant de rappeler Aimee Light sur son portable. En attendant qu'elle réponde, je me suis assis à mon bureau et j'ai regardé les e-mails de la veille. Un de Jay, un de Binky m'informant que l'équipe d'Harrison Ford était ravie que je sois intéressé et avait demandé quand je pouvais me rendre à LA, et il y en avait un autre, curieux, de Gary Fisketjon, mon éditeur chez Knopf, qui m'écrivait qu'un détective disant appartenir au bureau du shérif du comté de Midland avait appelé son bureau pour lui demander comment entrer en contact avec moi, et Gary espérait que je ne verrais pas d'objection à ce qu'il leur ait donné mon numéro de téléphone professionnel. Avant que la peur ne commence à m'envahir de nouveau, j'ai trouvé un autre e-mail envoyé la nuit dernière par la Bank of America de Sherman Oaks. Heure d'envoi : 2 h 40 du matin.

J'ai fait défiler la page blanche jusqu'à ce que le téléphone d'Aimee cesse de sonner et que le message s'enclenche. J'ai raccroché après le bip quand j'ai remarqué que la lumière de mon répondeur clignotait. Je me suis penché et j'ai appuyé sur « Play ».

« Mr. Ellis, ici le détective Donald Kimball. J'appartiens au bureau du shérif du comté de Midland et j'aimerais pouvoir vous parler de quelque chose qui est, euh, assez urgent… et donc il faudrait que nous nous parlions dès que possible. » Silence, grésillement. « Si vous le souhaitez, nous pouvons nous rencontrer ici à Midland, mais compte tenu de ce que j'ai à vous dire, je pense qu'il vaudrait mieux que je passe chez vous. » Il a laissé un numéro de portable. « S'il vous plaît, rappelez-moi dès que possible. »

J'ai fini ma tasse de vodka et je m'en suis servi une autre.

Quand j'ai rappelé Kimball, il n'a pas voulu discuter au téléphone de ce dont il voulait me parler, et moi je ne voulais pas en discuter à Midland, et donc je lui ai donné notre adresse. Kimball a dit qu'il pouvait arriver dans la demi-heure qui venait, mais Kimball est arrivé un quart d'heure après que nous avons raccroché, un écart qui m'a contraint de mesurer vaguement, avec un certain malaise, que c'était probablement plus grave que je ne l'avais pensé. J'avais espéré être agréablement distrait de mon inquiétude au sujet d'Aimee. Mais ce que Kimball m'apportait n'était pas le répit que j'attendais. J'étais ivre quand il est arrivé. Sobre au moment où il est parti.

Il n'y avait pas grand-chose à noter au sujet de Donald Kimball – mon âge, assez beau (*Je me le ferais bien*, avais-je pensé dans mon ivresse, et puis : *Bien... quoi ?*), tenue décontractée, jean et sweat-shirt Nike, cheveux blonds courts, lunettes de soleil Wayfarer qu'il a retirées dès que j'ai ouvert la porte – et sans la berline banale garée derrière lui, il aurait pu passer pour n'importe lequel des pères beaux, riches et banlieusards du quartier. Ce qui le singularisait, c'était le fait d'avoir à la main un exemplaire d'*American Psycho* – il était cassé, jauni et, de façon menaçante, bourré de post-it. Nous nous sommes serré la main et je l'ai invité à entrer et après lui avoir proposé un verre (ce qu'il a décliné), je l'ai conduit jusqu'à mon bureau sans cesser de jeter des coups d'œil à son exemplaire du livre. Lorsque je lui ai demandé s'il voulait que je le lui signe, Kimball a pris un air sombre, m'a remercié et a répondu qu'il ne préférait pas.

Je me suis assis dans mon fauteuil tournant et j'ai continué à boire des petites gorgées de ma tasse. Kimball s'est assis en face sur un canapé italien, moderne et élégant, qui aurait dû être de l'autre côté de la pièce, mais avait été déplacé sous l'affiche du film de *Moins que zéro*. Mon bureau avait été de nouveau chamboulé. Kimball a commencé à parler et j'ai bu ma vodka en essayant de comprendre pourquoi j'étais paralysé par la disposition des meubles dans la pièce.

« Si vous voulez vérifier auprès du bureau du shérif, ne vous gênez pas », disait Kimball.

J'ai commencé à l'écouter. « Vérifier... quoi ? »

Kimball a marqué un temps d'arrêt. « La légitimité de ma présence, Mr. Ellis.

— Eh bien, je suppose que mon éditeur s'est assuré que tout était bien en ordre, non ? Je veux dire que mon éditeur ne m'a pas paru croire à quoi que ce soit d'inhabituel. » Je me suis interrompu. « Si vous êtes qui vous prétendez être, je suis disposé à vous croire. » Je me suis interrompu de nouveau. « Je suis quelqu'un qui fait confiance. » Nouveau silence. « À moins que, euh, vous ne soyez un fan un peu dérangé et que vous courriez après ma femme. » Silence. « Ce n'est pas le cas... non ? »

Kimball a fait un sourire un peu crispé. « Non, non, rien de ce genre. Nous savions que votre femme vivait ici, mais nous ne savions pas si vous viviez ici ou à New York, et votre maison d'édition nous a simplement donné votre numéro de téléphone professionnel et donc, enfin voilà. » Il a pris une expression légèrement soucieuse. « Vous êtes souvent confronté à ça – des fans un peu dingues, des gens qui vous importunent ? »

À cet instant, je lui ai fait entièrement confiance. « Rien d'exceptionnel, ai-je dit en cherchant sur mon bureau un paquet de cigarettes qui ne s'y était jamais trouvé. Simplement les injonctions habituelles, vous savez, rien de très inquiétant. La vie normale du couple, euh, de célébrités. »

Oui, c'est bien ce qui est sorti de ma bouche. Oui, Kimball a eu un sourire un peu gêné.

Il a pris une grande inspiration et s'est penché en avant, le livre toujours en main, m'étudiant de près. J'ai bu une nouvelle gorgée de ma tasse et je l'ai vu ouvrir un bloc-notes brun qu'il tenait avec mon livre.

« Donc, un détective est dans mon bureau avec un exemplaire d'*American Psycho*, ai-je commencé à déblatérer. J'espère que vous avez aimé, parce que j'avais quelque chose de très spécial à dire avec ce livre. » J'ai essayé de réprimer un rot et échoué.

« Eh bien, je suis un fan, Mr. Ellis, mais ce n'est pas exactement la raison de ma présence ici.

— Alors de quoi s'agit-il ? » Une autre petite gorgée.

Il a baissé les yeux vers son bloc-notes posé sur son genou. Il avait l'air d'hésiter à se lancer, comme s'il était encore en train de débattre sur l'étendue des révélations qu'il devrait me faire pour que je me montre conciliant. Mais son comportement a brusquement changé et il s'est éclairci la voix. « Ce dont je vais vous parler va certainement vous troubler et c'est la raison pour laquelle j'ai pensé que cet entretien devait rester privé. »

J'ai immédiatement plongé la main dans ma poche et avalé un Xanax.

Kimball a attendu poliment.

Après quelques raclements de gorge, je suis parvenu à dire, « Je suis prêt ».

Kimball avait pris son visage de joueur à présent. « Récemment – très récemment – mes collègues et moi avons acquis la conviction qu'une thèse concernant une affaire sur laquelle le comté de Midland enquêtait depuis quatre mois n'était plus une thèse et... »

Un truc m'a traversé l'esprit et je lui ai coupé la parole. « Attendez, il ne s'agit pas des enfants disparus ?

— Non, a répondu posément Kimball. Il ne s'agit pas des enfants disparus. Les deux affaires ont commencé à peu près au même moment, vers le début de l'été, mais nous ne pensons pas qu'elles soient liées. »

Je n'ai pas éprouvé le besoin de dire (ou de rappeler ?) à Kimball que j'étais précisément arrivé ici au début de l'été. « Que se passe-t-il ? »

Kimball s'est de nouveau éclairci la voix. Il a parcouru la page de son bloc-notes et puis l'a tournée pour examiner la suivante. « Un certain Mr. Robert Rabin a été tué le 1er juin sur Commonwealth Avenue vers neuf heures et demie du soir. Il promenait son chien et a été attaqué dans la rue et frappé de plusieurs coups de couteau dans la poitrine et on lui a tranché la gorge…

— Nom de Dieu.

— Le mobile du crime est inconnu. Ce n'était pas un vol. Mr. Rabin n'avait pas d'ennemis pour autant que nous puissions en juger. C'était un meurtre gratuit. Il était – pensons-nous – simplement au mauvais endroit au mauvais moment. » Il s'est tu. « Mais il y avait quelque chose d'étrange concernant ce crime en dehors du caractère vicieux de l'attaque et de l'absence apparente de mobile. » Kimball s'est tu de nouveau. « Le chien qu'il promenait a été tué aussi.

— C'est… horrible, ça », ai-je fini par dire, hésitant.

La longueur du silence de Kimball a rempli la pièce d'une atmosphère d'angoisse palpable.

« C'était un sharpei. »

Je suis resté silencieux pour absorber le truc. « C'est… encore pire ? ai-je dit faiblement et machinalement j'ai avalé encore une gorgée de vodka.

— Eh bien, c'est une race de chiens très rare et plus rare encore par ici.

— Je… vois. » Je me suis soudain aperçu que je n'avais pas caché la bouteille de vodka. Elle était là, sur mon bureau, débouchée et à moitié vide. Kimball y a jeté un bref coup d'œil avant de se replonger dans son bloc-notes. De là où j'étais assis, j'apercevais une carte, des listes, des numéros, une courbe.

« Dans l'édition Vintage d'*American Psycho*, aux pages 164-166, un homme est assassiné dans des circonstances très similaires de celles du meurtre de Robert Rabin. »

Un silence, au cours duquel j'étais censé retrouver quelque chose et établir une connexion, mais je n'y suis pas parvenu.

Kimball a continué. « Le type dans votre livre promenait un chien lui aussi. »

Nous avons tous les deux respiré profondément, sachant ce qui venait.

« C'était un sharpei.

— Attendez un peu, ai-je dit rapidement, voulant contrôler la peur qui ne cessait d'augmenter avec les révélations de Kimball.

— Oui ? »

Je l'ai fixé d'un regard vide.

Quand il s'est rendu compte que je n'avais rien de plus à dire, il s'est replongé dans ses notes. « Un type de passage – Albert Lawrence – avait été aveuglé en décembre, six mois avant le meurtre de Rabin. L'affaire n'a pas été élucidée, mais il y avait des éléments qui ne cessaient de me troubler. » Silence. « Il y avait des similitudes que je n'arrivais pas à identifier clairement. »

L'atmosphère dans la pièce n'avait plus rien à voir avec la simple anxiété et relevait officiellement de la terreur à présent. La vodka n'allait plus servir à rien et j'ai essayé de poser ma tasse sur le bureau sans trembler. Je ne voulais plus rien entendre, mais je n'ai pas pu m'empêcher de demander, « Pourquoi ?

— Mr. Lawrence était ivre au moment de l'agression. En fait, il était tombé sans connaissance dans une ruelle perpendiculaire à Sutton Street à Coleman. »

Coleman. Une petite ville à une cinquantaine de kilomètres de Midland.

« Le récit de Mr. Lawrence a été jugé peu fiable compte tenu de la quantité d'alcool qu'il avait absorbée et nous ne disposions que de très peu d'éléments concernant la description physique de l'agresseur. » Kimball a tourné une page. « Il disait que l'homme qui l'avait agressé portait un costume et avait un attaché-case à la main, mais il ne se souvenait d'aucun des traits de l'homme en question, ni de sa taille, ni de son poids, de la couleur de ses cheveux, etc. » Kimball a continué à examiner ses notes avant de me regarder de nouveau. « Il y avait eu un ou deux articles sur l'affaire dans la presse locale, mais compte tenu de ce qui se passait à Coleman à l'époque – les alertes à la bombe et toute l'attention qu'elles accaparaient – l'agression contre Mr. Lawrence n'a pas vraiment fait beaucoup de bruit, même si la rumeur a couru que l'agression avait un mobile raciste.

— Un mobile raciste ? » Et des alertes à la bombe ? À Coleman ? Où étais-je en décembre dernier ? Sans doute drogué à mort ou en cure de désintox, c'est tout ce qui m'est venu à l'esprit.

« Selon Mr. Lawrence, son agresseur avait apparemment employé une épithète raciste avant de quitter la scène du crime. »

Kimball s'interrompait sans cesse, ce dont je lui étais reconnaissant maintenant puisque ça me permettait de me reprendre après chaque information transmise.

« Ce Mr. Lawrence était donc… noir ? »

Après un nouveau silence, Kimball a hoché la tête. « Il avait aussi un chien. Un petit bâtard que l'agresseur a aussi agressé. » Il a baissé les yeux vers le bloc-notes. « L'agresseur a cassé les deux pattes avant du chien. »

Je ne l'aurais pas souhaité, mais le but de la visite de Kimball commençait à poindre.

« Mr. Lawrence avait un dossier de malade mental et avait été interné plusieurs fois, et dans la mesure où le comté de Midland n'a pas une communauté noire importante, la thèse selon laquelle ce crime aurait eu un mobile raciste ne tenait pas vraiment. Et l'affaire n'a toujours pas été élucidée. » Silence de Kimball. « Mais de nouveau quelque chose me turlupinait. J'avais l'impression d'avoir déjà lu le dossier de cette affaire. Et… » Kimball a ouvert l'exemplaire de mon livre posé sur ses genoux « … aux pages 131 et 132 d'*American Psycho*… »

« Un clochard noir est aveuglé. » Je me suis dit ça à moi-même.

Kimball a hoché la tête. « Et il avait un chien auquel Patrick Bateman a cassé les pattes. » Il a jeté un coup d'œil au bloc-notes encore une fois et il a continué. « En juillet, un certain Sandy Wu, livreur d'un restaurant chinois de Brigham, a été assassiné. Comme Mr. Rabin, on lui a tranché la gorge. »

Je me suis redressé. « Il… avait un chien ? »

Kimball s'est tortillé et a froncé les sourcils, laissant entendre par là que nous n'étions pas tout à fait sur la même longueur d'onde. Mais ce n'était pas vrai. Je voulais simplement différer l'inéluctable.

« Euh, non, il n'avait pas de chien, mais il y avait de nouveau un détail qui m'a ramené à *American Psycho*. » Kimball a sorti quelque chose du bloc-notes et s'est penché pour me le donner : une note d'un restaurant appelé Ming dans un sachet en plastique. La note était froissée et – j'ai avalé ma salive – quelques taches brunes y étaient disséminées. De l'autre côté, griffonnés à l'encre, les mots : « Je vais te régler ton compte aussi… salope. »

Kimball est resté silencieux après que je lui ai rendu le sachet.

« Cette commande devait être livrée à la famille Rubinstein. »

Kimball attendait ma réaction, qui ne venait pas.

« À la page 181, un livreur est assassiné de la même manière que Mr. Wu et, comme dans le livre, l'agresseur a écrit le même message que celui que Patrick Bateman écrit au dos de la note. »

J'ai fermé les yeux et essayé de les ouvrir quand j'ai entendu Kimball soupirer.

« Nous – enfin, moi seulement à ce stade – je suis revenu en arrière avec une autre affaire non élucidée impliquant une certaine Victoria Bell, une femme âgée qui habitait Outer Circle Drive. » Kimball s'est interrompu. « Elle a été décapitée. »

Je connaissais le nom. Un éclair m'a traversé quand j'ai compris où Kimball voulait en venir avec ça.

« Il y a une Victoria Bell dans *American Psycho*…

— Attendez un peu, attendez un peu…

— … mais celle-là a été découverte au bord de la Route 50 juste à la sortie de Coleman, il y a un an environ. Elle avait été entièrement déshabillée et placée dans un bain de chaux.

— Dans un bain chaud ? me suis-je exclamé, avec un mouvement de recul.

— Non, *de chaux*. Le dissolvant, Mr. Ellis. »

J'ai de nouveau fermé les yeux. Je ne voulais pas retourner vers ce livre. C'était un livre sur mon père (sa rage, son obsession du statut social, sa solitude) que j'avais transformé en serial killer imaginaire et je n'allais pas me soumettre encore une fois à cette épreuve – celle de retourner vers Robert Ellis ou Patrick Bateman. J'avais dépassé le carnage ordinaire qui était si présent dans les livres que j'avais conçus entre l'âge de vingt et trente ans, j'étais au-delà des têtes coupées et de la soupe de sang et du vagin de la femme pénétré par sa propre côte. Explorer ce genre de violence avait été « intéressant » et « excitant » et tout était « métaphorique » de toute façon – du moins pour moi à ce moment de ma vie, quand j'étais jeune et furieux et que je n'avais pas pris conscience de ma propre mortalité, à une époque où la douleur physique et la souffrance réelle n'avaient pas le moindre sens pour moi. J'étais dans la « transgression » et le livre était surtout consacré au « style » et il n'y avait aucun sens à présent à revivre les crimes de Patrick Bateman et l'horreur qu'ils avaient inspirée. Assis dans mon bureau en face de Kimball, je me suis rendu compte que j'avais imaginé plusieurs fois ce moment précis. C'était le moment contre lequel les détracteurs du livre m'avaient mis en garde : si quelque chose arrivait à quelqu'un en raison de la publication de ce roman, il faudrait en blâmer Bret Easton Ellis. Gloria Steinem l'avait répété à n'en plus finir devant Larry King pendant l'hiver 1991 et c'était pour ça que la National Organization for Women avait boycotté le livre (dans un monde d'une cruelle ironie, Miss Steinem a fini par épouser David Bale, le père de l'acteur qui jouait Patrick Bateman dans le film). J'avais trouvé l'idée risible – il n'y avait personne dans le monde réel qui fût aussi dérangé et vicieux que ce personnage de fiction. De plus, Patrick Bateman était un narrateur notoirement indigne de confiance et si vous aviez réellement lu le livre, vous en veniez à douter que ces crimes aient été commis. Il y avait des indices insistants qu'ils n'existaient que dans l'esprit de Bateman. Les meurtres et la torture étaient en fait des fantasmes nourris par sa rage et sa fureur contre la façon dont la vie était organisée en Amérique et la façon dont il avait été – en dépit de sa fortune – piégé par ça. Les fantasmes étaient une échappatoire. C'était la thèse du livre. Ça parlait de société, des modes et des mœurs, et non de découpage de femmes. Comment quiconque avait lu le livre ne pouvait voir ça ? Pourtant, en raison de l'intensité des cris outragés concernant le roman, la crainte que ce ne fût pas après tout une idée aussi risible ne s'était jamais éloignée ; rôdait toujours l'inquiétude de ce qui pourrait se passer si le livre tombait entre de mauvaises mains. Qui pouvait savoir alors ce qu'il inspirerait ? Et après les assassinats de Toronto, ça ne rôdait plus – c'était réel, ça existait, et ça m'a torturé. Mais c'était terminé depuis dix ans et une décennie s'était écoulée sans que rien de vaguement similaire ne se produisît. Le livre m'avait rendu riche et célèbre, mais je ne voulais plus jamais y toucher. À présent, il se ruait de nouveau vers moi et je me retrouvais à la place de Patrick Bateman : je me sentais dans la peau d'un narrateur indigne de confiance, même si je savais que je ne l'étais pas. Et j'ai même pensé : Bon, l'a-t-il fait ?

Kimball avait des articles d'Internet imprimés qu'il feuilletait et voulait me faire connaître, et j'étais là, assis dans mon bureau, l'air désespéré et le regard tourné vers la fenêtre et la pelouse qui descendait jusqu'à la rue et la voiture du détective garée là-bas. Deux garçons sont passés à toute vitesse, titubant sur leurs skateboards. Un corbeau s'est posé sur la pelouse et a picoré sans intérêt une feuille d'automne. Il a été suivi d'un corbeau plus grand encore. La pelouse m'a immédiatement fait penser à la moquette dans la salle de séjour.

Kimball voyait bien que j'essayais de me distraire, que j'essayais de chasser tout ça, et il a dit gentiment, « Mr. Ellis, vous comprenez bien où je veux en venir…

— Je suis un suspect ? »

Kimball a paru surpris. « Non, vous ne l'êtes pas. »

Il y a eu un bref instant de soulagement qui s'est envolé tout aussi vite.

« Comment le savez-vous ?

— La nuit du 1er juin, vous étiez dans une clinique de désintoxication. Et la nuit où Sandy Wu a été assassiné, vous donniez une conférence à l'université sur… » Kimball s'est penché sur ses notes « … la contribution du Brat Pack à la littérature américaine. »

J'ai dégluti avec difficulté et je me suis un peu repris. « Ce n'est donc pas une série de coïncidences, de toute évidence.

— Nous – enfin moi et le bureau du shérif de Midland – croyons que celui qui commet ces crimes suit en fait le livre et le reproduit.

— Soyons parfaitement clairs. » J'ai de nouveau avalé ma salive. « Vous êtes en train de me dire que Patrick Bateman est vivant et tue des gens dans le comté de Midland ?

— Non, quelqu'un copie les meurtres qui ont lieu dans le livre. Et dans l'ordre. Ce n'est pas fait au hasard. C'est en fait très soigneux et très bien conçu, au point que l'agresseur a même pris le soin de trouver des gens – des victimes – avec des noms similaires et des activités sinon identiques, du moins proches. »

Je grelottais. La nausée faisait son chemin en moi.

« Vous vous moquez de moi. C'est une plaisanterie, c'est ça ?

— Ce n'est plus une thèse, Mr. Ellis, a été tout ce que Kimball a trouvé à dire, comme s'il mettait quelqu'un en garde.

— Vous avez des pistes ? »

Kimball a soupiré de nouveau. « Le gros obstacle, pour ce qui est de notre enquête, c'est que les scènes de crime – en dépit de la quantité formidable de temps et d'organisation investie par le tueur pour chaque crime – sont, comment dire, elles sont… » et il a haussé les épaules « … immaculées.

— Qu'est-ce que ça veut dire ? Qu'est-ce que ça veut dire *immaculées* ?

— Eh bien, en fait, l'expertise médico-légale est sidérée. » Kimball a consulté ses notes et pourtant je savais qu'il n'avait pas besoin de le faire. « Pas d'empreintes, pas de cheveux, pas de fibres, rien. »

Comme un fantôme. C'est le premier truc qui me soit venu à l'esprit. *Comme un fantôme*.

Kimball s'est redressé sur le canapé et puis, en me regardant droit dans les yeux, il a demandé, « Avez-vous reçu des courriers étranges, ces derniers temps ? Une correspondance d'un fan qui aurait pu vous faire penser que quelque chose n'allait pas ?

— Attendez – pourquoi ça ? Vous croyez que cette personne pourrait entrer en contact avec moi ? Vous pensez qu'il en a après moi ? » J'étais incapable de contenir ma panique et je me suis senti aussitôt honteux.

« Non, non. S'il vous plaît, Mr. Ellis, calmez-vous. Ce n'est pas dans cette direction que cette personne semble se diriger, a dit Kimball, sans pouvoir me rassurer. Cependant, si vous avez le sentiment que quelqu'un vous a contacté d'une manière inappropriée ou en violation de quelque chose, je vous prie de me le dire maintenant.

— Vous êtes convaincu que ça ne se dirige pas vers moi ?

— C'est exact.

— Bon, alors vers qui ça se dirige, je veux dire… pour la prochaine fois ? »

Kimball a regardé son bloc-notes et encore une fois je savais qu'il n'avait pas besoin de le faire. C'était un geste calculé et sans objet et je lui en voulais.

« La prochaine victime dans le livre est Paul Owen.

— Et ? »

Kimball a marqué un temps d'arrêt. « Il y a un Paul Owen à Clear Lake.

— Clear Lake n'est qu'à vingt-cinq kilomètres d'ici.

— Mr. Owen est à présent sous haute surveillance et protection de la police. Et ce que nous espérons, c'est que nous puissions appréhender toute personne suspecte qui se présenterait. » Silence. « C'est aussi pour cette raison que les liens établis entre les crimes n'ont pas été communiqués à la presse. À ce stade, cela ne ferait que compromettre le succès de l'enquête... Et, bien entendu, nous espérons que vous ne direz rien non plus.

— Pourquoi pensez-vous que cette personne ne va pas s'en prendre à moi ou à ma famille ? » J'en étais au point où je me balançais d'avant en arrière dans le fauteuil à bascule.

« Eh bien, l'auteur du livre n'est pas dans le livre, a été la réponse de Kimball, accompagnée d'un sourire qui se voulait rassurant et ne l'était absolument pas. Je veux dire que Bret Ellis n'est pas un personnage du livre et jusqu'à présent l'agresseur ne s'est intéressé qu'à des gens dont les identités ou les noms étaient semblables à ceux des personnages de fiction. » Silence. « Vous n'êtes pas un personnage de fiction, n'est-ce pas, Mr. Ellis ? » Kimball savait que ce sourire ne m'avait pas rassuré et il n'a pas réessayé. « Écoutez, je peux comprendre que vous soyez troublé, mais nous avons le sentiment que vous ne courez aucun danger pour l'instant. Cependant, si cela pouvait vous rassurer, nous pourrions vous proposer une protection policière qui resterait parfaitement discrète. Si vous voulez en parler avec Miss Dennis...

— Non, je ne veux pas que ma femme sache quoi que ce soit de tout ça, pour le moment. Je n'en parlerai pas à ma femme. Il est inutile de la terrifier. Euh, mais je vous ferai savoir dès que possible pour ce qui est des services de protection et tout ça... » je m'étais levé et j'avais les genoux qui tremblaient « ... et je ne sais vraiment pas... euh, je suis désolé, je ne me sens vraiment pas bien. » La pièce était submergée par des torrents de désespoir à présent. Je savais, même à ce moment-là, à moitié ivre de vodka, mais reprenant mes esprits à toute vitesse, que Kimball ne pourrait sauver personne et que d'autres scènes de crime seraient noircies de sang. La peur m'envoyait des décharges qui me redressaient. Je me suis brusquement rendu compte que je faisais tous mes efforts pour ne pas déféquer. J'avais besoin d'agripper le bureau pour me soutenir. Kimball, mal à l'aise, était debout près de moi. À ce point, je n'étais plus d'aucune utilité.

On m'a tendu une carte de visite avec plusieurs numéros de téléphone. On m'a recommandé d'appeler si quelque chose de « suspect » ou d'« anormal » (ces deux mots prononcés sur un ton si apaisant qu'ils auraient pu figurer dans une comptine pour enfants) se produisait, mais j'étais incapable d'entendre quoi que ce soit. Sans rien voir non plus, j'ai raccompagné Kimball à sa voiture tout en murmurant des remerciements. Et c'est à ce moment-là que Jayne a remonté l'allée dans la Porsche. Lorsqu'elle m'a vu en compagnie de Kimball, elle est restée dans la voiture et a regardé, en faisant semblant d'être au téléphone. Une fois Kimball parti, elle a bondi hors de la voiture et, en souriant, elle a marché vers moi, encore rayonnante des promesses de nouveau départ que nous nous étions faites, le matin même. Elle m'a demandé qui était Kimball et lorsque je lui ai dit que c'était un étudiant, elle m'a cru et m'a pris la main et m'a ramené vers la maison. Je n'ai pas dit la vérité à Jayne au sujet de Kimball parce que je ne voulais pas lui faire peur, et parce que j'ai pensé que si je l'avais fait, on m'aurait demandé de partir, et je suis donc resté silencieux, ajoutant un truc à la liste de toutes les choses que je lui avais déjà cachées.

J'ai passé le reste de la soirée complètement hébété. Pendant le dîner, alors que nous étions tous assis autour de la table, les enfants ont concédé qu'ils avaient passé un bon moment au centre commercial et régalé Jayne de quelques scènes du film que nous avions vu, et puis il y a eu une longue discussion à propos de Victor (qui ne voulait plus dormir dans la maison, mais ses aboiements paniqués pendant la nuit rendaient sa lubie insupportable). La seule chose qui ait eu un vague impact sur moi – la seule chose qui m'ait tiré de mon brouillard – a été le moment où Sarah m'a apporté le Terby, même si je ne me souviens pas de l'endroit où je me trouvais. Étais-je effondré dans le fauteuil devant l'écran plasma ? Ou bien était-ce pendant le dîner, assis avec ma famille, perdu dans la contemplation d'une assiette remplie de courgettes et de champignons, tentant de sourire et de paraître intéressé, concentré sur le flux d'informations qui s'échangeaient ? (J'essayais d'avoir l'air décontracté en fredonnant, mais c'était intolérable et j'ai arrêté quand j'ai vu que Robby faisait la gueule.) Tout ce que je sais, c'est que j'étais quelque part dans cette maison quand Sarah m'a apporté l'horrible Terby et demandé pourquoi ses griffes étaient tachées de ce qui ressemblait à de la peinture rouge desséchée, et que je l'ai aidée à les nettoyer dans l'évier de la cuisine (« Elles sont sales, Papa », a expliqué Sarah, pendant que je hochais la tête comme un abruti. Oui, je me souviens de cet échange. Et je me souviens aussi que le truc puait). Il y avait un match de football à la télévision que j'aurais regardé normalement, mais lorsque je me suis enfermé dans le bureau et que j'ai fait de nouveau le numéro d'Aimee Light, Jayne a ouvert la porte et m'a emmené à l'étage, et elle murmurait des trucs à mon oreille en me conduisant vers la chambre à coucher, en passant devant les appliques qui clignotaient, et je pouvais bien voir à son sourire de velours qu'elle attendait quelque chose, une sorte d'espoir. Je ressentais la même impulsion, mais je ne pouvais plus suivre – il était trop tard. J'étais censé voir mon reflet en elle et je n'y arrivais tout simplement pas. J'avais pris un comprimé d'Ambien et fini le fond de la bouteille de Ketel One et après m'être glissé dans le lit, je me suis endormi très vite, n'ayant plus à faire face aux désirs de ma femme, aux grattements contre le mur de la maison, au mobilier qui se déplaçait tout seul au rez-de-chaussée et à la moquette qui s'assombrissait, et pendant que nous dormions tous les quatre, un dément que j'avais inventé rôdait dans le comté, et des nuages s'amoncelaient au-dessus de la ville, et la lune quelque part au-dessus faisait luire le ciel. *Il est revenu*. Je m'étais dit ces trois mots au cours de cette nuit sombre que j'avais passée à frissonner dans la chambre d'amis, me repassant ce que j'avais vu dans ce champ désolé derrière notre maison. J'avais involontairement pensé à mon père et non à Patrick Bateman.

Mais je m'étais trompé. Parce qu'ils étaient revenus tous les deux à présent.

12

Dimanche 2 novembre

Le dîner

Je me suis réveillé dans la chambre à coucher pour la première fois depuis ce qui semblait des semaines, m'étirant avec plaisir dans le lit vide, restauré par l'Ambien avalé la veille, et dans la cuisine Jayne préparait le brunch et j'ai pris une longue douche avant de m'habiller pour rejoindre la famille. J'ai contemplé mon reflet dans le miroir avant de descendre – pas de poches sous les yeux, la peau était lumineuse – et j'ai constaté, un peu choqué, que j'avais vraiment faim et que j'étais impatient de manger quelque chose. Le brunch du dimanche était l'unique repas de la semaine sans restrictions diététiques : *bagels* au sésame et *cream cheese*, omelette au bacon et saucisses, *donuts* Krispy Kreme et pain perdu pour Robby (qui, de nouveau, a marmonné un truc à propos des grattements contre sa porte pendant la nuit), chocolat chaud et *pancakes* pour Sarah (qui avait l'air fatiguée et absente, probablement à cause du nouveau cocktail de médicaments qui avaient été prescrits le mois dernier et commençaient à faire leur effet), mais sans doute à cause des scènes à retourner, Jayne se contentait d'un jus de banane et de lait de soja et s'efforçait de minimiser son anxiété à l'idée de partir pour Toronto, la semaine prochaine. Pour une fois, j'étais le membre de la famille qui se sentait bien ce dimanche-là. J'étais serein et content, même après avoir feuilleté les journaux qui étaient remplis des détails les plus récents sur la disparition de Maer Cohen, ainsi que de longues récapitulations concernant les treize (déjà) garçons disparus au cours des cinq derniers mois. Leurs photos occupaient une page entière de la section locale du journal local, accompagnées de descriptions physiques, des dates de leur disparition, des endroits où on les avait vus pour la dernière fois (Tom Salter pagayant dans son canoë sur le lac Morningside ; Cleary Miller et Josh Wolitzer devant la poste d'Elroy Avenue ; la dernière image d'Edward Burgess le montrait marchant tranquillement dans l'aéroport de Midland, filmé par les caméras de sécurité). C'était la photo de classe des disparus, et j'ai tout simplement posé le journal au loin. Une fois Robby et Sarah repartis dans leurs chambres, Jayne et moi avons échangé nos réflexions sur les moyens d'échapper au dîner des Allen, le soir même, mais il était trop tard. Il était plus facile d'endurer l'épreuve que de les envoyer promener et j'ai donc organisé ma journée jusqu'à sept heures du soir, heure à laquelle il nous faudrait y aller.

J'ai passé le reste de la matinée à remettre les meubles à leur place habituelle dans la salle de séjour, mais je me suis aperçu en le faisant que *j'aimais bien* la façon dont ils avaient été placés – et j'ai ressenti une curieuse nostalgie en poussant les sofas et les tables et les fauteuils tout autour de la pièce. Et la moquette – toujours décolorée – était sans tache : les empreintes couleur cendre n'étaient plus visibles et même si la grande étendue de beige virant au vert était rébarbative, la pièce ne donnait plus matière à interprétation. Je suis ensuite sorti pour aller voir dans le champ la traînée humide et noire : à mon grand soulagement, elle avait presque entièrement séché, et le trou commençait à se combler, et lorsque j'ai contemplé les hectares du champ qui remontait vers la masse sombre des bois, en respirant à pleins poumons l'air frais d'automne, j'ai eu brièvement le sentiment que Jayne avait raison, que c'était bien une prairie et non un endroit où résident les morts. Puis je suis rentré pour voir les griffures sur la porte de Robby et quand je me suis agenouillé et que j'ai passé la main sur les sillons que j'avais vus le jour d'Halloween, je n'ai pas pu détecter le moindre changement. L'après-midi a été long et paisible et sans histoires. J'ai regardé des matches de football et Aimee Light ne m'avait toujours pas rappelé.

À six heures, Jayne m'a habillé, un pantalon noir Paul Smith, un col roulé gris Gucci et des mocassins Prada – chic et conservateur et éminemment présentable. Pendant qu'elle passait l'heure suivante à se préparer, je suis descendu accueillir Wendy, la fille qui allait s'occuper des enfants ce soir, puisque Marta ne travaillait pas le dimanche. Wendy était une étudiante pas si mal, dont Jayne connaissait les parents et qui était aussi chaudement recommandée par toutes les mères du quartier. Jayne, au départ, avait été réticente à l'idée de faire appel à Wendy dans la mesure où nous allions dîner à côté et que nous aurions pu emmener les enfants avec nous, mais Mitchell Allen avait mentionné une infection de l'oreille de son fils Ashton et mis ainsi un veto subtil à notre projet. Et en repensant à ce que Kimball m'avait dit la veille, j'étais heureux d'avoir quelqu'un dans la maison pour surveiller les enfants. En attendant Jayne, j'ai téléchargé sur l'ordinateur les photos qu'elle avait prises le jour d'Halloween : Robby et Ashton, maussades, transpirants, déjà trop vieux pour ce genre de fête ; Sarah, l'air d'une enfant prostituée. Une image de la 450 SL crème a capté mon attention brièvement, mais elle paraissait ne plus être chargée de sens – c'était simplement la voiture de quelqu'un et rien d'autre. Je m'en suis rendu compte après avoir essayé en vain d'agrandir la photo pour lire la plaque d'immatriculation, mais elle était surexposée par les réverbères de la rue et, comme tout le reste ce dimanche-là, cela n'avait aucune importance, semblait-il. J'ai passé en revue toutes les photos sur lesquelles je figurais, mais les photos qui m'ennuyaient le plus n'étaient pas celles où j'avais l'air terrifié et bourré, mais celles de Mitchell Allen et de Jayne posant devant la maison des Larson dans Bridge Street, le bras protecteur de Mitchell autour de la taille de Jayne, lui avec un faux air libidineux. Cela me paraissait bien plus inquiétant que la petite voiture innocente qui m'avait tant effrayé le soir d'Halloween et ne me faisait plus aucun effet à présent.

Mitchell Allen et moi étions à Camden ensemble, mais je le connaissais à peine là-bas, même si c'était une université minuscule et quasiment incestueuse. J'avais été surpris de découvrir non pas tant que Mitchell Allen était le voisin de Jayne, mais qu'il était marié et avait fait deux enfants : Ashton qui était, en raison de la proximité géographique, le meilleur ami de Robby par défaut, et Zoe, qui avait un an de moins que Sarah. Du peu que je savais de Mitchell à Camden, j'avais supposé qu'il était bisexuel sinon totalement gay. Mais à l'époque, avant l'arrivée du sida, tout le monde baisait tout le monde en fait au cours de cette brève période de liberté sexuelle totale. Après le diplôme et le passage des années 1980, il n'était pas rare de voir des « lesbiennes » que j'avais connues à l'époque se marier et devenir mères, et il en était de même pour pas mal de types de Camden dont l'identité sexuelle était restée floue, indéfinie, pendant les quatre années qu'ils avaient passées dans le New Hampshire. Être bisexuel était considéré comme un truc cool à Camden – ou du moins être *perçu* comme bisexuel – et l'ensemble des étudiants étaient non seulement d'une tolérance inaccoutumée vis-à-vis de cette pansexualité radicale, mais encore l'encourageaient activement. La plupart des mecs se foutaient pas mal d'une nuit passée avec un autre mâle et certains en tiraient même une certaine fierté. Les filles de Camden trouvaient ça excitant, et les garçons de Camden vous trouvaient mystérieux et dangereux, et donc ça ouvrait des portes et ça vous rendait beaucoup plus désirable et ça vous donnait l'impression, dans le contexte du truc, d'être plus artiste, ce qui était vraiment ce à quoi nous aspirions tous – faire savoir à nos pairs qu'il n'y avait pas de limites, que tout était acceptable, que la transgression était légitime. Après avoir surmonté ma surprise initiale (parce que mes seuls souvenirs de Mitchell étaient composés des rumeurs selon lesquelles il avait eu une longue histoire avec Paul Denton, un autre condisciple), je me suis souvenu d'une fille du nom de Candice qu'il avait branchée au cours des deux derniers trimestres, avant de partir pour un troisième cycle à Columbia, où il avait fait la connaissance de Nadine sur les marches de la Low Library, elle-même parfaite réplique de la blonde sexy et évaporée avec laquelle il avait fini par sortir à Camden. Lorsque nous nous étions revus pour la première fois, cet été, à un barbecue de voisins dans Horatio Park, il avait prétendu me confondre avec Jay McInerney, une vanne minable dont Mitch était si content qu'il l'a répétée trois fois en me présentant à d'autres couples, mais comme ils ne lisaient pas, ils n'avaient pas pu « piger », laissant le pauvre Mitchell faire le constat qu'il n'avait pas de public. Ni lui ni moi n'étions particulièrement désireux de nous connaître mieux ou de nous rappeler des souvenirs de Camden et nos passés lubriques respectifs, même pour le bien de nos fils (les meilleurs amis improbables). De son côté, Mitchell était tout simplement trop captivé par Jayne pour se sentir tenté par la camaraderie virile. Nous avions vieilli et nous vivions dans un monde différent, et Mitchell laissait la présence de Jayne le réduire à ce désespoir particulier, fréquemment observable chez les hommes qui se retrouvent dans l'entourage d'une star de cinéma. Le masque cool, désinvolte, que Mitchell portait à Camden – le côté un peu vague mais exquis, la touche bohème, les vacances de Noël au Nicaragua, le tee-shirt des Buzzcocks, le punch coupé au MDA, la baise frénétique et puis les distances prises – tout ça lui avait été enlevé. C'était dû, naturellement, en partie à l'âge, mais aussi à son immersion dans la banlieue (beaucoup d'hommes de mon âge à Manhattan avaient encore un semblant de la vivacité de leur jeunesse). L'aventurier sexuel, beau et vif, avait été remplacé par un ringard approchant la quarantaine, dévoué à ma femme comme un esclave. Nadine l'avait remarqué elle aussi et tenait Mitchell en laisse, lors des réunions à l'école ou des dîners occasionnels qui nous réunissaient, et je m'en fichais un peu ; j'avais mes propres tendances et je savais que Jayne n'était pas très intéressée. C'était le résultat inévitable d'un vieillissement précoce et de l'ennui et du fait d'avoir une belle femme. Mais lorsque Nadine flirtait de manière éhontée avec moi… c'était à ce moment-là que le cliché de la banlieue décourageait l'enthousiasme que j'avais conçu pour ma nouvelle vie d'homme essayant de devenir l'adulte responsable qu'il ne serait probablement jamais.

Après avoir dit au revoir aux enfants (Robby était vautré devant l'écran plasma géant et regardait *1941* et nous a à peine remarqués, tandis que Sarah était assise avec Wendy de l'autre côté de la pièce et étudiait le

« Profil d'une œuvre » de *Sa Majesté des mouches*), Jayne et moi nous sommes retrouvés dans Elsinore Lane et, pendant notre bref trajet, elle m'a patiemment rappelé qui était qui et ce que chacun faisait puisque je semblais toujours oublier, ce qui dans ce cercle d'amis ne se faisait pas. Mitchell appartenait, comme par hasard, à la communauté des banquiers d'affaires, tandis que Mark Huntington faisait construire des terrains de golf et Adam Gardner était un autre semi-mafieux dont la soi-disant carrière dans le traitement des ordures comportait quelques zones d'ombre – un petit groupe de bons pères de famille tout simplement, vivant dans l'atmosphère douce et rêvée de la richesse que nous avions tous créée, en compagnie de nos épouses d'une beauté générique essayant d'assurer la parfaite ascension de nos enfants dans le monde. Une légère brise a fait crisser les feuilles sur l'asphalte alors que Jayne et moi quittions notre maison pour nous rendre chez les Allen. Jayne me tenait la main et se penchait contre moi. Je me suis discrètement écarté afin qu'elle ne sente pas la bosse du portable dans ma poche.

Mitchell nous a ouvert et a pris Jayne dans ses bras, avant de serrer la main que je tenais en l'air depuis le début. Nous étions les derniers à arriver et Mitchell nous a fait entrer rapidement parce que Zoe et Ashton allaient faire la démonstration pour les adultes des positions de yoga qu'ils avaient apprises pendant la semaine. Dans la salle de séjour, nous avons salué de loin Adam et Mimi Gardner, Mark et Sheila Huntington, tous debout dans ce vaste espace pendant que Zoe faisait semblant d'être un arbre pendant au moins cinq minutes et que son frère faisait étalage de ses talents dans un impressionnant exercice respiratoire (Ashton avait l'air d'avoir pleuré – les yeux rouges, le visage gonflé, congestionné – et il a fait son exercice docilement, comme si on l'avait forcé, même si, sur le coup, j'ai imputé son air misérable à l'infection de son oreille). Tous les deux ont fait la « planche oblique » et puis ils se sont recroquevillés dans la « position du rocher ». L'exercice a pris fin avec Zoe et Ashton tenant en équilibre sur leur tête des sacs de haricots jusqu'à ce que les adultes les applaudissent. « Adorables », ai-je murmuré à Nadine Allen ravie qui était près de moi, je ne m'en étais pas rendu compte, et m'avait posé la main sur le bas du dos. Elle m'a souri généreusement (rictus Klonopin) et puis elle a tendu les bras vers Ashton, qui s'est détourné brusquement avant de sortir de la pièce d'un pas lent. Le visage de Nadine, inquiète, s'est crispé – une seconde seulement – avant de redevenir le masque souriant de la maîtresse de maison. C'était un moment plein de sens. J'étais déjà accablé et épuisé.

La maison des Allen était une réplique presque exacte de la nôtre – une sorte de palais minimaliste et immaculé. Il y avait le même chandelier sous le haut plafond de l'entrée et le même escalier tout en courbes qui reliait les deux niveaux, et Mitchell a commencé à offrir des verres, une fois les enfants repartis dans leurs chambres, et Jayne m'a jeté un rapide coup d'œil quand j'ai demandé une vodka avec de la glace et je lui ai fait le même coup pour rire quand elle a demandé un verre de vin blanc en rechignant, sachant qu'elle n'en voulait pas vraiment, et nous nous sommes tous lancés dans une conversation de cocktail avec un CD de Burt Bacharach en fond sonore – d'un kitsch délibéré, présenté avec une formalité un peu ironique, non seulement une allusion au goût de nos parents – une façon de montrer combien ils étaient bourgeois et sans prétentions – mais aussi un truc réconfortant ; c'était censé nous ramener vers la sécurité de nos enfances, et j'imagine que ça a fonctionné comme un baume pour certains, comme l'a fait le menu qui mettait au goût du jour les repas que nous avaient servis nos mères : poulet pané (mais avec une touche jamaïcaine – je ne pouvais pas imaginer le goût que ça aurait) et gratin de pommes de terre (mais au manchego) et, clou des années 1970, une sangria, qui faisait, comme pas mal de trucs de l'époque, un come-back.

Quand nous nous sommes assis pour dîner, j'ai fait l'inventaire des personnes qui se trouvaient dans la pièce, et ce qui restait de ma bonne humeur s'est évaporé quand j'ai constaté combien j'avais peu de choses en commun avec eux – les papas à carrière, les mamans responsables et zélées – et j'ai été rapidement envahi par la terreur et la solitude. Je me suis fixé sur le sentiment de supériorité suffisante qu'affichaient les couples mariés et qui saturait l'atmosphère – les croyances partagées, la douce apathie satisfaite, c'était dans tous les coins – en dépit de l'absence de tout célibataire vers qui diriger tout ça. J'ai conclu avec une irrévocabilité pénible que le temps du tout est possible était terminé, faire ce qu'on veut quand on veut, c'était de l'histoire ancienne. Le futur n'existait plus. Tout était dans le passé et allait y rester. Et j'ai supposé – puisque j'étais l'élément rapporté le plus récent dans ce groupe et que je n'avais pas encore été parfaitement et complètement initié à ses rites – que j'étais le solitaire, l'outsider, celui pour qui la solitude paraissait sans fin. Mon émerveillement devant la façon dont j'étais arrivé dans ce monde ne m'avait pas encore quitté. Tout était formel et contraint. La conversation polie qui s'est prolongée des cocktails au dîner était si suffocante qu'elle en devenait presque impitoyable, et je me suis donc concentré sur les femmes, pesant soigneusement Mimi par rapport à Sheila par rapport à Nadine, que je trouvais toutes séduisantes (même si Jayne les éclipsait toutes les trois). Mitchell était penché vers ma femme et Nadine ne cessait de me verser de la sangria qui, j'en étais sûr, était sans alcool, et partout j'apercevais la dissimulation d'une promiscuité autrefois naturelle et cela me donnait l'impression d'être vieux. Brièvement, je nous ai imaginés engagés dans une orgie (un fantasme pas désagréable, vu l'allure des femmes présentes) jusqu'à ce que j'entende dire que Mimi Gardner possédait un loulou de Poméranie appelé Basket.

Et puis la conversation s'est concentrée sur Buckley, qui était en fait l'unique raison pour laquelle les quatre couples étaient assis autour de la table ronde sous les lumières tamisées dans la salle à manger austère et dénudée de la maison des Allen – tous nos enfants allaient dans la même école. On nous a rappelé qu'il y avait une réunion parents-professeurs le lendemain soir, et y serions-nous ? Oh oui, nous y serons, avons répondu Jayne et moi pour rassurer la table (j'ai tremblé en pensant aux conséquences que j'aurais provoquées en disant, « En aucune circonstance, nous n'assisterons à ce truc de parents-professeurs à Buckley »). La conversation a glissé vers la faiblesse des subventions, les démentis répétés, les évaluations, les connexions grandioses, cette énorme donation, les bonnes conditions – des sujets importants et personnels qui exigeaient des données spécifiques et des exemples, mais conservaient un degré d'anonymat suffisant pour que tout le monde se sente à l'aise. Je n'étais jamais allé à un dîner où toute la conversation tournait autour des enfants, et comme j'étais au fond le nouveau papa, je n'arrivais pas à sentir le courant émotionnel et l'anxiété qui circulaient sous le bavardage inoffensif – et il y avait un truc un peu dingue dans cette obsession pour leurs enfants, à la limite du fanatique. Ce n'était pas tant qu'ils étaient inquiets pour leurs enfants, ils voulaient surtout quelque chose en retour, ils voulaient un retour sur investissement – c'était un besoin presque religieux. C'était épuisant d'écouter tout ça et c'était tellement corrompu puisque ça ne rendait pas les enfants plus heureux. Qu'était-il arrivé au simple désir de voir ses enfants contents et cool ? Qu'était-il arrivé à la possibilité de leur dire que le monde déconne ? Qu'était-il arrivé à la distribution de claques de temps en temps ? Ces parents étaient des scientifiques et ils n'élevaient plus leurs enfants instinctivement – chacun avait lu un livre ou vu une vidéo ou surfé sur le Net pour se faire une idée de ce qu'il fallait faire. J'ai entendu le mot « portail » utilisé métaphoriquement pour « école maternelle » (avec l'aimable autorisation de Sheila Huntington) et il y avait des enfants de cinq ans qui avaient des gardes du corps (la fille d'Adam Gardner). Il y avait des enfants au bord de l'évanouissement à cause de la pression subie en cours élémentaire et qui suivaient des thérapies parallèles, et il y avait des enfants de dix ans qui souffraient de désordres alimentaires provoqués par des représentations irréalistes de leur corps. Il y avait des listes d'attente remplies des noms d'enfants de neuf ans pour les séances d'acupuncture du Dr Wolper. J'ai découvert qu'un des enfants de la classe de Robby avait avalé le contenu d'une bouteille de Clorox. Et puis on a parlé de : supprimer les pâtes dans le menu des déjeuners à la cantine, du nutritionniste qui avait fait office de traiteur pour la bar-mitsva, et des cours de Pilates pour des enfants de deux ans, la petite fille de huit ans qui a besoin d'un soutien-gorge de sport, le petit garçon qui tire sur la jupe de sa mère dans le supermarché de luxe pour lui demander, « Il y a des hydrates de carbone dedans ? » Une conversation a démarré sur le lien entre la difficulté de respirer et les produits laitiers. Après ça : un débat bidon sur les plantes échinophores. Les commotions cérébrales, la morsure de serpent, la minerve, la nécessité de placer des vitres blindées dans les classes – ça n'arrêtait pas, des trucs qui me paraissaient futuristes, sans objet, creux. Mais Jayne hochait la tête en signe d'acquiescement, écoutait l'air pensif, faisait des commentaires constructifs et je me suis rendu compte que plus Jayne devenait célèbre – et plus les gens attendaient d'elle – plus elle ressemblait à un politicien. Quand Nadine m'a agrippé le bras pour me demander mes sentiments sur un sujet que je n'avais pas suivi, je me suis lancé dans des considérations générales sur le désespoir dans le monde de l'édition. Quand il a été clair que je n'obtiendrais aucune réaction de mes convives, j'ai compris que ce que je désirais, c'était d'être accepté. Alors pourquoi ne pas me porter volontaire pour les cours d'informatique ? Pourquoi ne pas entraîner l'équipe de tennis ? Nadine m'a sauvé en mentionnant une rumeur optimiste concernant un des garçons disparus qu'on aurait vu à Cape Cod, avant de s'excuser une nouvelle fois de nous quitter pour aller voir comment se portait Ashton – ce qu'elle a fait, si j'ai bien compté, sept fois pendant le dîner. J'avais commencé à m'emparer du pichet de sangria à une cadence qui a conduit Jayne à l'éloigner de moi après qu'elle m'eut vu remplir mon verre à ras bord. « Mais qu'est-ce qui va se passer quand il faudra remplir mon verre ? » ai-je demandé avec une voix de robot et tout le monde a ri, alors que je n'avais pas l'impression d'avoir fait une plaisanterie. Je jetais régulièrement un coup d'œil du côté de Mitchell qui fixait Jayne d'un regard morne et concupiscent à la fois pendant qu'elle essayait en vain de lui expliquer quelque chose, à quoi Mitchell répondait par un halètement constant. Il a fallu trois heures pour parvenir à la fin du dîner.

Les femmes ont débarrassé la table et sont restées dans la cuisine pour préparer le dessert, pendant que les hommes tournaient autour de la piscine d'un pas nonchalant en fumant des cigares. Mais Mark Huntington avait apporté quatre joints qu'il avait roulés à l'avance et nous avons commencé à les allumer sans que je m'en rende vraiment compte. Je n'étais pas fana de l'herbe et j'étais surpris de voir combien j'ai été ravi de la voir arriver : il allait falloir une éternité pour que la soirée se termine – le sorbet aux fruits frais et les adieux qui n'en finiraient pas et les pénibles promesses d'un prochain dîner – et sans me défoncer un peu, le moment où je pourrais m'effondrer sur mon lit paraissait intolérablement lointain. Après la première taffe, je me suis affalé sur une des chaises longues qui étaient disposées avec un art singulier tout autour du jardin, à la différence des nôtres qui trônaient sur le côté de la maison et non derrière, et la nuit était sombre et douce, et la lumière de la piscine projetait des ombres d'un bleu phosphorescent sur les traits des hommes. De là où j'étais affalé sur la chaise longue, je pouvais voir le côté de notre maison et en tirant une longue bouffée de mon joint, j'ai plissé les yeux pour mieux l'observer. Je voyais les portes-fenêtres de la salle multimédia, où se trouvait encore Robby, couché devant la télévision, et Sarah était toujours assise sur les genoux de Wendy qui lui lisait l'histoire de ces garçons échoués sur cette île perdue, et au-dessus il y avait la chambre à coucher dans l'obscurité. Et entourant le tout, le grand mur qui pelait. Hier matin, observées de près, les taches sur le mur n'avaient pas semblé aussi grandes que maintenant, vues sous cet angle. Le mur était à présent presque entièrement couvert de stuc rose, avec quelques endroits où la peinture blanche d'origine tenait encore. Un nouveau mur avait été découvert – s'était *emparé* de l'ancien – et c'était assez inquiétant pour me faire frissonner (parce que c'était une sorte d'avertissement, non ?), et après qu'on m'eut passé un autre joint et que j'eus tiré une bonne taffe, j'ai eu cette pensée un peu brumeuse : *comme... c'est... étrange*... et puis mes réflexions se sont déplacées vers Aimee Light et j'ai ressenti une vague concupiscence, suivie d'une déception, la combinaison habituelle. On apercevait les silhouettes des femmes dans la cuisine et leurs voix, amorties par la distance, étaient un agréable fond sonore pour la conversation des hommes. Les hommes étaient sveltes, avec des ventres plats, ils avaient dépensé beaucoup d'argent pour la coloration de leurs cheveux, leurs visages étaient lisses et sans rides, ce qui faisait qu'aucun de nous ne paraissait son âge, ce qui était, ai-je conjecturé en bâillant sur la chaise longue, une bonne chose. Nous étions tous un peu détachés, avec une légère propension au ricanement, et en réalité je n'en connaissais aucun – ils étaient encore une brève première impression. Je regardais une girouette sur le toit des Allen, quand Mitchell m'a demandé, avec un air réellement soucieux et sans la dose de méchanceté à laquelle je m'attendais, « Alors qu'est-ce qui t'a conduit dans cette partie du monde, Bret ? » Un peu somnolent, j'étais en train de scruter dans l'obscurité le champ qui se trouvait derrière la maison de nos voisins.

J'ai cherché la note de détachement juste et j'ai ricané. « En fait, elle a lu trop d'articles dans les magazines sur le fait que les enfants élevés dans des foyers sans père sont plus susceptibles de devenir des délinquants juvéniles. Et voilà. Me voici. » J'ai soupiré et tiré une nouvelle bouffée. Un énorme nuage gonflait devant la lune. Il n'y avait pas d'étoiles.

Un chœur de gloussements sinistres a été suivi d'autres ricanements. Et puis c'était de nouveau les enfants.

« Et donc il prend du méthylphénidate…, a dit sans effort Adam, … même si ce n'est pas vraiment approuvé pour les enfants de moins de six ans », et il a poursuivi sur l'hyperactivité et le déficit d'attention d'Hanson et de Kane, ce qui a, bien entendu, fait dériver la conversation sur les 7,5 milligrammes de Ritaline administrés trois fois par jour et le pédiatre qui déconseillait la télévision dans la chambre du gamin et *Monstres & Cie* – tellement vieux jeu – et Mark Huntington avait engagé un écrivain pour aider son fils à faire ses rédactions, qui l'avait imploré de ne pas le faire parce qu'il n'en avait pas besoin. Et puis la conversation a dérivé vers les garçons disparus, un fou, une bombe à La Nouvelle-Orléans, une autre pile de cadavres, un groupe de touristes abattus à la mitraillette sur les marches de Bellagio à Las Vegas. La marijuana – qui était assez forte – avait transformé nos voix et fait de notre conversation une parodie de bavardage de camés.

« Tu as déjà essayé le numéro du papa sourd ? »

Ce n'était pas à moi qu'on posait la question, mais je me suis redressé, intrigué, et j'ai dit, « Non, qu'est-ce que c'est ?

— Quand il commence à pleurnicher, tu fais semblant de ne pas comprendre ce qu'il dit. » C'était Mitchell qui parlait.

« Et il se passe quoi ?

— Il est tellement agacé qu'il abandonne, tout simplement.

— Tu as passé combien d'heures sur Google pour trouver cette information, Mitch ?

— Ça a l'air atroce, a soupiré Adam. Pourquoi ne pas lui donner ce qu'il veut ?

— J'ai déjà essayé. Ça ne marche pas, mon ami.

— Pourquoi pas ? a demandé un autre, même si nous connaissions tous la réponse.

— Parce qu'ils en veulent toujours plus, a répondu Mark Huntington.

— Merde, a dit Mitch en prenant une grande inspiration et en haussant les épaules. Ce sont mes enfants.

— Nous jouons à cache-cache et il ne me trouve jamais », a dit Adam Gardner après un long silence. Il était lui aussi affalé sur une chaise longue, les bras croisés, les yeux levés vers le ciel sans étoiles.

« Comment tu fais ?
— Kane doit compter jusqu'à 170.
— Et puis ?
— Je roule jusqu'au Loew's Multiplex et je vois un film en matinée.
— Et il s'en fiche ? a-t-on demandé à Adam. Je veux dire… de ne pas te trouver ? »
Gardner a haussé les épaules. « Probablement pas. Il va s'asseoir devant l'ordinateur. Il est scotché devant ce foutu machin pendant des journées entières. » Gardner a réfléchi à quelque chose. « Il finit par me retrouver.
— C'est un monde complètement différent, a murmuré Huntington. Ils ont développé des aptitudes entièrement nouvelles qui nous mettent totalement à l'écart.
— Ils savent traiter l'information visuelle. » Gardner a haussé les épaules. « Tu parles d'une découverte. Moi, ça ne m'impressionne pas du tout.
— Ils ne savent absolument pas comment replacer une chose dans son contexte », a murmuré de nouveau Huntington, l'air complètement parti en tirant sur un autre joint. Nous en avions encore deux à fumer et tout le monde était pété.
« Ce sont des junkies du fragment.
— Pour la technologie, ils sont plus avancés que nous. » C'est Mitchell qui a dit ça, mais je ne pouvais pas savoir, à son ton neutre et détaché, s'il répondait à Mark ou non.
« Ça s'appelle la technologie disruptive. »
Soudain, j'ai pu entendre Victor qui aboyait dans notre jardin.
« Mimi ne veut plus que Hanson joue à Apocalypse.
— Pourquoi pas ? a demandé quelqu'un.
— Elle dit que c'est le jeu employé par l'armée américaine pour entraîner ses soldats. » Un soupir profond.

Le seul truc qui séparait notre propriété de celle des Allen était une rangée de buissons bas, mais les maisons étaient si largement espacées qu'elles rendaient hors de propos tout problème de voisinage. Je pouvais voir que les enfants étaient toujours dans la salle multimédia, mais mon regard s'est déplacé vers le haut et les lumières dans la chambre à coucher étaient maintenant allumées. J'ai vérifié : Wendy était encore dans le fauteuil, tenant Sarah dans ses bras.

De nouveau, j'ai pensé *comme... c'est... étrange...* mais cette fois une légère panique se mêlait à la pensée.

J'étais sûr que les lumières de la chambre à coucher n'étaient pas allumées auparavant. Ou est-ce que je venais de le remarquer à l'instant ? Je n'arrivais pas à me souvenir.

Je me suis concentré sur la maison, d'abord sur la salle multimédia, mais c'est alors qu'une ombre derrière la fenêtre de la chambre à coucher a attiré mon attention.

Presque aussitôt elle a disparu.

« Écoute, je ne suis pas vraiment partisan d'une discipline stricte, déclamait un des pères, mais je fais tout pour qu'il se sente responsable de ses erreurs. »

Je ne tenais plus en place sur la chaise longue, les yeux rivés sur le premier étage.

Il n'y avait plus aucun mouvement. Les lumières étaient toujours allumées, mais plus d'ombre en vue.

Je me suis légèrement détendu et j'étais sur le point de me mêler à la conversation quand une silhouette est passée à toute vitesse derrière la fenêtre. Et puis elle est repassée, accroupie, comme si elle ne voulait pas être vue.

Je ne distinguais pas qui c'était, mais elle avait l'allure d'un homme et elle portait ce qui ressemblait à un costume.

Et elle a disparu de nouveau.

Involontairement, mon regard s'est porté vers Robby et la baby-sitter et Sarah.

Mais peut-être que ce n'était pas un homme, me suis-je dit machinalement. Peut-être que c'était Jayne.

Troublé, je me suis redressé et j'ai tendu le cou pour regarder du côté de la cuisine des Allen, où Nadine et Sheila garnissaient des bols de framboises, et Jayne était debout devant le comptoir et montrait quelque chose à Mimi Gardner dans un magazine, et toutes les deux riaient.

J'ai lentement sorti mon portable de la poche de mon pantalon et j'ai appuyé sur un numéro mémorisé.

J'ai vu le moment précis où la tête de Wendy a émergé du livre qu'elle lisait à Sarah, et elle s'est levée avec elle pour aller jusqu'au téléphone sans fil près de la table de billard. Wendy a attendu que la personne qui appelait laisse un message.

La silhouette est apparue de nouveau. Elle était maintenant au beau milieu de la fenêtre, sans bouger.

Elle s'était arrêtée en entendant le téléphone sonner.

« Wendy, c'est Mr. Ellis, décrochez », ai-je dit sur le répondeur.

Wendy a immédiatement mis le combiné à l'oreille, en faisant passer Sarah sur l'autre bras.

« Allô ? »

La silhouette regardait fixement en direction du jardin des Allen.

« Wendy, vous avez un ami avec vous ? »

J'ai balancé une jambe – j'avais des fourmis – hors de la chaise longue et j'ai regardé la salle multimédia, les trois qui s'y trouvaient, oublieux de qui pouvait être à l'étage.

« Non, a répondu Wendy en regardant autour d'elle. Il n'y a que nous. »

Je me suis levé et j'avançais, un peu titubant, en direction de la maison, le sol se dérobant sous mes pieds. « Wendy, sortez les enfants de là, d'accord ? »

La silhouette était toujours debout devant la fenêtre, éclairée de dos et donc sans traits.

J'ai ignoré les questions des hommes derrière moi qui voulaient savoir où j'allais et j'ai marché le long de la maison des Allen, ouvert un portail, et je me suis retrouvé sur le trottoir, d'où je pouvais toujours voir la fenêtre à l'étage à travers les ormes nouvellement plantés le long d'Elsinore Lane.

En approchant de la maison, j'ai soudain remarqué la 450 SL crème garée devant.

Et c'est à ce moment-là que j'ai vu la plaque d'immatriculation.

« Mr. Ellis, qu'est-ce que vous voulez dire ? Sortir les enfants de la maison ? Qu'est-ce qu'il y a ? »

À cet instant, comme si elle avait écouté, la silhouette s'est éloignée et a disparu.

Je me suis figé, incapable de parler, puis j'ai avancé sur l'allée en pierre qui menait à la porte d'entrée.

« Wendy, je suis devant la porte d'entrée. Sortez avec les enfants, immédiatement. Immédiatement. »

Victor ne cessait d'aboyer depuis le fond du jardin, puis les aboiements se sont transformés en hurlements.

J'ai frappé à la porte jusqu'à ce que je me mette à donner des grands coups de poing.

Wendy a ouvert, effarée, Sarah dans ses bras, qui a souri quand elle m'a vu. Robby était derrière elle, alarmé et pâle.

« Mr. Ellis, il n'y a personne d'autre que nous dans la maison… »

Je l'ai écartée et je suis allé jusque dans mon bureau, où j'ai ouvert en quelques secondes mon coffre pour prendre mon pistolet, un petit calibre 38 que je gardais là, et puis, un peu pris de vertige à cause de l'herbe, je l'ai glissé dans ma ceinture pour ne pas effrayer les enfants. Je me suis dirigé vers l'escalier, mais arrêté en passant dans la salle de séjour.

Les meubles avaient été encore une fois déplacés et des empreintes de couleur cendre couraient en tous sens sur la moquette.

« Mr. Ellis, vous me faites peur. »

Je me suis retourné. « Sortez les enfants. Tout va bien. Je veux juste vérifier quelque chose. »

Je me suis senti un peu plus fort en disant ça, comme si je contrôlais une situation qui m'échappait probablement. La peur s'était transformée en lucidité et calme, ce qui était l'effet de l'herbe de Mark Huntington, ai-je compris par la suite. Sans quoi je n'aurais jamais agi aussi imprudemment ou même simplement pensé affronter quiconque se trouvait dans la chambre à coucher. Ce que je ressentais en montant les escaliers, c'était : je m'attendais à ça. Cela faisait partie du récit. L'adrénaline m'envahissait, mais je faisais des pas lents et décidés. Je tenais fermement la rampe, la laissant jouer son rôle dans mon ascension, avec une sensation tellement neutre que j'aurais pu tout aussi bien être en transe.

Au sommet de l'escalier, je me suis engagé dans le couloir sombre et silencieux qui conduisait à la chambre à coucher. Mes yeux se sont rapidement adaptés à la pénombre et le couloir a pris une teinte violacée. La force qu'il fallait pour avancer dans ce couloir provenait uniquement d'une panique croissante.

« Hello, ai-je clamé dans l'obscurité, la voix un peu cassée. Hello ? »

Une applique a clignoté et puis s'est éteinte au moment où je passais devant. Même chose pour la suivante.

Et puis, j'ai entendu quelque chose. Une sorte de glissement. De l'autre côté de la chambre à coucher et, dans l'interstice entre le bas de la porte et le sol, le rai de lumière s'est éteint.

Et puis, j'ai entendu distinctement un gloussement.

Je n'ai pu m'empêcher de gémir.

Derrière la porte, le gloussement continuait.

Mais c'était un gloussement dénué d'humour.

Les appliques avaient cessé de clignoter et la seule source de lumière dans le couloir était la lune qui éclairait la grande fenêtre qui donnait sur le jardin à l'arrière de la maison. Je pouvais voir Victor assis, fixant intensément la maison, comme s'il avait monté la garde (mais contre quoi ?), et derrière le chien, le champ qui, à la lueur de la lune, ressemblait à une feuille d'aluminium.

J'ai avancé et je n'étais plus qu'à deux pas de la porte quand je l'ai entendue s'ouvrir.

« Hello ? Qui est-ce ? Hello ? » Ma voix était monocorde. J'ai mis la main sur mon pistolet sous mon pull.

Le grincement avait cessé.

Dans l'obscurité, la porte s'est ouverte et quelque chose a foncé sur moi, mais je n'ai rien pu voir.

« Hé ! » ai-je hurlé, et le truc s'est envolé, est passé tout près de moi. Je me suis retourné en agitant les bras et j'ai entendu la porte de la chambre de Robby claquer.

Je tenais le pistolet dans une main et de l'autre je cherchais mon chemin en tâtonnant jusqu'à sa chambre.

« Mr. Ellis, ai-je entendu Wendy appeler. Que se passe-t-il ? Vous faites peur aux enfants.

— Appelez la police, ai-je crié pour être certain que le truc dans la chambre de Robby puisse m'entendre. Appelez vite le 911, Wendy. Vite !

— Papa ? » C'était Robby.

J'ai essayé de ne pas laisser ma voix trembler. « Tout va bien, Robby, tout va bien. Sors de la maison. »

J'ai pris une longue inspiration et lentement ouvert la porte de Robby.

La chambre était dans l'obscurité totale, à l'exception de la lune qui servait d'écran de sauvegarde de l'ordinateur. La fenêtre qui donnait sur Elsinore Lane était ouverte.

J'ai senti qu'il y avait du mouvement dans la pièce et au bout de quatre pas à l'intérieur, j'ai entendu quelque chose qui respirait avec difficulté.

« Qui êtes-vous ? » ai-je crié. La peur montait en moi. Je ne savais pas quoi faire. « J'ai un putain de flingue », ai-je hurlé inutilement (*dont tu ne sais pas te servir*, ricanait la chose dans mon imagination).

J'ai reculé et de ma main libre j'ai parcouru le mur jusqu'à ce que je trouve le commutateur.

Et c'est à cet instant que quelque chose m'a mordu la paume de la main. Il y a eu un sifflement et puis une sensation de piqûre dans la main.

J'ai crié involontairement et allumé.

Le bras tenant le pistolet tendu, j'ai balayé la pièce.

La seule chose qui bougeait, c'était le Terby qui avait atterri sur le sol et tangué avant de basculer sur le côté, ses yeux étranges fixés sur moi.

À côté de lui, une petite souris morte, qui avait été éventrée.

Mais il n'y avait rien d'autre dans la pièce et j'ai failli craquer en raison même du soulagement. J'ai dégluti avec difficulté et lorsque j'ai entendu le crissement des pneus, je me suis précipité vers la fenêtre ouverte.

La 450 SL crème a disparu au coin d'Elsinore Lane et de Bedford Street.

J'ai dévalé l'escalier, passé la porte d'entrée devant laquelle se tenaient Wendy et Robby et Sarah, interloqués. Wendy s'est penchée pour prendre Sarah dans ses bras et l'a serrée contre elle dans un geste protecteur.

« Vous avez vu cette voiture ? » J'étais hors d'haleine et j'ai senti brusquement que j'allais être malade.

Je me suis détourné d'eux pour me pencher vers la pelouse et vomir. Sarah s'est mise à pleurer. J'ai vomi une nouvelle fois – avec des spasmes violents, ce coup-ci. Je me suis essuyé la bouche du revers de la main qui tenait le pistolet, pour essayer de reprendre une contenance. « Vous avez vu quelqu'un monter dans cette voiture ? » ai-je redemandé, toujours essoufflé.

Robby me regardait avec un air dégoûté et il est rentré dans la maison.

« Tu es fou ! » a-t-il hurlé avant que je ne l'entende éclater en sanglots furieux.

« Je te hais ! » a-t-il crié, avec dans la voix une assurance et une certitude extraordinaires.

« Quelle voiture ? a demandé Wendy, les yeux écarquillés non pas de peur, mais d'une atroce incrédulité.

— La Mercedes. La voiture qui vient de partir dans la rue. » Je pointais le doigt vers la rue vide.

« Mr. Ellis – cette voiture ne faisait que passer. Qu'est-ce qu'il y a ?

— Non, non, non. Vous n'avez pas vu la personne monter dans cette voiture et filer ? »

Wendy regardait fixement quelque chose derrière moi. Je me suis brusquement retourné.

Jayne arrivait d'un pas lent vers nous, les bras croisés, l'air grave.

« Oui, que se passe-t-il, Bret ? » a-t-elle demandé posément, en s'approchant de moi.

J'ai cru qu'elle avait une expression de compassion sur le visage, puis j'ai vu qu'elle était furieuse.

« Wendy, pourriez-vous emmener Sarah dans sa chambre ? » J'ai avancé vers la baby-sitter, qui a reculé quand j'ai tendu la main vers Sarah, qui a détourné la tête, pleurant si fort qu'elle en bavait.

Jayne m'a frôlé en allant murmurer quelque chose à sa fille et ensuite à Wendy, qui a hoché la tête et emmené Sarah à l'intérieur. Encore essoufflé, j'ai essuyé la salive au coin de ma bouche alors que Jayne revenait vers l'endroit où j'étais, paralysé de fatigue. Elle a regardé le pistolet et puis, de nouveau, vers moi.

« Bret, que s'est-il passé ? » Elle avait toujours les bras croisés.

« J'étais assis dans le jardin des Allen à discuter avec les autres types et en levant les yeux vers la maison, j'ai vu quelqu'un dans notre chambre. » J'essayais de contrôler ma respiration, mais sans succès.

« Qu'est-ce que vous faisiez tous les quatre dehors ? » Elle a posé cette question sur le ton du professionnel qui connaît déjà la réponse.

« On passait le temps, on était simplement... » J'ai fait un geste en direction d'un truc invisible. « On passait le temps.

— Mais vous fumiez de l'herbe, non ?

— Ben, ouais, mais ce n'était pas mon idée... » Je me suis interrompu. « Jayne, il y avait quelque chose – un homme, je crois – dans notre chambre et il cherchait un truc, et je suis donc venu ici et je suis monté pour contrôler, mais il m'a bousculé pour entrer dans la chambre de Robby et...

— Regarde-toi. » Elle m'a coupé la parole.

« Quoi ?

— Regarde-toi. Tu as les yeux complètement rouges, tu es ivre, tu pues l'herbe et tu as terrorisé les enfants. » Elle parlait d'une voix basse et sous pression. « Mon Dieu, je ne sais plus quoi faire. Je ne sais vraiment plus quoi faire. »

Nous baissions la voix parce que nous étions sur la pelouse devant la maison, complètement exposés. Sans le vouloir, j'ai parcouru du regard le voisinage. Et puis, excédé de frustration, j'ai dit, « Attends un peu, tu es en train de me dire que c'est l'herbe qui m'a fait halluciner ce truc là-haut...

— Quel truc là-haut, Bret ? »

« Oh, putain. J'appelle la police. » J'ai cherché mon portable.

« Non. Sûrement pas.

— Et pourquoi pas, Jayne ? Il y avait dans notre maison quelque chose qui n'aurait pas dû s'y trouver. » Je continuais à faire des gestes en tous sens. Je croyais que j'allais me sentir mal de nouveau.

« Tu ne vas pas appeler la police. » Jayne a dit ça avec le calme de la décision sans appel. Elle a essayé de s'emparer du pistolet, mais je l'ai éloigné d'elle.

« Pourquoi est-ce que je n'appellerais pas la police ?

— Parce que je ne veux pas que les flics viennent ici et te voient dans cet état lamentable, en train de terrifier des enfants qui le sont déjà.

— Hé, attends un peu ? J'ai peur, Jayne. J'ai peur, OK ?

— Non, tu es pété, Bret. Tu es pété. Maintenant, donne-moi le pistolet. »

Je lui ai saisi le bras et elle m'a laissé l'entraîner vers la maison dont j'ai ouvert la porte d'entrée. Elle était derrière moi quand j'ai pointé le doigt vers la salle de séjour et le mobilier déplacé. Et puis vers les empreintes de pas, avec un air triomphal un peu malsain. J'attendais sa réaction. Elle n'est pas venue.

« J'ai déplacé ces meubles, Jayne. Ils n'étaient pas comme ça quand nous sommes sortis ce soir.

— Vraiment ?

— Non, Jayne, et ne prends ce putain de ton condescendant avec moi ! Quelqu'un les a bougés pendant que nous n'étions pas là. Quelqu'un est entré dans cette maison, a déplacé les meubles et laissé *ça*. » J'avais le doigt pointé vers les empreintes couleur cendre et je me suis rendu compte que je déblatérais et que j'étais trempé de sueur.

« Bret, je veux que tu me donnes ce pistolet. »

J'ai baissé les yeux. Mes phalanges étaient blanches à force de serrer le calibre 38.

J'ai respiré à fond et jeté un coup d'œil à la paume de mon autre main. La petite piqûre avait l'air de guérir toute seule.

Elle a pris calmement le pistolet et s'est remise à parler à voix basse, comme si elle s'adressait à un enfant. « Le mobilier a été déplacé pour la fête...

— Non, non, non – je l'avais remis en place ce matin, Jayne.

— ... et ces empreintes et la décoloration datent de la fête et j'ai déjà appelé le service de nettoyage...

— Bordel, Jayne – je n'ai pas rêvé tout ça, ai-je dit sur un ton dédaigneux, déconcerté par son refus de me croire. Il y avait une voiture garée devant la maison, et il y avait quelqu'un là-haut et...

— Où se trouve cette personne maintenant, Bret ?

— Il est parti. Il est monté dans la voiture et il est parti.

— Comment ?

— Qu'est-ce que tu veux dire ?

— Tu as dit que tu étais monté et que tu avais vu cette personne, et puis elle est sortie en courant et a grimpé dans une voiture ?

— Ouais, mais je ne pouvais pas le voir parce qu'il faisait trop sombre et...

— Elle a dû passer devant Wendy et les enfants donc, a dit Jayne. Ils ont dû la voir passer devant eux pour monter dans sa voiture, non ?

— Euh... non. Non... Je veux dire que je crois qu'il a sauté depuis la fenêtre de Robby... »

Une expression de dégoût a envahi le visage de Jayne. Elle s'est éloignée de moi, est entrée dans le bureau, a mis le pistolet au coffre et l'a refermé. Je l'ai suivie en silence, jetant des coups d'œil à droite et à gauche à la recherche d'indices du passage de quelqu'un dans la maison et du fait que cette vision n'était pas le résultat de la sangria et de la marijuana et des mauvaises vibrations en général qui, à présent, m'assaillaient sans fin. Jayne a commencé à monter. Je l'ai suivie parce que je ne savais pas quoi faire d'autre.

Les appliques dans le couloir étaient allumées, le baignant de sa lueur froide habituelle.

La porte de Robby était fermée et quand Jayne a essayé de l'ouvrir, elle s'est aperçue qu'elle était verrouillée.

« Robby ? a appelé Jayne. Chéri ?

— Maman – tout va bien. Va-t'en » est ce qui nous est parvenu de derrière la porte.

« Robby, laisse-moi entrer. Je veux te demander quelque chose », ai-je dit en essayant d'ouvrir la porte.

Mais il n'a jamais ouvert la porte. Il n'y a pas eu de réponse. Je n'ai pas réessayé de lui parler parce que je n'aurais pas supporté ce qu'aurait pu être sa réaction. De plus, le Terby était là-dedans, et la souris morte, et la fenêtre ouverte.

Jayne a soupiré en entrant dans la chambre de Sarah. Wendy l'avait mise au lit. Sous sa couette lavande, Sarah tenait cette horrible peluche et elle avait le visage illuminé de larmes. Je me suis consolé bêtement en me disant que les larmes allaient cesser, mais comment aurais-je pu lui demander à ce moment-là par quel miracle ce truc était passé de la chambre de Robby dans ses bras en si peu de temps ?

« Maman ! s'est exclamée Sarah d'une voix tremblante de terreur et de soulagement.

— Je suis là, a répondu Jayne sur un ton absent. Je suis là, chérie. »

J'allais suivre Jayne dans la chambre, mais elle m'a fermé la porte au nez.

Je suis resté sans bouger. Le fait qu'elle n'ait pas cru un mot de ce que je lui avais dit et s'éloigne de moi à cause de ça rendait la soirée encore plus terrifiante et intolérable. J'ai essayé de ramener le truc à de plus justes proportions, mais je n'ai pas pu. Désespéré, je suis resté devant la porte de la chambre de Sarah et j'ai essayé de déchiffrer les propos apaisants qui étaient murmurés à l'intérieur, et puis j'ai entendu un bruit en provenance d'un autre coin de la maison et j'ai cru que j'allais être malade de nouveau, mais lorsque je suis descendu, j'ai vu que ce n'était que Victor qui grattait à la porte de la cuisine, qui voulait rentrer et qui a changé d'avis. J'ai regardé à travers les vitres, à la recherche de la voiture, mais la rue était tranquille ce soir, comme toujours, et il n'y avait personne dehors. Qu'est-ce que je pouvais raconter à Jayne ou Robby et Sarah qui leur permettrait de me croire ? Tout ce que je voulais leur dire avoir vu ne servirait que de catalyseur pour mon expulsion de la maison. Tout ce que j'avais vu ne serait jamais cru par aucun d'eux. Et cette nuit-là, j'ai su qu'il me fallait rester dans cette maison. Qu'il me fallait être un participant. J'avais besoin d'être arrimé à la vie de la famille qui vivait ici. Plus que quiconque au monde, il me fallait être ici. Parce que cette nuit-là, j'en suis venu à croire que j'étais le seul qui pourrait sauver ma famille. Je me suis convaincu de ça au cours de cette douce nuit de novembre. Ce qui a provoqué cette prise de conscience avait moins à voir avec les ombres fantomatiques que j'avais vues arpenter la chambre pendant que j'étais pété dans le jardin des Allen, ou avec ce truc qui m'avait frôlé dans l'obscurité du couloir, ou encore avec le Terby et la souris morte, qu'avec un détail que je ne pourrais jamais partager avec Jayne (avec n'importe qui), parce que ç'aurait été la goutte d'eau. Ç'aurait été mon billet de départ. Le numéro de la plaque d'immatriculation de la 450 SL crème qui était garée devant notre maison quelques minutes plus tôt était exactement le même que celui de la 450 SL conduite pendant plus de vingt ans par mon père décédé.

13

Lundi 3 novembre
Soirée parents-professeurs

Je me suis convaincu que je n'avais rien vu. Je l'avais fait bien des fois (quand mon père m'avait frappé, quand j'avais rompu avec Jayne la première fois, quand j'avais fait une overdose à Seattle, chaque fois que je pensais me rapprocher de mon fils) et j'étais passé expert dans l'art d'éluder la réalité. Écrivain, il m'était plus facile de rêver le scénario le plus enviable que celui qui venait de se dérouler en fait. Et j'ai donc remplacé les quelque dix minutes de film – qui commençait dans le jardin des Allen et se terminait par la scène où j'étais dans la chambre de mon fils, un pistolet à la main, alors qu'une voiture surgie de mon passé disparaissait dans Bedford Street – par quelque chose d'autre. Peut-être que j'avais laissé mon esprit partir à la dérive en écoutant les voix discordantes pendant le dîner chez les Allen. Peut-être que la marijuana avait provoqué ces apparitions dont je pensais avoir été le témoin. Est-ce que je croyais à ce qui s'était passé la nuit dernière ? Et si oui, quelle différence cela pouvait bien faire ? Particulièrement si personne ne me croyait et s'il n'y en avait pas la moindre preuve ? Un écrivain a tendance à tordre tous les indices dans le sens des conclusions auxquelles il veut parvenir et il les incline rarement dans le sens de la vérité. Dans la mesure où la vérité du matin du 3 novembre était sans objet – dans la mesure où la vérité avait été déjà disqualifiée – j'étais libre d'envisager un autre film. Et comme j'étais très fort pour inventer des trucs et les détailler méticuleusement, leur donner la tournure et l'éclat nécessaires, j'ai commencé à monter un nouveau film avec d'autres scènes et une fin plus heureuse, où je ne me retrouvais pas tremblant dans la chambre d'amis, seul et apeuré. Mais c'est toujours ce que fait un écrivain : sa vie est un maelström de mensonges. L'embellissement est son point focal. C'est ce que nous faisons pour plaire aux autres. C'est ce que nous faisons pour nous fuir nous-mêmes. La vie physique d'un écrivain est au fond condamnée à l'immobilisme et pour combattre cette contrainte, un monde tout autre et un moi tout autre doivent être construits chaque jour. Le problème auquel j'ai été confronté ce matin-là : il me fallait trouver une alternative paisible à la terreur de la nuit dernière. Et pourtant le demi-monde de la vie de l'écrivain encourage l'idée que le drame et la douleur et la défaite sont bons pour l'art : si c'était le jour nous en faisions la nuit, si c'était l'amour nous le transformions en haine, la sérénité devenait chaos, la gentillesse devenait vice, Dieu, le diable, notre propre fille, une putain. J'avais été démesurément récompensé pour ma contribution à ce processus et le mensonge de ma vie d'écrivain – une sphère close de la conscience, un lieu suspendu, hors du temps, où les contre-vérités se répandaient sur la blancheur de l'écran vide – s'infiltrait souvent dans cette partie de moi-même tangible et vivante. Mais, j'en conviens, en ce troisième jour de novembre, j'en étais à un point où je croyais que les deux avaient fusionné et je n'étais plus capable de les distinguer.

Ou du moins c'est ce que je me suis raconté. Mais je n'en croyais rien. Je savais ce qui s'était passé hier soir.

Hier soir était la réalité.

Mais pour faire avancer les choses, pour me prouver que je n'étais pas en train de perdre la raison, j'avais besoin de rationaliser ce que j'avais vu. Cela a exigé un immense effort de concentration et d'équilibre que d'aller et venir entre l'illusoire et l'indubitable, ce que je savais vrai et réel, tout en espérant ne pas me décomposer sur le chemin qui menait de l'un à l'autre. Je me suis donc dit un certain nombre de choses, le 3 novembre. Il me fallait le faire parce qu'une nouvelle journée m'attendait et si je devais la traverser en gardant un semblant de santé mentale, la nuit dernière était à effacer. Coupe ce qui suit de l'œuvre en cours : le personnage que j'avais créé, un monstre, s'était évadé d'un roman. Convaincs-toi du fait qu'il n'était pas dans la maison hier soir (la Mercedes crème, c'était un peu plus délicat à cause de la plaque californienne). Fais comme si le Terby ne t'avait pas blessé (en dépit de la petite croûte sur la paume de ma main) et le détective qui est passé samedi n'avait dit que des conneries inquiétantes et confuses. Trouve un nouveau titre de chapitre, « La nuit qui n'a jamais eu lieu ». Dis-toi que tout ça n'était qu'un rêve. Hier soir, j'ai rêvé que, grâce à l'éclairage de la piscine, j'avais vu le Terby se dandiner près du massif de chrysanthèmes, se nourrissant délicatement d'une fleur d'oranger. Hier soir, j'ai rêvé cette image : j'errais dans la maison, endormi, vérifiant que chaque porte et chaque fenêtre étaient bien fermées. J'ai rêvé que la peluche s'était échappée des bras de Sarah et enfuie dans le jardin. Hier soir, j'ai rêvé que les bruits que j'avais entendus dans le couloir en provenance de ma chambre étaient ceux d'un enfant qui pleurait. Hier soir, j'ai rêvé qu'un autre écureuil était éventré sur la terrasse, les intestins répandus, et décapité. Hier soir, j'ai rêvé que je n'étais jamais allé à ce mariage à Nashville où j'avais vu Robby pour la première fois et où il m'avait pris la main en murmurant chut parce qu'il voulait me montrer quelque chose sous les buissons dans le jardin de l'hôtel. Et j'ai rêvé de la douce pente de la pelouse que nous avions traversée et de nos ombres qui suivaient nos pieds sur la pelouse, et j'ai rêvé que Robby m'emportait avec lui dans son élan, tout comme j'ai rêvé de mon père que je guidais par la main vers un groupe de palmiers à Hawaï pour lui montrer le lézard que Robby avait essayé de me montrer à Nashville, mais qui n'était pas là non plus. Grâce à ces rêves, l'équilibre requis pour passer cette journée a été rétabli. Grâce à cette suppression, la journée a été tellement plus facile. J'y ai glissé – en partie parce que j'étais épuisé par le manque de sommeil (cette nuit-là, je n'étais même pas parvenu au confort d'un simple assoupissement) et que je n'arrêtais pas d'avaler des Xanax, et en partie parce que l'écrivain m'avait convaincu que tout était normal, même si je savais que la tranquillité apparente de la journée serait de courte durée, un répit par rapport à l'obscurité totale qui approchait.

Mon plan initial, ce lundi-là, était de rester invisible jusqu'à ce que Jayne et moi partions pour Buckley à sept heures, le soir. Mais il était inutile de me cacher puisque les enfants étaient à l'école et Jayne au gymnase en ville pour préparer les scènes à retourner. Une fois la maison vide (à l'exception de Rosa qui passait l'aspirateur sur des empreintes de pas qui n'existaient pas), il a fallu que je m'occupe et j'ai donc inspecté les lieux.

Tout d'abord, j'ai regardé d'un œil distrait les journaux pour voir s'il y avait des informations nouvelles concernant les garçons disparus. Il n'y en avait pas. J'ai aussi cherché quelque chose qui se rapporterait à ce que Donald Kimball m'avait révélé. Sans succès.

Quand je suis entré dans notre chambre à coucher, je n'ai rien trouvé (mais qu'est-ce que je cherchais ? quel genre d'indice peut laisser un fantôme ?) et quand je me suis retrouvé devant la fenêtre, j'ai ouvert les stores vénitiens et observé le jardin des Allen et, pendant un bref moment, j'ai pensé me voir couché sur cette chaise longue et me regardant moi-même. Ça n'a été qu'un flash, mais soudain j'étais la silhouette de la nuit dernière, l'ombre que j'avais rêvée (dans le même flash, j'étais aussi devenu ce garçon assis à côté d'Aimee Light dans sa BMW). Je me suis déplacé dans la chambre pour répéter les mouvements de l'ombre, me demandant ce qu'il avait bien pu chercher. Rien ne semblait avoir disparu de mon placard ou de mes tiroirs, et il n'y avait pas de traces de pas sur le tapis (même si, dans mon rêve, il y en avait dans la salle de séjour, ainsi que dans mon bureau à présent). Je me suis finalement dirigé vers la porte de Robby et, encore une fois, j'ai hésité à entrer. Les griffures étaient toujours là, à droite sur le bas de la porte et il faudrait la repeindre et…

(*Je te hais.* Combien de fois l'avais-je dit à mon père ? Jamais. Combien de fois avais-je voulu le dire ? Des milliers.)

la souris avait disparu, parce que je l'avais rêvée, et la pièce ne contenait pas un seul détail ou indice ou rappel de ce que j'avais rêvé y avoir vu la nuit dernière. Des boîtes à moitié remplies de vêtements pour l'Armée du Salut trônaient devant le placard de Robby. La lune en écran de sauvegarde de l'ordinateur continuait à produire ses pulsations.

Une fois dans mon bureau, je ne suis pas parvenu à me concentrer sur mon roman et j'ai donc relu la scène dans *American Psycho* au cours de laquelle Paul Owen est assassiné et, de nouveau, j'ai été horrifié par les détails du crime – les journaux étalés sur le sol, l'imperméable porté par Patrick Bateman pour protéger son costume, la hache fendant la tête de Paul Owen, le sang éclaboussé et les sifflements que fait un crâne en se fracturant. Le truc qui me faisait le plus peur : et s'il n'y avait pas la moindre rage chez cette personne qui hantait le comté de Midland ? Et s'il avait planifié en toute sérénité ses crimes et les avait exécutés méthodiquement, avec un niveau d'émotion comparable à celui déclenché par le fait de pousser un chariot dans un supermarché tout en rayant des articles sur une liste ? Il n'y avait pas d'autre raison à ces crimes que le fait que celui qui les commettait aimait ça.

J'ai encore essayé de joindre Aimee Light. De nouveau, elle n'a pas décroché. De nouveau, je n'ai pas laissé de message. Je ne savais plus quoi dire, puisque j'avais maintenant rêvé qu'elle sortait du parking de Whole Foods pour s'engager sur Ophelia Boulevard, avec Clayton à ses côtés. Cela – au point où j'en étais – n'avait pas eu lieu le samedi après-midi.

Je n'ai pas vu Robby lorsqu'il est rentré de l'école et il n'est pas venu dîner en famille, préférant manger seul dans sa chambre, pour faire ses devoirs. Sarah, assise entre Jayne et moi, n'avait pas l'air affectée par les événements de la veille et pendant le repas, j'ai pu comprendre pourquoi : elle faisait partie du rêve.

J'ai mis un costume pour la soirée parents-professeurs. Je faisais l'effet d'être responsable. J'étais un adulte concerné qui avait très envie d'avoir des informations sur les progrès scolaires de son enfant. Ce qui suit est le dialogue que j'ai écrit pour la scène dans la chambre à coucher ce soir-là, mais que Jayne a refusé de jouer et réécrit.

« Qu'est-ce que je devrais mettre ? » ai-je demandé.

Après un long silence, « Je crois qu'un sourire suffirait.

— Alors je peux y aller en idiot à poil qui sourit ? »

Marmonné, à peine audible : « Tout ce que tu as à faire, c'est hocher la tête et sourire pendant dix minutes devant quelques professeurs et faire la connaissance du principal. Tu peux y arriver sans être pris de panique ? Sans sortir un flingue ? »

Sur un ton contrit : « Je vais essayer.

— Laisse tomber le petit sourire satisfait. »

Jayne a conféré avec Marta de l'heure de notre retour.

Jayne ne se rendait pas compte à quel point je prenais les choses au sérieux.

Nous avons pris la Range Rover et nous sommes restés silencieux jusqu'à l'école, sauf lorsque Jayne m'a rappelé que nous avions rendez-vous avec le Dr Faheida demain soir. Je me suis retenu de demander pourquoi nous n'y allions pas le mercredi comme d'habitude, parce que dans le rêve ça n'avait plus aucune importance.

À Buckley, il y avait des gardes de sécurité partout. Ils étaient à l'entrée pour inspecter les voitures avec leurs torches et contrôler les noms sur leurs listes. Au parking, d'autres gardes de sécurité – certains armés – ont insisté pour voir une pièce d'identité. L'école de Buckley, de la maternelle à la terminale, ne dépassait pas les six cents élèves (chaque classe avait une quarantaine d'élèves) et, ce soir-là, seuls les parents des enfants de l'école primaire étaient invités et on aurait dit qu'ils étaient tous venus. Le campus était envahi de jeunes couples bien habillés et Jayne a eu droit aux regards attendus. Près du stand Starbuck qui avait été installé devant la bibliothèque, nous sommes tombés sur Adam et Mimi Gardner, et dès qu'il est devenu évident qu'ils m'ignoraient et que personne ne ferait allusion à la nuit dernière, j'ai compris qu'ils faisaient eux aussi partie du rêve.

L'école était élégante, d'allure industrielle avec de grandes portes en acier qui vous surplombaient où que vous alliez, et le campus était entouré d'une immense quantité de feuillage. Les arbres abritaient l'école – elle était cachée dans une forêt. Dans ces bois, il y avait une série de modules – des rangées de bungalows anonymes avec de toutes petites fenêtres comme des meurtrières, dans lesquels se trouvaient la plupart des salles de classe. L'architecture était tellement minimaliste qu'elle en acquérait une sorte de glamour déconcertant. Et tout était fondé sur le contrôle, sans que ce soit pour autant source de claustrophobie, même avec tous les ormes et les fourrés qui entouraient l'école. C'était réconfortant et même gai. C'était indéniablement une petite école très chic. Le gymnase était un bâtiment élancé où nous nous sommes assis sur des gradins en béton pour écouter le principal faire un discours succinct mais étudié sur l'efficacité et l'organisation, sur le lien entre l'esprit et la spiritualité, sur la sécurité et le défi, sur le désir de nos enfants d'une expérience accrue de l'inconnu. La conférence qui a suivi était donnée par un pédiatre comportementaliste, qui avait fait plusieurs apparitions à la télévision, un Canadien aux cheveux gris et à la voix douce, qui a proposé, à un moment donné, une journée « Apportez votre peluche à l'école ». Et après les applaudissements sporadiques, nous sommes allés rencontrer brièvement les professeurs. On nous a montré les travaux de Robby en classe de dessin (que des paysages lunaires) et on nous a dit ce qui était positif (pas grand-chose) et ce qui devait progresser (j'ai décroché). L'institutrice qui travaillait avec Sarah sur ses aptitudes au langage et à la reconnaissance des mots et au calcul élémentaire a expliqué qu'à Buckley on s'occupait des besoins affectifs des élèves autant que de leurs besoins éducatifs, et après avoir souligné que les enfants ne sont pas immunisés contre le stress, elle a suggéré que nous inscrivions Sarah et Robby à un séminaire de consolidation de la confiance en soi, et on nous a donné un dépliant rempli de photos de marionnettes habillées dans des couleurs clinquantes et de conseils relatifs aux techniques de relaxation, telles que savoir faire des bulles avec du chewing-gum (« une respiration stabilisée produira un souffle constant »), et une liste de livres à lire sur la manière positive de penser, des textes pour aider les enfants à trouver « la paix intérieure ». Lorsque Jayne a commencé à protester, sur un ton charmant, on nous a dit, « Miss Dennis, les enfants sont stressés non parce qu'ils ne sont pas invités au bon goûter d'anniversaire ou parce qu'ils sont physiquement menacés par le dur de la classe, mais, euh, parce que leurs parents eux-mêmes sont stressés ». Jayne a recommencé à protester, sur un ton moins charmant cette fois, et a été interrompue par un « La façon dont un parent fait face au stress est un bon indicateur de la façon dont, euh, un enfant pourra y faire face ». Nous ne savions que répondre à cet argument et l'institutrice a ajouté, « Saviez-vous que 8,5 % des enfants de moins de dix ans ont tenté de se suicider, l'année dernière ? », ce qui m'a rendu complètement silencieux pour la suite des rencontres. J'ai entendu un autre instituteur dire à un couple soucieux, « C'est peut-être la raison pour laquelle votre enfant pourrait connaître des difficultés dans ses rapports interpersonnels », et il montrait au couple un dessin d'un ornithorynque qu'avait fait leur fils, en leur disant qu'un ornithorynque normal devait avoir l'air « moins dérangé ». À un moment donné, Jayne a murmuré tout doucement, « Je fais du yoga », et nous avons lu une rédaction écrite par Sarah, intitulée « J'aimerais être un pigeon », qui a fait éclater en sanglots Jayne, et j'ai regardé sans dire un mot les dessins du Terby – il y en avait des douzaines – furieux dans ses attaques en piqué sur une maison qui ressemblait à la nôtre. On offrait aux parents des « paniers antistress » qui contenaient, entre autres, un livre intitulé *Une mauvaise herbe peut être transformée en fleur*. Ces rencontres m'avaient profondément affecté. J'avais, plus que jamais, besoin d'un verre. Le rêve était fêlé et il fallait qu'il continue de sombrer en moi. Je n'avais pas d'autre recours que d'adresser des sourires sombres à tout le monde.

Finalement, au cours de la réception dans la bibliothèque, après quatre verres d'un mauvais chardonnay, j'ai dû m'excuser et quitter la réunion.

Dehors, j'ai fait un petit signe de la tête au garde armé qui patrouillait sur le perron de la bibliothèque et je lui ai demandé s'il avait une cigarette. Il a simplement répondu « Non » et qu'il était interdit de fumer dans le périmètre de l'école. J'ai essayé de faire une plaisanterie, mais le garde n'a pas souri quand il s'est éloigné de moi et a disparu dans l'obscurité. L'ornithorynque normal, ai-je pensé, en déambulant. L'ornithorynque normal.

La bibliothèque avait trois niveaux et délimitait sur tout un côté une large esplanade. Ses fenêtres étaient des panneaux translucides laissant passer une douce lueur blanche qui se répandait dans l'obscurité. De là où je me trouvais, je pouvais voir les ombres des parents qui fourmillaient, leurs murmures à l'intérieur du bâtiment fournissant la bande-son un peu lointaine, et derrière eux les alignements d'étagères qui découpaient l'espace. Sur l'esplanade, une statue de bronze, le Griffon de Buckley, la mascotte moitié aigle, moitié lion, de l'école, qui s'élevait à quatre mètres de haut, les ailes déployées, prêt à s'envoler de sa plate-forme. J'ai descendu les marches pour aller observer le griffon de plus près et pour m'isoler un peu, mais au moment où j'ai cherché mon portable dans ma veste (appeler Aimee Light avait toujours fait partie de mes projets pour la soirée), j'ai vu une silhouette, enveloppée par la pénombre, affalée sur un banc, et lorsque que je me suis approché, elle a prononcé mon nom. J'ai hésité en découvrant que c'était Nadine Allen – regardant autour de moi pour m'assurer que le mot « Bret » m'était bien adressé, espérant vainement qu'il ne le fût pas – mais elle a répété le prénom d'une voix lasse et monocorde, et j'ai soupiré en continuant à m'approcher d'elle.

Sans rien dire, je me suis assis près de Nadine sur le petit banc en saillie le long d'un mur en granit. Je regardais vaguement la bibliothèque, ignorant Nadine, mais un mouvement m'a forcé à jeter un coup d'œil vers elle. Elle portait à ses lèvres un gobelet en plastique à moitié rempli de vin blanc, le dos appuyé contre le mur en granit, et j'étais soulagé de la voir ivre, parce que cela prolongerait le rêve qui était projeté sur le grand écran où il constituait une alternative rassurante à ce qui se passait réellement.

Sur l'esplanade, une petite cascade éclaboussait un bassin artificiel où j'ai aperçu les éclats orangés de carpes japonaises. Des arbres se balançaient au-dessus de nous et une vigne vierge, épaisse et drue, tapissait les murs de granit qui nous entouraient, éclairée en jaune et vert par les projecteurs encastrés dans le sol. Nadine a serré sa veste contre elle, même s'il faisait doux (des nuages de pluie avaient cependant commencé à obscurcir la lune), et elle a terminé son verre et puis, sans rien dire, s'est penchée contre moi et je l'ai laissée faire. C'était une jolie femme, juvénile pour son âge, et je l'ai observée pendant qu'elle effleurait des mèches décolorées de ses cheveux. Et comme elle ne disait toujours rien, j'ai tourné les yeux vers la statue de bronze du griffon. Le silence de Nadine a fini par me décontenancer et je me suis préparé à une conversation insignifiante (oh, est-ce qu'elles ne le sont pas toutes ?) à propos du dîner de la veille, quand elle a brusquement dit quelque chose. Je n'ai pas bien compris et je lui ai demandé de répéter les mots qu'elle venait de prononcer. Sa tête a basculé contre mon épaule et elle a gloussé.

« Ils vont à Neverland. »

Je suis resté silencieux et j'ai déplacé mon épaule, ce qui a obligé Nadine à se redresser lentement. Je me suis tourné pour voir son visage. Elle avait les yeux mi-clos et un sacré coup dans le nez. J'allais consacrer les soixante secondes à venir à la conversation et puis je quitterais tranquillement l'esplanade.

« Qui… va à Neverland ?

— Les garçons. Ils vont à Neverland. »

Je me suis éclairci la voix. « Quels garçons ?

— Les garçons qui disparaissent. Tous. »

J'ai réfléchi. Elle attendait une réponse de ma part. J'ai essayé de faire le lien.

« Tu crois que… *Michael Jackson* a quelque chose à voir dans tout ça ? »

Nadine a gloussé de nouveau et s'est appuyée contre moi, mais je n'ai rien ressenti de sexuel parce que l'évocation des garçons disparus commençait à tout envelopper autour de nous.

« Non… pas Michael Jackson, idiot. » Et elle a soudain cessé de glousser. Elle a fait un geste en l'air des mains, imitant un gros oiseau ivre. Elle s'est penchée en avant et s'est mise à se balancer. « Neverland… dans *Peter Pan*. C'est là que vont les garçons. » L'imitation de l'oiseau avait exigé un gros effort et elle s'est appuyée contre le mur, le regard un peu perdu. Son visage – égaré, très maquillé, les yeux en amande figés, ce soir – était éclairé par la lumière verdâtre du projeteur encastré dans le sol.

« Qu'est-ce que tu veux dire, Nadine ?

— Ce que je veux dire ? » Elle a retrouvé sa lucidité trop rapidement. Le ton était cassant. Peut-être que j'avais l'air effrayé et qu'elle s'était sentie, de ce fait, repoussée. « Tu veux savoir ce que je veux dire, Bret ? »

J'ai soupiré en m'adossant au mur. « Non. Pas vraiment. Non, Nadine. Je ne veux pas.

— Pourquoi pas ? » Mon aveu semblait l'avoir agitée et l'indignation dans sa voix n'était pas provoquée par l'ivresse, mais par la peur. « Ce que je veux dire, Bret, ce que je veux dire… » et elle a respiré profondément, avec un drôle de son étouffé « … ce que je veux dire, c'est que personne ne les emmène nulle part. »

J'ai hoché la tête, l'air pensif, comme si j'y réfléchissais, et puis j'ai dit, « Désolé, mais ça n'évoque rien pour moi, Nadine.

— Ce que je veux dire… » elle affichait son mépris « … ce que je veux dire, c'est qu'il faut que tu saches ceci… » Elle s'est penchée sur le côté du banc et j'ai été choqué de la voir ramasser une bouteille de vin presque vide. Nadine avait volé une bouteille de Chardonnay Stonecreek à la réception et l'avait sifflée dans la cour de l'école de ses enfants. Elle a versé soigneusement ce qu'il en restait dans son verre en plastique. J'aurais pu rire si je n'avais pas été de plus en plus angoissé par la vigne vierge s'enroulant autour de nous. Soudain, j'ai eu peur. Je perdais le signal émis par le rêve. Et je comprenais que le comportement de Nadine n'était pas provoqué par l'alcool, mais par une angoisse précise qui devenait incontrôlable. « Ce que je veux dire… » elle a bu une gorgée et fait la moue « … c'est qu'aucun d'entre eux ne reviendra jamais.

— Nadine, je crois que nous devrions aller chercher Mitchell, d'accord ? » est tout ce que j'ai réussi à dire.

« Mitchell, Bret, est à côté de ta femme, pendant que Cameron, le principal, se fait photographier avantageusement avec elle. » La façon qu'a eue Nadine de dire ça a libéré quelque chose, sans parvenir à clarifier quoi que ce soit – ça n'a fait qu'ajouter à la confusion. Soudain, dans son phrasé et son insistance sur certains mots, toutes nos relations avaient été redéfinies. Le rêve s'enfuyait.

Nadine sirotait son vin et fixait quelque chose d'invisible dans l'obscurité. La vigne vierge bruissait autour de nous. J'ai évité de regarder Nadine et je me suis levé. Elle avait été silencieuse depuis un moment et je pensais qu'elle ne le remarquerait même pas, mais sa main a surgi et empoigné mon avant-bras, me tirant vers elle. Elle me dévisageait à présent – les yeux terrifiés – et j'ai dû détourner la tête. Ce rêve que j'avais soigneusement élaboré était en train de fondre. Il fallait que je quitte Nadine avant qu'il n'ait entièrement disparu, avant qu'il ne soit consumé par la folie d'un autre. Il était en train de devenir le rêve de Nadine, mais l'urgence avec laquelle elle le renvoyait vers moi avait cette horrible texture de la vérité. À l'instant où je me suis rassis, elle a soufflé rapidement, « Je crois qu'ils nous quittent ».

Je n'ai rien dit. J'ai dégluti avec difficulté et je me suis pétrifié.

« Ashton rassemble des informations sur les garçons. » Nadine me tenait toujours l'avant-bras et elle me dévisageait en hochant la tête. « Oui. Il y a un dossier sur son ordinateur et il ne sait pas que je l'ai trouvé. Il rassemble des informations sur les garçons… » a-t-elle dit dans un souffle « … et il les échange avec ses amis…

— Ça ne me regarde vraiment pas, Nadine.

— Mais si, Bret. Bien sûr que ça te regarde.

— Et pourquoi, Nadine ? »

Soudain, je l'ai haïe de me confesser tout ça et j'ai de nouveau voulu m'éloigner, mais je n'ai pas pu. Elle a baissé la voix et regardé tout autour de nous pour voir si quelque chose dans l'obscurité nous écoutait, comme s'il y avait eu un risque à faire la confession qu'elle me faisait.

« Parce que Robby est un des garçons avec lesquels il échange ces informations. »

Je suis resté silencieux pour pouvoir respirer. Tout a commencé à déraper à partir de là.

« De quoi parles-tu, Nadine ? » J'ai essayé de me défaire de son emprise.

« Tu ne comprends pas, Bret… » elle était presque à bout de souffle « … il y a des centaines de pages consacrées à ces garçons qu'Ashton a téléchargées. »

Je la sentais trembler quand j'ai pu dégager mon bras et m'éloigner.

« Il leur envoie des e-mails, Bret. » Nadine l'a dit si fort qu'il y a eu un écho dans la cour vide.

« Il envoie des e-mails à qui ? » Je ne pouvais pas m'arrêter. Il fallait que je pose la question.

« Il envoie des e-mails à ces garçons. »

J'ai cessé de m'éloigner et puis, contraint par la peur, je me suis lentement tourné pour lui faire face.

« Il connaissait… certains des garçons qui ont disparu ? »

Nadine me regardait fixement. J'ai eu le sentiment que si elle répondait oui, tout allait s'effondrer autour de moi.

« Non. Il n'en connaissait aucun. »

J'ai soupiré. « Nadine…

— Mais il leur a envoyé des e-mails après leur disparition. C'est ça que je n'ai pas compris. Il leur a envoyé des e-mails *après* qu'ils ont disparu. »

Il m'a fallu un certain temps pour demander, « Comment le sais-tu ?

— J'en ai trouvé un, l'autre jour. » Elle s'était redressée, oubliant l'effet du vin, reprenant contenance. Elle venait de comprendre qu'elle avait un interlocuteur dans cette conversation. « C'était codé en quelque sorte et il l'a fait suivre à Robby. » Elle essayait de m'expliquer tout ça avec des gestes. « Un message qu'il a envoyé à Cleary Miller et un autre à Eddie Burgess, et quand j'ai vérifié les dates, j'ai bien vu qu'ils avaient été envoyés après leur disparition, Bret. C'était après – tu comprends ? » De nouveau, elle était essoufflée. « J'ai trouvé ça dans un dossier du compte AOL d'Ashton, mais je n'avais pas la moindre idée de ce que cela signifiait ou de la raison pour laquelle il faisait ça, et quand j'ai eu une conversation à ce sujet avec lui, il a hurlé que c'était une invasion de sa vie privée… et maintenant… enfin, la dernière fois que j'ai regardé, le dossier et les e-mails n'y étaient plus… » Et à l'instant même où elle semblait retrouver sa lucidité, Nadine a craqué et éclaté en sanglots. J'étais vaguement conscient du fait qu'elle me serrait le poignet. Je me suis souvenu du visage sillonné de larmes d'Ashton, la veille, et du fait que Nadine n'avait cessé de s'excuser pour aller le voir. Combien d'autres personnes avaient été les cibles de sa paranoïa ? Elle voulait me faire croire une théorie démente qu'elle était incapable de prouver.

J'ai essayé de la calmer en jouant son jeu. « Donc Ashton a écrit aux garçons à Neverland, c'est ça ?

— C'est ça. » Elle a ravalé un nouveau sanglot. « Aux garçons perdus. » Ses yeux suppliaient et son expression tendue se transformait en soulagement parce que quelqu'un la croyait enfin.

« Nadine, tu en as parlé à Mitchell ? ai-je demandé sur un ton apaisant, mais j'étais tellement surexcité que ma voix était à la fois aiguë et fêlée. As-tu pris contact avec la police pour leur parler de cette théorie ?

— Ce n'est pas une théorie. » Elle a secoué la tête comme une petite fille. « Ce n'est pas une théorie, Bret. Ces garçons n'ont pas été enlevés. Il n'y a pas eu de demandes de rançon. On n'a pas retrouvé de corps. » Elle fouillait dans son sac et en a sorti un mouchoir. « Ils ont un plan. Les garçons ont un plan. Je crois qu'ils ont ce plan. Mais pourquoi ? Pourquoi ont-ils un plan ? Je veux dire qu'il n'y a pas d'autre explication. La police ne sait rien. Tu sais ça, Bret ? Ils n'ont rien. Ils… »

Je lui ai coupé la parole. « Où sont les garçons, Nadine ?

— Personne ne le sait. » Elle a respiré en frissonnant. « C'est le problème. Personne ne le sait.

— Eh bien, peut-être que si nous leur parlions, à Ashton et à…

— Ils mentent. Ils vont te mentir…

— Mais si…

— Tu ne trouves pas que les enfants agissent de façon étrange depuis quelque temps ? a-t-elle demandé, me coupant la parole.

— De… quelle manière ?

— Je ne sais pas… » Maintenant qu'elle avait confessé le pire, je pensais qu'elle allait se détendre et se comporter de manière moins furtive, mais ses mains tordues froissaient le Kleenex en tous sens. « Secrets… et… et… pas disponibles ? » Elle avait dit ça sur le ton d'une question à laquelle je devrais répondre, puis elle s'était enfermée dans son rêve.

« Nadine, ce sont des garçons de onze ans. Ce ne sont pas des comédiens. Les garçons à cet âge sont rarement très ouverts. J'étais pareil à leur âge. » Je voulais simplement continuer à parler. Je voulais simplement dire quelque chose qui couvrirait sa voix.

« Non, non, non… » Elle avait les yeux fermés et secouait la tête violemment. « C'est différent. Ils ont un plan. Ils…

— Nadine, allez, lève-toi.

— Tu ne comprends pas ? Tu ne piges pas ? » Elle avait élevé la voix. « Si nous ne faisons pas quelque chose, nous allons les perdre. Tu ne peux pas comprendre ça ?

— Nadine, s'il te plaît, allons chercher Mitch... »

Elle m'a saisi le bras de nouveau, ses mains tiraient sur la manche de ma veste. Elle respirait avec difficulté.

« Nous allons les perdre si nous ne faisons pas quelque... »

Le rêve fonçait dans la direction opposée, se réécrivant tout seul. J'essayais de soulever Nadine du banc en granit, mais elle pesait de tout son poids pour demeurer assise. Et soudain elle a crié « Lâche-moi ! » et s'est dégagée. Je suis resté là, respirant avec difficulté moi aussi, ne sachant où aller. Je m'efforçais de recoller les bribes d'information.

Et puis : une interruption.

« Tout va bien là-bas ? » a clamé une voix dans notre direction.

J'ai levé la tête. Le garde armé à qui j'avais demandé une cigarette était debout contre une rampe et scrutait la cour, avant de braquer le faisceau de sa torche sur mon visage. En me protégeant les yeux de la main, j'ai dit, « Oui, oui, tout va bien », le plus courtoisement possible. De là où j'étais, l'énorme tête du griffon flottait juste au-dessous de lui.

« Madame ? » a demandé le garde, déplaçant le faisceau sur elle.

Nadine a repris une contenance, s'est mouchée. Elle s'est éclairci la gorge, a plissé les yeux pour voir le garde et dit, en souriant, d'une voix un peu bloquée et faussement enthousiaste, « Tout va bien, tout va bien, merci beaucoup ». La lumière a été captée par le masque de Nadine, avant que le garde, qui nous observait indécis, ne reprenne enfin sa ronde. L'interruption provoquée par la venue du garde avait apporté un air de réalité à la scène et décidé Nadine à se lever et, sans un regard vers moi, à se diriger rapidement vers le perron, comme si elle avait eu honte à présent de ce qu'elle avait confessé. D'un certain point de vue, je l'avais rejetée et la gêne était trop grande pour être tolérée. La tentative d'aventure avait échoué. C'était un coup de poker qui n'avait pas marché. Il était temps de rentrer. Elle ne me reparlerait plus jamais de tout ça.

« Nadine ». Je la suivais d'un pas chancelant.

J'ai gravi les marches derrière elle et essayé de la rejoindre, mais elle marchait trop vite, bondissant jusqu'au sommet du perron où se trouvait Jayne, qui attendait.

Nadine a jeté un coup d'œil à ma femme et souri, puis continué rapidement vers l'entrée de la bibliothèque.

Jayne a fait un petit signe de tête, aimablement. Il n'y avait rien d'accusateur dans l'attitude de Jayne – elle étouffait un bâillement tout simplement et elle a brièvement froncé les sourcils quand Nadine l'a ignorée. À la vue de Jayne, mon rêve a commencé à revenir et, titubant jusqu'en haut des marches, j'ai tendu les bras, laissant le rêve me submerger, et je l'ai embrassée, sans me soucier du fait qu'elle refusait de me serrer dans ses bras.

Et pendant le trajet de retour vers la maison d'Elsinore Lane, au-dessus du tableau de bord, à travers le pare-brise, sur tout l'horizon dans l'obscurité, je voyais se détacher des citrus nouvellement plantés le long de l'autoroute, et les citrus surgissaient tout au long du trajet, avec de temps en temps un palmier sauvage, dont la frondaison était à peine visible dans la brume bleutée, et l'odeur de l'océan Pacifique, curieusement, avait envahi la Range Rover en même temps qu'Elton John qui chantait *Someone Saved My Life Tonight*, alors que la radio n'était pas même allumée, et puis il y a eu la rampe de sortie et le panneau au-dessus indiquant SHERMAN OAKS en lettres scintillantes, et j'ai pensé à la ville que j'avais abandonnée, sur la côte Ouest, et je me suis rendu compte qu'il était inutile de le signaler à ma femme, qui conduisait, parce que le pare-brise s'est tout à coup fragmenté avec la pluie, dissimulant les cactus et les palmiers partout maintenant le long de la route, et au-dessus d'eux la géométrie d'une constellation venue d'une lointaine zone du temps, et je me suis rendu compte qu'il était tout aussi inutile de le signaler à Jayne puisque, au bout du compte, je n'étais que le passager.

14

Les enfants

En montant lentement vers la chambre de Robby, je pouvais entendre, en provenance de son ordinateur, le bruit amorti des balles transperçant les zombies, pensais-je. En haut de l'escalier, je me suis arrêté, troublé, parce que sa porte était ouverte, ce qui ne se produisait jamais, et c'est alors que j'ai compris que Robby ne nous avait pas entendus puisque Jayne et moi étions entrés dans la maison sans nous parler (elle s'était éloignée de moi en silence pour déposer le panier antistress qu'on nous avait offert dans le bureau de Marta). Approchant de la porte ouverte, j'ai de nouveau hésité parce que je ne voulais pas le surprendre. J'ai prudemment jeté un coup d'œil dans la chambre et la première chose que j'ai remarquée, c'était Sarah couchée sur le lit de son frère, le regard perdu, pendant qu'elle berçait le Terby. Robby était assis en tailleur par terre devant la télévision, me tournant le dos, manœuvrant le joystick, se cognant dans un nouveau couloir sombre d'un nouveau château médiéval. Pendant que j'observais la chambre, cette pensée immédiate : le mobilier était disposé comme il l'avait été dans la chambre de mon enfance à Sherman Oaks. La disposition était absolument identique – le lit contre le mur adjacent au placard, le bureau sous la fenêtre qui donnait sur la rue, la télévision sur une table basse près d'une étagère qui contenait la stéréo et les livres. Ma chambre était bien plus petite et moins élaborée (je n'avais pas mon propre réfrigérateur), mais les tonalités beige et terre dans la palette des couleurs étaient exactement les mêmes, et les lampes qui se trouvaient sur les tables de nuit de part et d'autre du lit étaient les parfaites répliques de celles que j'avais eues, même si l'élément kitsch de celles de Robby était jugé cool aujourd'hui, alors que mes lampes du milieu des années 1970 étaient considérées par mes parents comme le comble du chic plouc déjà dépassé. J'ai laissé tomber les décennies qui séparaient la chambre de Robby de la mienne et je suis revenu au présent quand mon regard est tombé sur son ordinateur. Sur l'écran, entouré de texte, se trouvait le visage d'un garçon et il avait un air familier (en quelques secondes, je me suis rendu compte que c'était Maer Cohen) et ce visage m'a poussé à entrer tranquillement dans la chambre, sans être remarqué jusqu'à ce que Sarah abandonne la télévision pour dire, « Papa, tu es rentré ».

Robby s'est figé et puis s'est levé rapidement, laissant tomber le joystick sur le sol sans y prêter attention. Sans me regarder, il est allé jusqu'à l'ordinateur et a tapé sur une touche, effaçant le visage de (j'en étais certain à présent) Maer Cohen. Et lorsque Robby s'est retourné, il avait les yeux brillants et vifs, et j'ai été tellement désarmé par son sourire que j'ai failli ressortir de la chambre. J'ai commencé à sourire à mon tour, avant de me dire : il joue la comédie. Il voulait me distraire de ce qui était à l'écran et il jouait la comédie à présent. Toute trace du « Je te hais » de la veille avait disparu et il était difficile de le dévisager sans suspicion – mais qu'est-ce qui revenait à Robby et qu'est-ce qui me revenait dans cette affaire ? Un silence pesant s'est installé.

« Salut, a dit Robby. C'était comment ? »

Je ne savais que répondre. J'étais maintenant mon père. Robby était maintenant moi. Je voyais mes traits se refléter dans les siens : les cheveux châtain foncé, le grand front plissé, les lèvres épaisses dans une moue à la fois pensive et excitée, les yeux noisette agités par une stupéfaction à peine dissimulée. Pourquoi ne l'avais-je pas remarqué avant qu'il ne fût perdu pour moi ? J'ai baissé la tête. Il m'a fallu un moment pour traiter ce dont il me parlait. J'ai haussé les épaules et dit, « C'était… bien ». Encore un moment pour m'apercevoir que j'avais toujours les yeux fixés sur l'ordinateur devant lequel il se tenait. Robby a regardé par-dessus son épaule, geste étudié qui me rappelait qu'il était temps de mettre fin à cette intrusion et de partir.

J'ai haussé les épaules de nouveau. « Euh, je voulais seulement savoir si vous vous étiez, euh, vous savez, brossé les dents, tous les deux. » La demande était tellement grotesque, si peu mon genre, que j'en ai rougi.

Robby a hoché la tête, toujours devant l'ordinateur, et dit, « Bret, j'ai regardé un truc sur la guerre, ce soir, et j'ai besoin de savoir quelque chose.

— Ouais ? » J'aurais voulu qu'il soit vraiment intéressé par ce qu'il avait « besoin » de savoir, mais je savais que ce n'était pas le cas. Il y avait un truc bizarre dans sa curiosité, quelque chose de vengeur. Mais j'avais vraiment envie d'établir un contact et je me suis plu à croire qu'il n'était pas en train de me distraire de ce qu'il ne voulait pas que je sache. « Et c'est quoi, Rob ? » J'ai essayé de paraître concerné, mais ma voix est restée plate.

« Est-ce que je serai mobilisé un jour ? a-t-il demandé en penchant la tête sur le côté, comme s'il avait sincèrement souhaité une réponse de ma part.

— Euh, je ne crois pas, non, Robby, ai-je dit en me déplaçant au ralenti vers le lit sur lequel était couchée Sarah. Je ne suis même pas sûr que la conscription existe encore.

— Mais ils parlaient de la rétablir, a-t-il dit. Et si la guerre dure encore quand j'aurai dix-huit ans ? »

Mon esprit a cherché un moment avant de trouver : « La guerre ne durera pas si longtemps.

— Mais si elle dure encore ? »

C'était lui le professeur à présent et moi, l'étudiant manipulé, et il m'a donc fallu m'asseoir sur le bord du lit afin de me concentrer complètement sur la façon dont cette scène était en train de se déployer. C'était la première fois depuis que j'étais venu m'installer ici que Robby engageait une conversation avec moi, et lorsque j'ai essayé d'en trouver la raison, mon estomac a fait un bond : et si Ashton Allen avait été en contact avec lui ? Et si Ashton l'avait mis en garde après la découverte des soi-disant e-mails par Nadine ? Mes yeux scrutaient la pièce à la recherche d'indices. J'ai vu les deux boîtes à moitié pleines de vêtements pour l'Armée du Salut et j'ai eu du mal à déglutir, en luttant contre le petit mouvement de panique auquel je commençais à m'habituer. J'ai compris que c'était une scène qui avait été tellement répétée que je pouvais en prédire les dernières répliques. Je me suis retourné vers Robby et je n'ai pas pu m'empêcher de sentir que, derrière l'indifférence, il y avait du dégoût et au-delà du dégoût, de la rage.

Il a eu l'air de sentir mes soupçons quand je me suis retrouvé à contempler les boîtes et il a redemandé, sur le ton de l'urgence, « Mais si elle dure encore, Papa ? »

Mes yeux se sont fixés sur lui à toute vitesse. Le « Papa » ne sonnait pas juste. Il jouait la comédie et mon instinct me disait de jouer avec lui, puisque c'était la seule façon pour moi d'obtenir des réponses. Je voulais écraser les faux arguments et en venir à une vérité plus vaste – quelle qu'elle soit. Je ne voulais rien accepter de lui en utilisant un subterfuge ; je voulais qu'il soit honnête avec moi. Mais même s'il ne faisait qu'appliquer une procédure, c'était lui qui avait engagé la conversation et je voulais qu'elle se poursuive.

« Écoute, tu ne veux pas… mourir pour ton pays », ai-je dit lentement, l'air pensif.

Au mot de « mourir », Sarah a cessé de jouer avec sa peluche et m'a jeté un regard inquiet.

« Bon, et qu'est-ce que je devrais faire alors ? Si je suis mobilisé ? »

Long silence pendant lequel j'ai élaboré ma réponse. J'ai essayé de donner un conseil simple, pratique, mais lorsque j'ai vu du coin de l'œil les boîtes de l'Armée du Salut, je me suis durci tout à coup et j'ai décidé de ne plus jouer le jeu. Je me suis éclairci la voix et, en le regardant droit dans les yeux, j'ai dit, « Je prendrais la fuite ».

Au moment où j'ai dit ça, la fausse lumière qui animait Robby s'est éteinte en une seconde, et avant que je ne puisse recadrer ma réponse, il s'était déjà complètement refermé.

Il savait que je le défiais. Il était toujours devant l'ordinateur et je voulais lui dire qu'il pouvait bouger, que le visage du garçon disparu n'était plus sur l'écran et qu'il n'avait plus besoin de cacher ce qui n'était plus là. Impuissant, j'ai regardé Sarah – qui parlait tout bas à sa peluche – et de nouveau, Robby.

« Pourquoi ta sœur est-elle ici ? »

Robby a haussé les épaules. Il était retombé dans son silence habituel et il y avait dans son regard quelque chose de froid et de calculateur.

« J'ai peur. » Sarah serrait le Terby contre elle.

« De quoi, chérie ? ai-je demandé, sur le point de me

rapprocher d'elle, même si la présence du Terby me faisait garder mes distances.

— Est-ce qu'il y a des monstres dans notre maison, Papa ? »

Ça a été le signal pour Robby de s'éloigner de l'ordinateur – le paysage lunaire occupait tout l'écran – et, rassuré par le fait que j'allais être coincé dans une conversation avec sa sœur, il s'est rassis en tailleur par terre et remis à son jeu vidéo.

« Non, non… » J'ai frissonné pendant que défilaient à toute vitesse dans mon esprit les images dont j'avais rêvé depuis Halloween. « Pourquoi me demandes-tu ça, chérie ?

— Je crois qu'il y a des monstres dans la maison. » Elle a dit ça avec une voix caverneuse, droguée, tout en serrant sa peluche.

Je n'ai pas été conscient d'avoir dit, « Eh bien, parfois peut-être, chérie, mais… » jusqu'à ce que son visage se ratatine et qu'elle se mette à pleurer.

« Chérie, non, non, non, ils n'existent pas vraiment, ma chérie. Ils sont faux. Ils ne peuvent pas te faire mal. » J'ai dit ça alors que j'avais les yeux fixés sur la peluche noire dans ses bras, pensant à toutes les choses dont je la savais capable, et j'ai remarqué à ce moment-là qu'elle n'avait plus de griffes. Elles avaient grandi et s'étaient recourbées ; c'étaient des serres à présent et elles avaient une couleur brune. J'ai commencé à réfléchir à des moyens de me débarrasser de ce truc le plus vite possible.

Sarah savait, j'ignore comment, qu'il y avait des monstres dans la maison – parce qu'elle vivait désormais dans la même maison que moi – et elle savait que je ne pouvais rien y faire. Elle comprenait que je ne pouvais pas la protéger. Et à ce moment-là j'ai compris ce fait sinistre : en dépit de tous vos efforts, vous ne pouvez dissimuler la vérité à un enfant que pendant une période donnée, et même si vous leur dites enfin la vérité et leur exposez les faits honnêtement et entièrement, ils continueront à vous en vouloir. La crise de larmes de Sarah a pris fin aussi brusquement qu'elle avait commencé, lorsque le Terby a émis une sorte de gargouillement et tourné la tête vers moi, un peu comme s'il n'avait pas voulu que cette conversation continue. Je savais que Sarah avait mis la peluche en marche, mais j'ai dû serrer le poing pour m'empêcher de pleurer et de m'en aller, parce qu'elle avait l'air de nous écouter attentivement. Sarah a fait un petit sourire misérable et s'est emparée du bec grotesque du Terby (ce bec qui picorait les fleurs à minuit et éventrait les écureuils qu'on avait retrouvés sur la terrasse – mais ce n'était qu'un assemblage de capteurs et de microprocesseurs, non ?) pour le coller contre son oreille comme s'il le lui avait demandé. Elle berçait l'engin avec tendresse, avec une telle gentillesse inaccoutumée que j'aurais pu en être ému, s'il s'était agi d'un autre jouet. Mais la simple vue de cette chose me soulevait l'estomac. Et puis, Sarah a levé les yeux et murmuré d'une voix rauque, « Il dit que son vrai nom est Martin ».

(« *Grand-père m'a parlé…* »)

« Ah… ouais ? ai-je murmuré à mon tour, la gorge nouée.

— Il m'a dit de l'appeler comme ça. » Elle continuait à murmurer.

Je ne pouvais rien faire d'autre que de fixer le truc. Dehors, comme un fait exprès, on pouvait entendre Victor qui aboyait et, soudain, s'est tu.

« Est-ce que Terby est vivant, Papa ? »

(*Vas-y, regarde la croûte sur la paume de ta main. Il a frappé la mauvaise main, Bret. Il visait la main qui tenait le pistolet, mais il a frappé l'autre.*)

« Pourquoi ? Tu crois qu'il l'est ? » Ma voix tremblait.

Elle a approché la peluche de son oreille et a écouté attentivement et puis, elle a levé les yeux vers moi de nouveau.

« Il dit qu'il sait qui tu es. »

Cela m'a obligé à parler très vite. « Terby n'est pas réel, chérie. Ce n'est pas un animal domestique. Il n'est pas vivant. » J'étais bien conscient de jeter un regard furieux au truc, en secouant la tête d'avant en arrière comme pour me consoler.

Sarah a collé sa peluche contre son oreille, comme si elle le lui avait demandé encore une fois.

J'ai fait un effort sur moi-même pour ne pas la lui arracher des mains (je pouvais sentir son odeur de pourriture) quand elle s'est redressée pour écouter plus attentivement ce que la peluche avait à lui dire. Et puis, elle a hoché la tête avant de la lever vers moi.

« Terby dit, pas de façon humaine, mais... » et elle a gloussé « ... à la façon du Terby. »

Elle a balancé le truc d'avant en arrière, ravie.

Je n'ai rien dit et j'ai regardé Robby pour obtenir de l'aide, mais il était plongé dans son jeu vidéo ou faisait semblant de l'être, et par-dessus les bruits d'armes à feu et les grognements, j'ai pu entendre la voiture de Marta qui s'éloignait dans l'allée.

« Terby sait des choses », a murmuré Sarah.

Je m'efforçais d'avaler ma salive. « Quel genre de... choses ?

— Tout ce qu'il veut savoir.

— Chérie, il est temps que tu ailles te coucher, ai-je dit avant de me tourner vers Robby, Et je veux que tu éteignes ça et que tu ailles te coucher, toi aussi, Robby. Il est tard.

— Tu n'as pas besoin de te faire de souci pour mon temps de sommeil.

— Mais c'est mon rôle de me faire du souci. »

Il a tourné la tête et m'a jeté un regard furieux, « Pour qui ?

— Eh bien, pour toi, mon pote. »

Il a marmonné quelque chose et s'est retourné vers l'écran de télévision.

J'avais entendu ce qu'il avait dit. Et même si je ne voulais pas qu'il le répète, je n'ai pas pu m'en empêcher.

« Qu'est-ce que tu dis, Rob ? »

Et il l'a répété sans hésitation et sans honte.

« Tu n'es pas mon père. Alors arrête de me donner des ordres.

— De quoi… est-ce que tu parles ?

— J'ai dit… » et maintenant il parlait très intelligiblement, me tournant toujours le dos « … que tu n'étais pas mon père, Bret. »

J'ai été tellement affecté par son ressentiment – quelque chose qui s'était accumulé depuis bien longtemps – et par la journée qui avait conduit à cette scène que je suis resté muet. Épuisé, je me suis levé du lit avec précaution lorsque Jayne est entrée dans la chambre et que Sarah a crié « Maman ! » Et au lieu de dire, *Je suis ton père Robby et je l'ai toujours été et le serai toujours*, j'ai simplement flotté hors de son domaine, laissant leur mère me remplacer.

J'ai longé le couloir, les appliques clignotant sur mon passage, et je suis entré dans la chambre à coucher, refermant la porte derrière moi, et puis je m'y suis appuyé, et pendant un bref instant horrible je n'ai plus eu la moindre idée de qui j'étais et où j'étais et comment j'avais atterri à Elsinore Lane, et j'ai fouillé les poches de ma veste à la recherche du tube de Xanax qui s'y trouvait toujours et j'en ai avalé deux, et puis, avec beaucoup de précautions et de façon très décidée, j'ai commencé à me déshabiller. J'ai passé une robe de chambre sur le caleçon et le tee-shirt que je portais et je suis entré dans ma salle de bains et j'ai refermé la porte et je me suis mis à pleurer à cause de ce que m'avait dit Robby. Au bout d'une trentaine de minutes, je suis sorti de la salle de bains, j'ai simplement dit à Jayne qui était debout devant un grand miroir en train d'inspecter ses cuisses (petite attaque de paranoïa à propos de la cellulite), « Je dors ici cette nuit ». Elle n'a pas répondu. Rosa avait déjà ouvert le lit et Jayne, en tee-shirt et culotte blanche, s'y est glissée et s'est cachée sous les couvertures. Je suis resté au milieu de la vaste pièce, laissant le Xanax se répandre dans mon système jusqu'à ce que je sois assez calme pour dire, « Je veux que Sarah se débarrasse de ce truc ».

Jayne s'est emparée d'un script qui se trouvait sur la table de nuit et m'a ignoré.

« Je veux qu'elle se débarrasse de cette peluche.

— Quoi ? De quoi est-ce que tu parles ?

— Il y a quelque chose de… malsain dans ce truc.

— Tu fais une crise pour quoi maintenant ? » Elle a ouvert le script et l'a regardé avec intensité. Il m'est venu à l'esprit que je ne pouvais pas me souvenir du jour de son départ pour Toronto, cette semaine.

« Elle pense qu'il est vivant ou un truc dans ce genre. » Mon pantalon était par terre de mon côté du lit, et je suis allé le ramasser pour le plier délicatement et le mettre sur un cintre en bois – désirant que Jayne remarque à quel point mes gestes étaient soigneux et délibérés.

« Sarah va très bien, est tout ce qu'a trouvé à dire Jayne quand je suis sorti de la penderie.

— Mais on nous a dit qu'elle refusait de prendre la main des autres enfants à l'école. »

Les muscles de sa mâchoire se sont durcis.

« Je crois qu'il faut lui faire passer… des tests de nouveau. » Je me suis interrompu. « Je crois qu'il faut accepter ça.

— Pourquoi ? Simplement parce qu'elle a bon goût ? Parce qu'elle n'est pas le genre d'enfant qui se préoccupe de devenir Miss Popularité ? Parce que, à en juger par l'erreur que nous avons commise en envoyant les enfants dans cette horrible école… eh bien, tant mieux qu'elle soit comme ça, et au fait… » et à cet instant précis, Jayne a levé les yeux de son script (titre : *Fatal Rush*) « … pourquoi est-ce que tu te fais tant de souci tout à coup ? »

Je me suis rendu compte que ce que les instituteurs avaient dit à Jayne ce soir l'avait profondément offensée, au-delà de tout ce que j'avais pu imaginer. Jayne soit ne voulait pas accepter la vérité concernant ses enfants – qu'il y avait des problèmes que même les médicaments ne pouvaient modifier –, soit ne pouvait pas accepter le fait qu'ils étaient traumatisés d'une certaine façon par son comportement et le stress qui régnait dans la maison. Je voulais entrer en contact avec Jayne, mais vraiment tout ce à quoi je pouvais penser, c'était aux dessins atroces que Sarah avait faits, avec la peluche noire en piqué sur la maison.

« Eh bien, nous vivons dans une culture égalitaire, Jayne, ai-je dit aussi gentiment que possible. Et c'est…

— Elle est simplement à un âge difficile », a coupé Jayne, les yeux de nouveau fixés sur le script. Et puis : « On a *déjà* refait des tests et elle a suivi une psychothérapie de groupe pendant trois mois et les nouveaux médicaments semblent marcher et le défaut de langue a diminué – au cas où tu n'aurais pas remarqué. » Jayne a tourné une page, mais je voyais bien qu'elle ne lisait pas.

« Mais tu as entendu ce que nous ont dit les instituteurs. » J'ai fini par m'asseoir sur le lit. « Ils disent qu'elle ne sait pas où finit son espace personnel et commence celui d'autrui, et qu'elle est incapable de lire les expressions sur les visages, et qu'elle est sur un mode non-réactif quand les gens s'adressent directement à elle…

— Le déficit d'attention a été écarté, Bret, a répondu Jayne, avec une fureur à peine contenue.

— … et je veux dire… mon Dieu, tu n'as pas entendu toutes ces conneries, ce soir ?

— Tu n'es pas son parent. Je me fiche qu'elle t'appelle Papa, mais tu n'es pas son parent.

— Mais j'ai entendu une institutrice te dire, ce soir, que *ta* fille se tient trop près des gens et parle trop fort, et qu'elle est incapable de transformer ses pensées en actions et…

— Qu'est-ce que tu fais ? Qu'est-ce que tu es en train de faire ?

— Je suis inquiet à son sujet, Jayne…

— Non, non, non, il y a autre chose.

— Elle pense que sa peluche est vivante.

— Elle a six ans, Bret. Six ans. Mets-toi ça dans le crâne. Six ans. » Jayne était toute rouge et elle m'a presque craché ça à la figure.

« Et ne parlons même pas de Robby. » J'avais les bras au ciel, pour signifier quelque chose. « On nous a dit qu'il marchait en tous sens comme un amnésique. C'est le mot qu'ils ont employé ce soir, Jayne. *Amnésique*.

— Je vais les enlever de cette école, a dit Jayne, en posant le script sur la table de nuit. Et restons-en à ton délire sur Sarah. Tu as trente secondes et ensuite j'éteins la lumière. Tu peux rester ou partir. » Les commissures de ses lèvres pointaient vers le bas, comme elles l'avaient souvent fait depuis mon arrivée en juillet dernier.

« Je ne délire pas. Simplement, je ne pense pas qu'elle soit capable de faire la différence entre le rêve et la réalité. Calme-toi – il ne s'agit que de ça.

— Reparlons-en demain soir, OK ?

— Pourquoi ne pouvons-nous pas avoir une conversation entre nous ? Jayne, quels que soient nos problèmes…

— Je ne veux pas de toi dans cette chambre ce soir.

— Jayne, ta fille pense que cette peluche est vivante… »

(*Et moi aussi.*)

« Je ne veux pas de toi ici, Bret.

— Jayne, s'il te plaît.

— Tout ce que tu dis, tout ce que tu fais est tellement petit et prévisible…

— Et le nouveau départ ? » J'ai tendu la main vers sa jambe. Elle m'a donné un coup de pied.

« Tu as foutu ça en l'air à un moment donné hier soir, entre ton dixième litre de sangria et l'herbe que tu as fumée et ta course à travers la maison, un flingue à la main. » Une tristesse désespérée a parcouru son visage avant qu'elle n'éteigne. « Tu as foutu ça en l'air avec ton putain de numéro à la Jack Torrance. »

Je suis resté assis sur le lit un moment et puis je me suis levé et je l'ai regardée dans la semi-obscurité de la chambre. Elle me tournait le dos, de son côté du lit, et je pouvais l'entendre pleurer doucement. Je suis sorti à pas feutrés et j'ai fermé la porte derrière moi.

Les appliques ont clignoté de nouveau quand j'ai traversé le couloir, passant devant la porte fermée de la chambre de Sarah et la porte toujours verrouillée de la chambre de Robby, et en bas dans mon bureau j'ai essayé de joindre Aimee Light, mais je n'ai eu que son répondeur. Sur mon écran d'ordinateur, j'ai vu que j'avais un message de Binky me demandant si je pouvais rencontrer l'équipe d'Harrison Ford à un moment quelconque, cette semaine, et je regardais l'écran, sur le point de taper une réponse quand un autre e-mail est arrivé en provenance de la Bank of America à Sherman Oaks. Il arrivait plus tôt que d'habitude et j'ai cliqué dessus pour voir si le « message » avait changé, mais c'était toujours la même page blanche. J'ai commencé à composer le numéro de la banque, mais je me suis rendu compte que personne ne répondrait puisqu'ils étaient fermés à cette heure-ci, et j'ai soupiré et je me suis levé sans éteindre l'ordinateur, et comme je me dirigeais vers le lit auquel j'étais si habitué, j'ai soudain entendu des bruits qui venaient de la salle multimédia. J'étais trop fatigué pour avoir peur et je me suis mollement mis en route vers le bruit.

L'écran plasma géant était allumé. *1941*, une fois de plus, passait – John Belushi volant au-dessus de Hollywood Boulevard, un cigare coincé entre les dents, une lueur démente dans les yeux. En appuyant sur la touche « Mute », j'ai compris que c'était un DVD que nous avions acheté et que le programmateur avait mis en marche automatiquement. Robby le regardait la veille avant que Jayne et moi ne partions dîner chez les Allen et il n'avait probablement pas retiré le disque. Mais lorsque j'ai ouvert le lecteur, il n'y avait pas de disque dedans. J'ai regardé la télévision, sidéré. J'ai pris la télécommande et appuyé sur « Info » et vu que le film passait sur Channel 64, une chaîne locale. J'ai regardé le programme de la semaine et le film n'était pas annoncé, sur cette chaîne ou n'importe quelle autre. Et comme Robby l'avait regardé hier soir, j'ai vérifié s'il passait à cette date. Selon le programme, il n'était pas annoncé la veille non plus. Et puis je me suis souvenu d'être passé devant la chambre de Robby le soir de la fête d'Halloween, d'avoir Ashton Allen endormi pendant que *1941* retentissait sur la télévision de Robby. En m'asseyant devant la télévision, cherchant désespérément une information qui expliquerait pourquoi ce film passait en ce moment, j'ai soudain entendu des grattements. Ils venaient de l'autre côté de la baie vitrée de la salle multimédia. J'ai éteint la télévision et je suis resté assis à écouter.

Et alors les grattements ont cessé. Au bout d'un moment, ils ont repris.

Je me suis levé et je suis parti vers la cuisine, les lumières du plafond baissant et clignotant de nouveau quand je suis passé au-dessous (essayant – avec succès – d'ignorer la moquette verte et le mobilier déplacé). Cela s'est produit aussi dans le couloir menant à la cuisine qui était dans l'obscurité jusqu'à ce que j'y entre et alors les lumières se sont mises à clignoter. Dès que je suis ressorti, les lumières se sont tamisées.

Quand je suis rentré de nouveau, elles ont clignoté.

Je l'ai fait encore deux fois, avec le même résultat – expérience qui m'a un peu réveillé.

C'était comme si ma présence avait activé les lumières.

(*Ou peut-être que quelque chose te suit* – une seconde pensée à laquelle je ne voulais pas trop réfléchir à ce moment précis.)

À travers la porte coulissante de la cuisine, j'ai regardé dehors. Il tombait une petite pluie fine, mais Victor dormait sur la terrasse, frissonnant, perdu dans son rêve, montrant les dents à un ennemi inconnu, et il ne s'est pas réveillé quand j'ai ouvert la porte coulissante et que j'ai marché sans faire de bruit vers le côté de la maison d'où provenaient les grattements. Mais je me suis brusquement arrêté quand les lumières de la piscine ont clignoté, irradiant l'eau d'une teinte turquoise, avant de s'éteindre aussi rapidement, rendant à l'eau sa noirceur. J'ai entendu le léger ronronnement des jets du jacuzzi, et lorsque j'ai regardé, il bouillonnait, et comme s'ils avaient su qu'ils le trouveraient, mes yeux ont scruté la rambarde où était étendu le même maillot de bain que celui que j'avais trouvé le jour d'Halloween – celui avec le motif à grandes fleurs rouges, celui d'Hawaï qui avait appartenu à mon père. De la vapeur s'en échappait dans l'atmosphère fraîche et humide, comme si quelqu'un venait de l'enlever. Je m'apprêtais à le récupérer (pour l'essorer, le rapporter dans la maison, le toucher et m'assurer qu'il était bien réel), lorsque les grattements se sont déplacés dans une autre direction, plus loin mais amplifiés. J'ai laissé tomber le maillot de bain et les empreintes de pied humides sur le béton entourant la piscine, et je suis parti d'un pas décidé vers le côté de la maison.

Je n'ai pas pu m'empêcher de contempler le grand mirage du mur qui pelait. La totalité du mur, du sol au toit, avait à présent cette couleur de stuc rose, qui me transformait en nain. Les grattements ne provenaient plus de ce mur désormais. Ce mur était terminé, ai-je compris, et la maison pelait ailleurs à présent, du côté de la façade. Quand j'ai dépassé l'angle de la maison et que je me suis arrêté au milieu de la pelouse, les bruits ont cessé, mais un instant seulement. Ils ont repris dès que j'ai repéré qu'une certaine étendue de peinture au-dessus de la fenêtre de mon bureau avait commencé à peler. Sous l'éclat des réverbères, je pouvais voir la maison se défigurer de son plein gré. Elle n'était en rien aidée. La peinture pelait tout simplement, une fine pluie blanche qui révélait le stuc rose au-dessous. Et cela se passait sans la moindre assistance. J'ai été pris d'un ravissement devant ces copeaux de peinture tourbillonnant jusqu'à la pelouse et je me suis rapproché de la maison, à la fois admiratif et terrifié devant cette étendue croissante de peinture d'une tonalité saumon qui apparaissait. Il y avait une autre maison sous celle-ci. Et ma mémoire a flashé sur une journée d'été en 1975 : j'étais dans la piscine et, couché sur un matelas, je regardais notre maison de Sherman Oaks, et le flash s'est intensifié quand j'ai tendu la main vers le coin au-dessus de la fenêtre de mon bureau, tendant le bras le plus haut possible, et lorsque j'ai touché le mur de la maison d'Elsinore Lane, j'ai finalement fait le lien, et c'était si simple. Pourquoi ne m'en étais-je pas aperçu plus tôt ?

La peinture qui se révélait à moi était d'une couleur identique à celle de la maison où j'avais grandi.

C'était la même couleur que celle de la maison de Valley Vista à Sherman Oaks.

Le constat m'a aveuglé pendant un instant, et puis la croyance est revenue.

Je suis rentré rapidement et allé dans la salle de séjour.

Les lumières n'ont pas clignoté cette fois. Elles sont restées stables et brillantes.

Je comprenais enfin ce qui m'avait intrigué à propos des meubles et de la moquette : les fauteuils et les tables et les sofas et les lampes étaient disposés comme ils l'avaient été dans la salle de séjour de la maison de Valley Vista, et la moquette était maintenant à poil long et d'une couleur vert forêt.

Je savais aussi que des empreintes de pas avaient laissé de la cendre sur la moquette, mais elle était tellement foncée à présent qu'elles n'étaient plus visibles.

J'ai levé les yeux vers le plafond et je me suis rendu compte que la disposition de la maison était exactement la même.

C'était la raison pour laquelle la maison m'avait paru si incroyablement familière.

J'y avais déjà vécu.

Et alors ce premier souvenir a été interrompu par un autre flash.

Je suis retourné dans la salle multimédia et j'ai allumé l'écran plasma.

1941 passait encore sur Channel 64, le son coupé.

J'avais vu ce film avec mon père en décembre 1979 au Cinerama Dome à Hollywood.

1941 était l'année de naissance de mon père.

Et au bout de quelques secondes – le temps de comprendre tout ça – j'ai entendu le son familier de la voix d'AOL répétant inlassablement, depuis l'ordinateur dans mon bureau : « Vous avez un e-mail, vous avez un e-mail, vous avez un e-mail… »

En entrant dans le bureau, j'ai vu que je recevais un rouleau sans fin d'e-mails en provenance de la Bank of America à Sherman Oaks.

Lorsque je me suis assis devant l'ordinateur, les e-mails ont brusquement cessé de défiler.

Pendant cette longue nuit, je suis resté assis dans mon bureau, hébété, dans l'attente de quelque chose, pendant que ma famille dormait à l'étage au-dessus. Tout, autour de moi, vibrait légèrement, et je ne cessais de m'imaginer une rivière de cendres grises coulant à l'envers. Au début, j'étais rempli d'un certain émerveillement, mais quand je m'apercevais que ce n'était lié à rien de particulier, l'émerveillement sombrait dans la peur. Et cela a été suivi par le chagrin et les échos perçants d'un passé dont je ne voulais pas me souvenir, et je me suis donc concentré sur les prédictions qui se répercutaient en moi et qu'il m'avait fallu alors, en raison de leur nature sombre, ignorer. La dénégation totale me détachait délicatement de la réalité, mais pour un moment seulement, parce que des lignes se connectaient à d'autres lignes, et progressivement tout un réseau se formait et devenait cohérent, avec une signification particulière, et finalement, émergeant du vide, une image de mon père : son visage était blanc, ses yeux fermés dans le repos, et sa bouche une simple ligne qui bientôt s'ouvrait pour hurler. Mon esprit ne cessait de se murmurer des choses, et dans mes souvenirs tout était là – la maison en stuc rose, la moquette longue et verte, les maillots de bain de Mauna Kea, nos voisins Susan et Bill *Allen* – et je pouvais voir la 450 SL crème de mon père alors qu'elle changeait de file sur une autoroute bordée de citrus, fonçant vers une rampe de sortie, pas loin d'ici, SHERMAN OAKS, et plusieurs fois pendant la nuit ou tôt le matin du 4 novembre, j'ai ri, incrédule, en entendant les bruits retentir dans ma tête et je n'arrêtais pas de parler tout seul, mais j'étais un type qui essayait d'avoir une conversation rationnelle avec quelqu'un qui perdait la boule, et je criais *Laisse tomber*, *laisse tomber*, et je ne pouvais plus éviter de reconnaître un fait qu'il me fallait accepter : mon père voulait me donner quelque chose. Et alors que je répétais son nom, j'ai compris ce que c'était.

Un avertissement.

15

Mardi 4 novembre

Les pièces jointes

En reprenant connaissance, j'ai eu l'impression d'avoir la gueule de bois, alors que ce n'était pas le cas. Les heures se sont brouillées pendant que je suis resté assis dans un fauteuil sur la terrasse. Je m'étais enveloppé dans une couverture et j'étais sorti de la maison et je m'étais assis dans un fauteuil sur la terrasse. Lorsque le ciel est devenu un immense écran blanc, j'ai finalement contemplé de mon regard d'insomniaque la maison dont les occupants commençaient à se réveiller. La platitude de l'extérieur contrastait avec ce que recelait l'intérieur de la maison, et il n'y avait aucune raison d'y retourner, même si je sentais quelque chose m'y attirer, une sorte de force me poussant à y retourner. Le sourire rassurant était désormais inutile. J'étais en plastique. Tout était voilé. L'objectivité, les faits, les informations tangibles – c'étaient des choses qui relevaient seulement de la phase préparatoire. Il n'y avait encore rien pour lier une chose à une autre, l'esprit construisait donc un système de défense, et les preuves étaient réarrangées, et c'était ce que j'essayais de faire au cours de cette matinée – réarranger les preuves pour leur donner un sens – et j'ai échoué. Il y avait un corbeau caché dans les arbres nus derrière moi et je pouvais entendre les battements d'ailes et lorsque je l'ai vu tourner au-dessus de moi inlassablement je l'ai regardé fixement puisqu'il n'y avait rien d'autre à observer dans ce ciel blanc et qu'il y avait des choses auxquelles je ne voulais pas penser

(*et sur cette terrasse ce soir un autre écureuil sera éventré par une peluche que tu as achetée pour une petite fille*)

mais c'était ce qui se passait quand vous refusiez de visiter ou d'affronter le passé : le passé commence à vous rendre visite et à vous affronter. Mon père me suivait

(*mais il t'avait suivi depuis toujours*)

et il voulait me dire quelque chose et c'était urgent et c'était maintenant que ce besoin se manifestait. C'était contenu dans la maison qui pelait et les lumières qui clignotaient et déclinaient et c'était contenu dans le mobilier qui se déplaçait et le maillot de bain humide et les apparitions de la Mercedes crème. Mais pourquoi ? Je me concentrais, mais mes souvenirs ne le concernaient pas : une piscine éclairée, une plage vide à Zuma, une vieille chanson New Wave, une portion déserte de Ventura Boulevard à minuit, la frondaison des palmiers dansant sur les traînées violettes d'un ciel de fin d'après-midi, les mots « Je n'ai pas peur » prononcés pour blâmer quelqu'un. Je l'avais effacé de tout. Mais à présent il était de retour et je comprenais qu'il y avait un autre monde au-dessous du monde dans lequel nous vivions. Il y avait quelque chose au-dessous de la surface des choses. Les feuilles dans le jardin avaient besoin d'être ratissées. Une dispute, secrète et lointaine, avait lieu à côté, dans la maison des Allen. Soudain, j'ai pensé : bientôt ce sera Noël.

Depuis le fauteuil sur la terrasse, je pouvais voir notre cuisine, où une lumière éclatante a surgi, à sept heures précises. Je voyais un film étranger en version originale : Jayne en sweat-shirt, déjà sur son portable. Rosa découpant des poires (imaginez une poire découpée à ce moment précis – j'en étais incapable). Et puis, Marta est descendue avec Sarah et Sarah tenait un bouquet de violettes et Victor se faufilait dans la pièce encombrée et Robby a rapidement fait son apparition, dans son uniforme de Buckley (pantalon gris, chemise blanche Polo, cravate rouge, blazer bleu marine, l'écusson avec le griffon sur la poche de poitrine) et il avait l'air de flotter, comme happé par l'espace, à travers la cuisine. Tout était si calme et déterminé. Il a donné à Jayne une feuille de papier et elle y a jeté un coup d'œil avant de la passer à Marta pour les corrections. Les cheveux de Robby étaient bien peignés en arrière, sans raie – c'était la première fois que je le remarquais ? Toute l'attention était consacrée à une journée entière d'horaires chargés. Les négociations d'usage étaient en cours. Des plans étaient élaborés et acceptés. Les décisions rapides du début de matinée étaient prises. Qui était responsable de la première tranche ? Qui superviserait la seconde ? Il fallait sacrifier certaines choses, il y aurait donc quelques doléances, quelques timides pleurnichements, mais tout le monde était flexible. Le rythme s'est légèrement accéléré lorsque Robby a laissé Marta renouer sa cravate et que Jayne, ensuite, main sur la hanche, a encouragé Sarah à manger le contenu d'une assiette décorée de quartiers de poire. Un jour nouveau était sur le point de commencer et les réticences n'étaient pas tolérées. Je voulais être le bienvenu dans la cuisine. Je voulais faire partie de cette famille et je voulais que ma voix ait une tonalité neutre à leurs oreilles, mais j'étais essoufflé et une main froide appuyait légèrement sur mon cœur. J'ai imaginé Sarah demandant comment les fleurs avaient reçu leur nom, et je me suis souvenu de Robby, le visage impassible, désignant pour Sarah une étoile dans le ciel noir et nous disant à tous les deux que la lumière provenait d'une étoile qui était désormais éteinte, et le ton de sa voix m'avait laissé penser que la maison d'Elsinore Lane était autrefois *sa* maison avant que je n'arrive, et que je devais m'en souvenir.

(Le fait d'avoir ce fils était quelque chose d'étonnant pour moi en cette matinée du 4 novembre, mais il fallait que je comprenne comment j'en étais arrivé là – et pourquoi j'étais ici – afin de tirer un quelconque plaisir de cet étonnement.)

Robby a froncé les sourcils en entendant Jayne lui dire quelque chose et puis il a levé les yeux vers elle, avec un sourire en coin, mais lorsqu'elle est sortie de la cuisine, le sourire s'est effacé et je me suis redressé un peu (parce que c'était la reproduction d'un sourire et non le vrai truc), et son visage s'est simplifié. Il a fixé le sol pendant un long moment, réfléchissant efficacement à quelque chose – le déclic s'est fait immédiatement – et il est passé à autre chose. Il n'y avait pas de place pour moi dans son monde ou dans cette maison. Je le savais. Pourquoi est-ce que je m'accrochais à un truc qui ne serait jamais à moi ?

(Mais est-ce que ce n'est pas ce que tout le monde fait ?)

Si l'un d'eux m'avait vu sur la terrasse, enveloppé dans une couverture, il avait fait comme si de rien n'était.

L'idée de revenir à une vie de célibataire, et à l'appartement de la 13e Rue Est que j'avais gardé à Manhattan glissait vers moi avec un sifflement aigrelet. Mais une vie de célibataire était un pénible labyrinthe. Tout le monde savait que les célibataires perdaient la tête, vieillissaient seuls, devenaient des spectres affamés, jamais satisfaits. Les célibataires payaient des bonnes pour faire leur linge. Et encore une bouteille de Glenfiddich commandée dans une boîte de nuit, que vous étiez trop vieux pour boire, en racontant des salades à des filles jeunes et lourdingues qui vous faisaient grimacer et bondir à cause de tous les trucs dont elles n'avaient pas idée. Mais dans ce fauteuil sur cette terrasse, j'ai pensé : tire-toi du comté de Midland, fais-toi pousser une barbichette, remets-toi à fumer, séduis des femmes qui ont la moitié de ton âge (mais avec succès), arrange un bon coin pour travailler dans la partie ensoleillée de l'appartement, sois un peu moins maniaque sur la forme, confie tous tes échecs secrets à des amis. Libère Bret. Recommence tout. Rajeunis. Replonge-toi dans le monde adolescent du tout ou rien, dans la peinture rupestre des corps dévorés par les flammes – les trucs qui avaient fait de toi un succès précoce. Persiste dans ton refus d'accepter la mécanique du conformisme littéraire de la côte Est. Dégraisse-toi. Ne hausse plus les épaules. Élimine le chic. Évite toute ironie extralucide. Oublie la couverture de livre avec les lettres fuchsia que tu avais tant voulue autrefois. Fais-toi entièrement épiler à la cire, couvrir d'autobronzant, scarifier le biceps. Agis comme si tu débarquais de nulle part. Gangster à fond, mais avec un visage totalement impassible. Force-les à prendre au sérieux ta tête en couverture de magazine, même si tu sais à quel point c'est bidon et atroce.

Parce que le 307 Elsinore Lane était hanté et que c'était la solution que j'avais pu trouver ce mardi matin. J'avais besoin d'un truc – la distraction d'une autre vie – pour diminuer la peur.

Mais je ne voulais pas repartir vers ce monde. Je voulais que le côté idyllique sur papier glacé de notre vie (plus exactement, la *promesse* tenue de cette vie) me soit renvoyé. Je voulais une autre chance. Mais je ne pouvais exprimer ce souhait qu'à moi-même. Ce qu'il me fallait faire, c'était le mettre en action et prouver que je n'avais pas laissé tomber, que je n'avais pas tué la flamme, que je pouvais rajeunir. J'étais encore intelligent. J'étais encore convaincu de certaines choses. Je n'étais pas complètement largué. Je pouvais traverser les complications. Je pouvais effacer le ressentiment de Jayne

(*Qu'étaient devenues sa capacité de jouir dès que j'entrais en elle et les nuits que je passais à regarder son visage pendant qu'elle dormait ?*)

et je pouvais me faire aimer de Robby.

J'avais rêvé de quelque chose de si différent de la réalité qui se présentait, mais ce rêve avait été une vision d'aveugle. Ce rêve était un miracle. La matinée prenait fin. Et je me suis souvenu encore une fois que j'étais un touriste ici.

(Même si je ne savais pas encore en ce jour du 4 novembre que cette matinée serait la dernière fois que je verrais toute ma famille réunie.)

Et puis – comme si cela avait été préétabli – toutes ces pensées ont déclenché quelque chose.

Une force invisible me poussait vers une destination.

Je pouvais même sentir que ça se passait physiquement.

Une petite implosion s'est produite.

Je regardais fixement les corbeaux au-dessus de moi et au même instant j'ai compris quelque chose.

Il y avait des pièces jointes.

Où ?

Il y avait des pièces jointes aux e-mails de la Bank of America à Sherman Oaks.

J'ai ressenti une douleur dans la poitrine et je pouvais à peine tenir en place, mais je suis resté dans ce fauteuil jusqu'à ce que ma famille disparaisse de la cuisine et que j'entende la Range Rover s'éloigner dans l'allée, et au moment où l'arrosage automatique s'est mis en marche sur la pelouse, je me suis précipité dans la maison.

J'ai fait un petit signe de la tête à Rosa qui nettoyait la cuisine et puis je suis tombé nez à nez avec Marta devant mon bureau – je ne me souviens pas des détails de la conversation ; la seule information importante était le départ de Jayne pour Toronto le lendemain et j'ai approuvé de la tête tout ce que disait Marta, en serrant la couverture sur moi, et puis je me suis retrouvé dans mon bureau, porte fermée, couverture abandonnée, tripotant mon ordinateur, gigotant sur mon fauteuil basculant. Je voyais mon reflet sur l'écran noir de l'ordinateur. Je l'ai allumé et mon image a disparu. Je me suis connecté à AOL.

« Vous avez des e-mails », m'a averti la voix métallique.

Il y avait soixante-quatorze e-mails.

Pour chacun des soixante-quatorze e-mails qui étaient arrivés dans la nuit – l'essentiel arrivant au moment même où j'avais établi tous ces rapports – il y avait une pièce jointe.

Lorsque je suis revenu au premier e-mail – celui qui était arrivé le 3 octobre, le jour de l'anniversaire de mon père, j'y ai aussi trouvé une pièce jointe.

Je ne l'avais jamais remarquée auparavant, uniquement fasciné par les pages blanches qui arrivaient à 2 h 40 du matin, mais maintenant j'avais quelque chose à ouvrir.

J'ai commencé par celui qui était arrivé le 3 octobre.

Sur l'écran : 3/10. Mon adresse e-mail. Et l'objet : aucun.

Ma main droite tremblait quand j'ai cliqué sur LIRE. J'ai dû me tenir le poignet avec la main gauche pour le contrôler.

Une page blanche.

Mais un document vidéo (540 kb) portait le titre « aucun objet ».

J'ai cliqué sur OUVRIR.

Une fenêtre est apparue et a demandé « Souhaitez-vous enregistrer ce document ? »

(*Souhaitez* – étrange choix de verbe, ai-je pensé.)

J'ai cliqué sur OUI.

Nom du fichier : « aucun objet ».

J'ai cliqué sur SAUVEGARDER.

« Le fichier a été sauvegardé », a promis la voix métallique.

Et puis j'ai cliqué sur OUVRIR.

J'ai respiré à fond.

L'écran est devenu noir.

Et puis une image est lentement apparue sur l'écran et c'était une image de vidéo.

L'image s'est mise au point sur une maison. Il faisait nuit et le brouillard tourbillonnait autour de la maison, mais les pièces étaient éclairées – en fait, les lumières paraissaient même trop éclatantes ; c'était comme si l'éclairage avait été destiné à chasser la solitude. Les maisons qui se trouvaient de chaque côté étaient identiques à la première, et l'image paraissait à la fois familière et anonyme. La caméra filmait tout ça depuis l'autre côté de la rue. Mes yeux se sont fixés sur la Ferrari gris métallisé, garée dans un angle bizarre devant le garage, les roues avant sur la pelouse qui descendait depuis la maison. Et je me suis rendu compte, sidéré et mal à l'aise, que c'était la maison dans laquelle mon père s'était installé à Newport Beach, après le divorce de mes parents. J'ai poussé un cri et plaqué immédiatement ma main sur ma bouche, quand je l'ai vu à travers la grande baie vitrée, assis dans sa salle de séjour, en tee-shirt blanc et maillot de bain à fleurs rouges qu'il avait acheté au Mauna Kea Hotel à Hawaï.

Une voiture passait en silence dans Claudius Street, les phares perçant le brouillard, et après son passage la caméra a commencé à gravir l'allée en granit qui menait à la maison de mon père, alerte mais sans précipitation, dans un mouvement froid et énigmatique.

Je pouvais entendre les vagues du Pacifique déferler et mousser jusqu'au rivage, et depuis une autre direction les jappements d'un petit chien.

La caméra a soigneusement cadré la grande baie vitrée derrière laquelle mon père était affalé dans un fauteuil, entouré par le bois ciré et les miroirs de la salle de séjour. Et on entendait de la musique – une chanson que j'ai reconnue, *The Sunny Side of the Street*, à l'intérieur de la maison. C'était la chanson préférée de ma grand-mère et le fait que la chanson ait pu signifier quelque chose pour mon père m'a surpris et touché, et a repoussé la terreur un instant. Mais elle est revenue dès que j'ai compris que mon père n'était pas conscient d'être filmé.

Mon père s'est levé brusquement quand la chanson a pris fin, s'appuyant au fauteuil, hésitant sur la direction à prendre. Il avait été un homme arrogant et théâtral, grand et massif, mais, dans cette solitude, il avait l'air fatigué (et où était Monica ? Vingt-deux ans, bottes, manteau rose, blonde – elle avait vécu avec lui jusqu'à l'avant-dernier mois précédant sa mort, et c'était elle qui avait découvert son corps, même s'il n'y avait plus le moindre signe de sa présence dans cette maison). Mon père avait l'air épuisé. Il avait le cou et les joues creuses, couverts d'une légère barbe grise. Il avait un verre vide à la main. Il est sorti à pas lents de la salle de séjour. Mais la caméra s'est attardée devant la fenêtre pour faire l'inventaire : la moquette citron vert, les tableaux impressionnistes foireux (mon père ayant été l'unique client d'un artiste rural français, représenté par la galerie Wally Finley à Beverly Hills), un énorme canapé blanc en L, la table basse en verre sur laquelle était déployée sa collection d'ours en cristal Steuben.

J'ai agrandi pour avoir plus de détails.

Les étagères étaient remplies de toute une série de photos que je n'avais pas vues là, quand j'étais venu dans la maison pour la dernière fois : un très bref déjeuner de Noël 1991.

Il y avait tant de photos que mes yeux se sont mis à tourner.

La plupart d'entre elles me représentaient. Je n'ai pas pu m'empêcher de penser qu'elles servaient à lui rappeler que je l'avais abandonné.

Dans un cadre en argent, un Polaroïd un peu passé d'un petit garçon inquiet portant des bretelles et un petit casque rouge de pompier, tendant innocemment une orange à qui prenait la photo.

Bret, douze ans, dans un tee-shirt *Star Wars*, sur une plage de Monterey, derrière une maison qui appartenait à mes parents à Pajaro Dunes.

Mon père à côté de moi devant l'amphithéâtre de mon lycée, le jour de la remise des diplômes. Je porte le chapeau et la robe, et je suis secrètement défoncé. Il y a une distance palpable entre nous. Je me souviens que ma petite amie avait pris la photo à la demande de mon père (retour éclair du souvenir du dîner de célébration à Trumps, ce soir-là, quand, ivre, il lui avait fait des avances).

Une autre photo de nous deux. J'ai dix-sept ans – lunettes de soleil, pas de sourire, bronzé. Mon père a pris un coup de soleil. Nous sommes devant une église blanche, le plâtre est craquelé, la fontaine à sec, à Cabo San Lucas. Le soleil est aveuglant. D'un côté, il y a l'émail bleu et scintillant de la mer, de l'autre les ruines d'un petit village. J'étais presque épuisé de chagrin. Combien de fois nous nous étions disputés pendant ce voyage ? À quel point avait-il été ivre pendant cette semaine ? Combien de fois j'avais craqué pendant ces journées exténuantes ? Le séjour avait été tellement difficile à supporter que mon cœur s'était transformé en un bloc de glace. J'avais tout effacé sauf la sensation du sable froid sur mes pieds et un ventilateur de plafond qui bourdonnait au-dessus de ma tête dans une chambre d'hôtel – tout le reste, oublié.

Et puis mes yeux ont dérivé vers un mur sur lequel mon père avait accroché toutes les couvertures de magazine, encadrées, sur lesquelles j'avais figuré. Et un autre mur était couvert (plus triste encore) des photos de moi qu'il avait découpées dans les journaux. C'est là que j'ai capitulé en gémissant et il a fallu que je tourne la tête.

Mon père était devenu un ermite, un type qui ne savait pas qu'il s'était aliéné son fils ou qui refusait de le croire.

C'est alors que la caméra – comme si elle avait compris à quel point j'étais vidé – a plongé en avant et fait le tour de la maison. La caméra était simultanément audacieuse et furtive.

La caméra a manœuvré pour se placer devant une fenêtre qui donnait sur une grande cuisine moderne, où mon père est réapparu.

L'horreur ne cessait de déferler en moi. Parce que tout pouvait arriver maintenant.

Mon père a ouvert la porte en acier inox du réfrigérateur et en a sorti une bouteille de Stolichnaya à moitié vide et s'est versé maladroitement une bonne dose dans un grand verre. Son visage décharné a contemplé le verre de vodka. Puis il l'a bu et s'est mis à pleurer. Il a enlevé son tee-shirt et, en un geste d'ivrogne, s'est essuyé le visage avec. Et alors qu'il se versait le reste de la vodka, il a entendu quelque chose.

Il a secoué la tête et il est resté sans bouger au milieu de la cuisine, puis s'est tourné et a fait face à la fenêtre.

La caméra l'a défié. Elle ne bougeait pas, n'essayait pas de se cacher.

Mais mon père n'a rien vu ou n'a rien pu voir, et il s'est retourné.

La caméra a posément contourné la maison et offert alors une vue du petit jardin à l'arrière, très élégamment dessiné, suivant mon père au moment où il est sorti pour se diriger vers le jacuzzi qui bouillonnait, avec la vapeur que le vent emportait dans le jardin. La lune était suspendue au-dessus de tout ça et elle était si blanche qu'elle perçait les nuages et illuminait les bougainvillées qui couvraient les murs entourant cet espace. Mon père a avancé d'un pas lent jusqu'au jacuzzi, son verre à la main, et a essayé de s'y glisser gracieusement, mais il a trébuché plutôt, éclaboussant le carrelage, parvenant toutefois à maintenir son verre au-dessus de sa tête pour le protéger. Mon père s'est immergé dans l'eau, ne laissant émerger au-dessus des bulles que la main qui tenait le verre de vodka.

Je n'arrêtais pas de cligner des yeux devant l'écran. S'il vous plaît, me disais-je. S'il vous plaît, que quelqu'un le sauve.

Une fois la vodka sifflée, mon père s'est hissé hors du jacuzzi et a tangué en direction d'une serviette posée sur une chaise longue. Après s'être séché, il a enlevé le maillot de bain et l'a étendu sur la chaise longue. Il a serré la serviette autour de sa taille et il est parti d'un pas chancelant vers la maison, laissant une série d'empreintes humides sur le béton du patio.

La caméra a marqué un temps d'arrêt et a foncé de l'autre côté de la maison pour faire un truc que j'espérais, en priant, ne pas la voir faire.

Elle est entrée dans la maison.

Elle a traversé la cuisine. Et puis le couloir.

Elle s'est arrêtée brusquement quand elle a aperçu mon père qui montait péniblement les escaliers.

Et quand mon père a tourné pour continuer à monter, le dos à la caméra, celle-ci a commencé à monter tout doucement derrière lui.

J'avais collé mes mains sur mes oreilles et je tapais du pied involontairement.

La caméra s'est arrêtée quand elle est arrivée sur le palier. Elle a observé mon père entrer dans la salle de bains, un grand espace de marbre baigné de lumière.

Je pleurais sans aucune retenue à présent, tapant du poing sur mon genou, absolument stupéfait. « Qu'est-ce qui se passe ? » répétais-je en gémissant.

La caméra a alors traversé le couloir et s'est arrêtée de nouveau. Elle était d'une patience à rendre fou.

Mon père examinait son visage maigre dans un miroir géant.

Et puis la caméra s'est mise à avancer lentement dans sa direction.

J'avais conscience du fait qu'elle allait révéler sa présence à mon père et tout mon corps tremblait de terreur.

Elle était maintenant plus près de lui que jamais auparavant. Elle était à l'entrée de la salle de bains.

Et alors j'ai remarqué un truc qui avait gentiment agacé la partie de moi-même qui n'était pas absorbée par le choc de cette vidéo.

Au bas de l'écran, à droite, en chiffres digitaux : 2 h 38.

Mes yeux ont volé vers l'autre coin de l'écran. 10/8/92.

C'était la nuit au cours de laquelle mon père était mort.

Seul le bruit de ses sanglots m'a tiré de l'obscurité stupéfiante qui avait tout recouvert. C'était une nouvelle dimension désormais.

Tremblant, je me suis concentré sur l'écran, incapable de m'en détacher.

Mon père avait agrippé le bord du lavabo et continuait à sangloter. J'ai voulu détourner les yeux, quand j'ai vu une bouteille de vodka vide, couchée près du lavabo.

Quelque part dans la maison ont retenti les premières mesures de *The Sunny Side of the Street*.

La caméra continuait de s'approcher. Elle était maintenant dans la salle de bains, resserrant sur mon père dans l'indifférence complète.

J'ai étouffé un cri quand j'ai vu que la caméra ou celui qui se trouvait derrière elle ne se reflétait dans aucun des miroirs qui couvraient les murs de la salle de bains.

Et puis, mon père a cessé de sangloter.

Il a regardé par-dessus son épaule. Il s'est redressé et tourné pour observer la caméra en face, les yeux fixés sur l'objectif.

La caméra était une invitation à mourir.

Mon père, regardant droit vers moi à présent, a souri tristement, sans peur, et dit un mot. « Robby. »

Au moment où la caméra s'est précipitée vers lui, il a dit « Robby » une seconde fois, avant que la caméra ne bascule dans l'obscurité.

La déception de ne pas voir ce qui arrivait à mon père au moment de sa mort m'a poussé à faire repartir la vidéo en arrière jusqu'à l'instant crucial qui, croyais-je, pourrait m'aider à comprendre ce que je venais de voir, et soudain mes gestes ont été calmes et décidés, et j'étais capable de me concentrer uniquement sur ce que je devais faire.

Parce que je ne pensais pas qu'il y ait eu une caméra.

Même aujourd'hui je n'arrive pas à m'expliquer la logique du truc, mais je n'ai pas pu croire qu'il y avait une caméra dans la maison de mon père, ce soir d'août 1992.

(Il y avait eu « *certaines irrégularités* » selon le rapport du juge d'instruction.)

J'ai retrouvé l'image de mon père debout dans la cuisine, avec la caméra l'observant à travers la fenêtre.

Et j'ai immédiatement repéré ce que je croyais être la réponse : une petite image, couleur chair, dans le coin de la vidéo, en bas à droite de l'écran. C'était le reflet d'un visage dans la vitre, qui passait du flou au net tandis que l'image de mon père restait stable.

Il n'y avait pas de caméra enregistrant ça.

Je voyais quelque chose à travers les yeux d'une personne.

J'ai agrandi l'image.

J'ai cliqué sur PAUSE et agrandi l'image encore.

Le visage est devenu plus visible sans que l'image d'ensemble ne soit distordue.

J'ai agrandi encore une fois l'image et puis j'ai arrêté parce que je n'avais plus besoin de le faire.

D'abord, j'ai cru que le visage reflété dans la vitre était le mien.

Pendant un instant, la vidéo m'a montré que j'avais été là, cette nuit-là.

Mais le visage n'était pas le mien.

Ses yeux étaient noirs, et le visage appartenait à Clayton.

Des années s'étaient écoulées depuis cette nuit. Une décennie ou presque s'était écoulée.

Mais le visage de Clayton n'était pas plus jeune que celui que j'avais vu dans mon bureau à l'université, le jour d'Halloween, quand il m'avait donné un livre à signer.

Clayton ne pouvait avoir plus de neuf ou dix ans en 1992, mais le visage reflété dans la vitre était celui d'un adulte.

J'ai regardé les autres pièces jointes et, après avoir vu les deux suivantes – 4 octobre et 5 octobre –, j'ai compris que c'était inutile. Elles étaient toutes pareilles, si ce n'est que l'image de Clayton était un peu plus nette chaque fois.

Sans réfléchir, j'ai pris mon portable et composé le numéro de Donald Kimball. Il n'a pas répondu et j'ai laissé un message.

Au bout d'une heure, j'ai décidé de quitter la maison et d'aller à l'université pour trouver un garçon.

16

Le vent

« Clayton qui ? a demandé la secrétaire. C'est le nom ou le prénom ? »

Il était presque trois heures, et après avoir roulé sans but dans la ville en me repassant la vidéo dans la tête, j'ai rappelé Kimball et laissé un nouveau message lui demandant de me retrouver à mon bureau à l'université, où j'allais « traîner » jusqu'à la fin de l'après-midi. Je n'avais pas l'intention de lui raconter en détail ce que j'avais vu – je voulais simplement lui signaler Clayton comme quelqu'un à surveiller, le suspect possible, le personnage de fiction, le garçon qui réécrivait mon livre. Et j'ai pris un ton égal et naturel, répétant « traîner » deux fois, afin qu'il ne s'imagine pas que j'étais en train de perdre la boule. Puis j'ai appelé le poste d'Alvin Mendolsohn et j'ai été surpris de l'entendre me répondre. Il m'a parlé froidement au cours d'une discussion très brève qui nous a permis de définir bien inutilement nos territoires respectifs et de confirmer qu'Aimee Light ne s'était présentée à aucune des deux séances de tutorat prévues et avait négligé de le prévenir de son absence, puis il a ajouté, « C'est une jeune femme qui n'a aucun sens pratique », à quoi j'ai répliqué, « Pourquoi… parce qu'elle ne fait pas sa thèse sur Chaucer ? », et il a répondu, « Ne vous prenez pas tant au sérieux », et j'ai alors dit, « Ce n'est pas une réponse, Mendolsohn », avant que nous nous raccrochions au nez en même temps. Ayant besoin d'être plus audacieux que je ne me sentais l'être, j'ai rassemblé assez de courage pour me présenter au bureau des admissions, devant le bureau d'une jeune secrétaire à la bonne humeur fadasse, perchée près d'un ordinateur, à qui j'ai demandé de chercher le nom d'un étudiant et tout renseignement permettant de le contacter puisqu'il me fallait, à mon grand regret, annuler un rendez-vous. Mais, même dans mon état de distraction avancé, je me suis aperçu qu'une fois croassé le mot de

(*s'il n'y a pas de personne, comment peut-il y avoir un nom ?*)

« Clayton », je n'avais rien d'autre. Il ne m'avait pas donné de nom de famille. Mais le campus était petit et je me suis dit que « Clayton » était peut-être assez rare pour qu'on puisse le retrouver quand même. La secrétaire a trouvé bizarre que je ne connaisse pas le nom de famille d'un de mes étudiants et j'ai donc fait un geste de la main insouciant quand elle s'est inquiétée de cette défaillance, le geste traduisant ma distraction, ma vie compliquée et originale, mon manque de sérieux d'écrivain célèbre. Pour une raison quelconque, nous avons partagé un rire un peu figé, ce qui m'a détendu provisoirement. Elle avait l'air d'y être habituée – aux professeurs de l'université, apparemment une bande de désaxés un peu frénétiques qui oubliaient les noms de leurs propres étudiants. J'étais un peu ahuri et je me suis aperçu que j'approchais une phase de ma vie au cours de laquelle je cherchais à me faire aider par des gens qui avaient la moitié de mon âge. J'ai observé la secrétaire se pencher sur l'ordinateur, ses mains voleter sur le clavier.

« Bon, je vais taper le nom et nous allons faire une recherche. »

(« *Je suis un grand fan, Mr. Ellis.* »)

J'ai épelé le nom, corrigeant une faute (je ne sais pourquoi, elle pensait qu'il commençait par un « K » et qui sait si ce n'était pas le cas ?), et elle l'a tapé et puis frappé une touche et basculé en arrière.

Je voyais bien à l'expression sur son visage que l'écran aurait pu tout aussi bien être vide.

J'allais me pencher et parcourir l'écran avec elle quand elle a tapé sur plusieurs touches.

J'ai compris que l'affaire se compliquait parce que j'ai remarqué qu'elle soupirait sans cesse.

(Tu n'aurais jamais dû venir dans le comté de Midland. Tu aurais dû rester à New York. Pour toujours.)

« Je ne trouve rien à Clayton », a-t-elle dit, le visage tassé.

(« *Je suis étudiant ici.* »)

« Il a dit qu'il était en première année. Vous pouvez essayer encore ?

— Écoutez, bon, même si vous aviez un nom de famille, Mr. Ellis, rien ne sortirait dans l'annuaire des étudiants parce qu'il n'y a pas de Clayton répertorié.

— C'est extrêmement important.

— Je comprends bien, mais il n'y a de Clayton répertorié nulle part.

— S'il vous plaît, essayez encore une fois. »

La secrétaire m'a adressé un petit sourire narquois – c'était en fait une expression de sympathie.

« Mr. Ellis... » (et ça me rendait dingue que des jeunes femmes désirables m'appellent comme ça maintenant) « ... l'annuaire universitaire – vous savez ce que c'est ? – a confirmé qu'il n'y avait personne répondant au nom de Clayton – ou au prénom ou au deuxième prénom – inscrit à l'université. »

Ce n'est pas seulement l'information, mais le ton sur lequel elle l'a dit qui m'a mis dans un état de prostration : j'aurais dû savoir en entrant dans le bureau des admissions que retrouver Clayton serait hautement improbable. La recherche de la secrétaire avait répondu à quelque chose, mais un autre faux commencement s'annonçait. Je me suis lentement écarté du bureau, tandis que la secrétaire continuait à m'observer comme si je disparaissais dans un autre monde. Comme je n'offrais aucune explication pour cette perte de temps, son visage a pris une expression figée par l'impatience et puis elle m'a considéré avec un air dubitatif en disant, « Mr. Ellis, vous vous sentez bien ? » Mais son inquiétude était totalement superficielle, même si elle ne le faisait vraiment pas exprès.

Je ne pouvais pas me permettre d'être affecté par cette épreuve. Il fallait que j'intègre cette information et que j'en fasse quelque chose. Je savais maintenant – c'était un fait – quelque chose sur ce garçon qui s'était présenté comme Clayton et était apparu dans mon bureau et sur le siège du passager dans la voiture d'Aimee Light et dans ma propre maison, et je savais maintenant qu'il m'avait menti, et pire encore – j'ai senti un frisson prémonitoire – que, quoi qu'il eût en tête, il ne l'avait toujours pas accompli. J'avais la tête qui tournait et mes muscles étaient douloureux à cause du manque de sommeil, et je n'avais rien mangé à part un cracker avec du fromage au buffet de la bibliothèque de Buckley, hier soir, et en sortant du bureau des admissions, j'ai contemplé les Commons – l'esplanade au centre du campus. La matinée avait été douce et sans air, mais à présent une brise emportait les feuilles de couleur rouille qui tapissaient le sol, faisant apparaître l'herbe verte au-dessous. Les questions étaient innombrables (et trop bizarres) pour pouvoir les envisager systématiquement et rationnellement. Nous étions mardi –

c'était le seul fait réel. Je ne pouvais rester sur les marches du bureau des admissions – perdu et fasciné par un chien efflanqué reniflant tout le périmètre de Booth House, un mouchoir noué autour du cou – une minute de plus. Je suis parti en direction du parking des étudiants pour voir si je pouvais repérer la 450 SL crème ou la BMW d'Aimee Light. C'était le seul projet qui pouvait pour l'instant m'arracher à ma stupeur. Au loin, les rayons du soleil se réfléchissaient sur le dôme blanc du bâtiment des Beaux-Arts, puis le ciel a commencé à s'assombrir. L'été indien disparaissait rapidement.

Le parking des étudiants se trouvait derrière la Grange et, en passant sous l'arche du portail en fer forgé noir, une sorte de haut-le-cœur provoqué par la panique m'a saisi, puis s'est dissipé. J'ai récupéré un peu et commencé à parcourir les rangées de voitures garées n'importe comment, et l'inquiétude a resurgi quand j'ai senti la mer et su que c'était l'odeur du Pacifique à des milliers de kilomètres de là, et les nuages se déplaçaient rapidement à l'envers, et les corbeaux volaient très haut au-dessus du parking non asphalté et poussiéreux. On aurait dit que la température baissait à chaque seconde et, en considérant les deux cents voitures environ qui occupaient le parking, je me suis aperçu que je soufflais de la vapeur. Quand j'ai cru voir un éclair blanc, trois rangées au-delà de l'endroit où je me trouvais, je suis parti en titubant dans cette direction, mes chaussures crissant dans le gravier.

Je suis passé devant un étudiant qui lavait une Volvo – à cet instant précis une machine à vent a été mise en marche.

Un air glacé a desséché le campus, l'a transpercé.

Les feuilles mortes qui recouvraient tout se sont envolées et soudain enroulées en cônes qui balayaient le sol. Mon manteau claquait derrière moi pendant que j'avançais péniblement sur le parking. L'air qui se ruait vers moi me faisait l'effet d'un couteau. Les corbeaux tournoyaient juste au-dessus de moi à présent, noirs, croassant, leurs cris stridents noyés dans le rugissement du vent, et le vent faisait claquer le drapeau si fort que des bruits sourds résonnaient dans la hampe à laquelle il était fixé. Le vent a baissé brièvement et puis une énorme rafale m'a littéralement chassé du parking, et quand j'ai vu les étudiants, surpris et grimaçants, qui couraient se mettre à l'abri dans les bâtiments, j'ai baissé la tête et d'un pas chancelant je suis parti contre le vent m'abriter dans le pub du campus, The Café, et je me suis arrêté sous l'auvent où je me suis agrippé à une colonne en bois pour me soutenir, et puis j'ai abandonné, laissant la force du vent me plaquer contre le mur. Le vent soufflait si fort qu'il a renversé un distributeur de boissons qui se trouvait près de moi. Lorsque j'ai levé les yeux, en les plissant, j'ai pu voir les aiguilles de l'horloge sur la tour se balancer comme des pendules. On pouvait entendre le vent gronder férocement.

(J'ai fermé les yeux très fort et serré les bras autour de mon corps et demandé machinalement : C'était quoi le vent ? Et tout aussi machinalement quelque chose a répondu : Les morts qui hurlent.)

Et à l'instant même où j'ai décidé de renoncer à chercher les voitures et de revenir vers la Grange et l'abri du bureau qui s'y trouvait, le vent s'est calmé et le silence a envahi le campus.

Mes pensées en désordre :

(*Le vent t'a chassé du parking*)

(*Parce qu'il ne voulait pas que tu trouves la voiture*)

(*On apprend à passer à autre chose sans les gens qu'on aime*)

(*Mon père n'a pas appris*)

(*Mais le vent a cessé : c'est l'heure de boire un verre*)

Frissonnant, j'ai monté l'escalier grinçant qui conduisait à mon bureau, m'acclimatant au vide confortable de la Grange. J'ai ouvert mon bureau et lorsque j'ai piétiné les nouvelles que la porte avait poussées, je me suis rendu compte que la dernière fois que j'y étais venu, c'était le jour d'Halloween (le jour où Clayton s'était présenté à moi), et puis j'ai avancé jusqu'à mon bureau et je me suis effondré dans un fauteuil près de la fenêtre qui donnait sur les Commons et j'ai failli me mettre à pleurer parce que, ce jour-là, Aimee Light avait fait semblant de ne pas le connaître. Dehors, les nuages sombres qui avaient surveillé le comté de Midland s'éloignaient, le panorama devenant si clair que je pouvais voir au-delà des Commons dans la vallée, au-dessus du campus. Des chevaux broutaient dans une prairie, près d'une tente de toile, et un tracteur jaune manœuvrait derrière les grands chênes et les érables qui composaient la forêt conduisant à la ville, et puis j'ai vu mon père, les corbeaux tournoyant dans le ciel au-dessus de lui, et il était au bout de la pelouse des Commons, et son visage était pâle et son regard fixé sur moi et il tendait la main et je savais que si je prenais cette main elle serait aussi froide que la mienne et ses lèvres ont bougé et, de là où j'étais, je pouvais entendre le nom qu'il répétait, qui s'échappait continuellement de ses lèvres. *Robby. Robby. Robby.*

Quelqu'un a frappé à la porte de mon bureau et mon père a disparu.

Donald Kimball semblait fatigué et il n'avait plus cette expression inquisitrice de samedi dernier. Il avait l'air abattu. Après que je l'eus fait entrer, il m'a considéré avec un air détaché et a fait un geste en direction d'une chaise sur laquelle il s'est laissé tomber quand j'ai hoché la tête. Il a soupiré et s'est calé contre le dossier, ses yeux injectés scrutant la pièce. Je voulais qu'il fasse un commentaire à propos du vent – j'avais besoin que quelqu'un me le confirme pour que nous puissions en rire – mais il n'a rien dit. Il avait une voix desséchée quand il a pris la parole.

« Je ne suis jamais venu ici. À l'université, je veux dire. Joli coin. »

Je me suis déplacé vers mon bureau et m'y suis assis. « C'est une jolie petite université.

— Est-ce que le fait de travailler ici ne bouscule pas trop vos horaires d'écriture ?

— En fait, je n'enseigne qu'une fois par semaine et je vais annuler le cours de demain, et… » J'ai mesuré à quel point ce que je venais de dire me faisait paraître désinvolte et j'ai donc décidé de prendre ma défense. « Je prends mon travail au sérieux même si ce n'est pas trop exigeant… Je veux dire que c'est plutôt une routine. » Je disais n'importe quoi. Je voulais simplement que tout s'éternise. « C'est assez facile. » Je ne tenais pas en place – j'étais bien trop nerveux – et je me suis mis à arpenter le bureau, en faisant semblant de chercher quelque chose. Je me suis penché pour ramasser les nouvelles de mes étudiants et tout à coup je me suis pétrifié : il y avait des empreintes de pas couleur cendre sur le plancher.

Les mêmes empreintes que celles qui avaient taché la moquette de plus en plus sombre d'Elsinore Lane.

J'ai dégluti avec difficulté.

« Pourquoi ? demandait Kimball.

— Pourquoi… quoi ? » J'ai arraché mes yeux aux empreintes et posé les nouvelles sur une table sous la fenêtre qui donnait sur les Commons.

« Pourquoi est-ce facile ?

— Parce que je les impressionne. » J'ai haussé les épaules. « Ils sont assis dans une pièce et ils essaient de décrire la réalité et ils échouent la plupart du temps et puis je m'en vais. » Je me suis interrompu. « Je suis très professionnel pour ce qui est du détachement. » Je me suis interrompu de nouveau. « Et puis je n'ai pas à me préoccuper d'un poste à conserver. »

Kimball ne cessait de me dévisager, attendant que l'interlude misérable que j'imposais prenne fin.

Je m'efforçais de ne pas regarder les empreintes.

Finalement, Kimball s'est éclairci la voix. « J'ai eu vos messages et je suis désolé d'avoir mis tant de temps à vous répondre, mais vous n'aviez pas l'air trop inquiet et…

— Mais je pense que j'ai peut-être du nouveau, ai-je dit en m'asseyant.

(*Mais tu n'en as pas.*)

— Oui, c'est ce que vous disiez. » Kimball hochait lentement la tête. « Mais, euh… » Il s'est tu, distrait par quelque chose.

« Vous voulez boire quelque chose ? Euh, je crois que j'ai une bouteille de scotch quelque part.

— Non, non – ça va. » Il s'est interrompu. « Il faut que je retourne jusqu'à Stoneboat.

— Que s'est-il passé à Stoneboat ? Attendez, ce n'est pas là que vit Paul Owen ? »

Kimball a poussé un long soupir encore une fois. Il avait l'air renfermé, plein de regrets.

« Non, ce n'est pas là que vit Paul Owen. »

Je suis resté un instant silencieux. « Mais Paul Owen… ça va ?

— Ouais, il est, euh… » Kimball a enfin respiré à fond et m'a regardé droit dans les yeux. « Écoutez, Mr. Ellis, il s'est passé quelque chose à Stoneboat, la nuit dernière. » Il a soupiré, se demandant s'il devait continuer. « Et je crois que ça va changer le cours de l'enquête dont je vous ai parlé samedi.

— Qu'est-ce qui s'est passé ? »

Kimball me regardait avec des yeux vides. « Il y a eu un autre meurtre. »

J'ai encaissé le truc, hoché la tête et me suis forcé à demander. « C'était… qui ?

— Nous ne savons pas.

— Je ne… comprends pas.

— Il n'y avait qu'un corps en morceaux. » Il a séparé les mains pour en montrer les paumes. Mon regard a été capté par les ongles de Kimball. Il les rongeait. « C'était une femme. » Il ne cessait de soupirer. « J'ai été très occupé à cause de ça et je ne voulais pas vous déranger parce que le crime s'écarte de la thèse que nous avions élaborée.

— C'est-à-dire ?

— Il n'était pas dans le livre. Les homicides sur lesquels nous avons enquêté dans le comté de Midland depuis l'été dernier étaient liés – pensions-nous – au livre et, euh, celui-ci… ne l'est pas. » Il a regardé par-dessus mon épaule vers la fenêtre. « Il dévie même sérieusement. »

Réaction immédiate : ça me coupait la parole. J'étais tout seul. Parler de Clayton à Kimball n'aurait rimé à rien. Ça n'avait plus aucune importance. On aurait même dit que Kimball me congédiait. Il était évident à l'expression de son visage qu'il ne croyait plus à l'intrigue.

La scène du crime – le meurtre qui avait détruit la thèse – au motel Orsic, juste à la sortie de l'autoroute à Stoneboat, était épouvantablement compliquée. Il y avait des cordes et des membres installés devant des miroirs ; la tête et les mains avaient disparu, et les murs étaient couverts de sang ; il y avait des indices qui montraient qu'une lampe à souder avait été utilisée à un moment donné, et les os des bras avaient été cassés avant que le corps ne soit dépecé, et un tronc de femme avait été retrouvé dans la douche, et un immense dessin – tracé avec le sang de la victime – d'un visage décorait le mur au-dessus du lit éventré avec les mots – JE SUIS

DE RETOUR – griffonnés dessous, avec le même sang. Il n'y avait pas, une fois de plus, d'empreintes digitales. « Personne ne sait comment la chambre a pu être occupée… la femme de chambre… elle… » La voix de Kimball déraillait.

Il commençait à faire sombre dans le bureau et je me suis penché pour allumer la lampe avec l'abat-jour en verre couleur émeraude qui était sur mon bureau, mais elle n'est pas parvenue à éclairer la pièce.

Mon cœur battait de manière imprévisible pendant que j'écoutais Kimball.

La scène du crime n'avait pas été contaminée, mais l'expert des empreintes ne retrouvait même pas de taches ou de traces, et les spécialistes n'avaient pu découvrir une empreinte de pas ou une fibre quelconque, et les sérologistes qui examinaient la trajectoire des sérosités et les blessures défensives n'avaient pas trouvé d'autre sang que celui de la victime, ce qui était excessivement rare pour un meurtre d'une telle brutalité. Le quartier avait déjà été passé au peigne fin, et un médium était consulté en ce moment même. Et pire que tout, ce crime n'existait pas dans mon livre.

J'avais les aisselles trempées de sueur.

Je n'étais pas soulagé

(*Aimee Light avait disparu*)

parce que, si aucun crime de ce genre ne figurait dans l'édition Vintage d'*American Psycho*, il y avait tout de même un détail qui me dérangeait. Le récit de Kimball suggérait un truc sur lequel j'étais déjà tombé. Mes yeux se sont immédiatement tournés vers les empreintes de pas, alors que la voix de Kimball dérivait.

« … n'obtiendront pas une identification définitive avant une semaine au moins… peut-être plus… peut-être jamais… dans une situation d'attente en fait. »

Son stoïcisme était censé être réconfortant et j'ai compris qu'il croyait retirer un poids de mon existence et pensait que j'étais soulagé. Plus il parlait – d'une voix douce supposée me débarrasser de toute culpabilité, de tout stress – plus ma peur s'approfondissait. Et que pouvais-je lui dire au point où en étaient les choses ? Kimball a attendu patiemment après m'avoir demandé pour quelle raison je l'avais appelé, et mon silence ne l'a pas récompensé. J'ai rougi en fait quand je me suis rendu compte que je n'avais rien à lui donner – pas une preuve, pas même un nom, seulement un jeune homme qui me ressemblait. Et quand il a vu que je n'avais rien à lui donner – que je me cachais – il est revenu en arrière, en essayant de traiter ce qui l'avait frappé un peu plus tôt au motel Orsic. Il n'avait pas une question à me poser. Je n'avais pas une réponse à lui donner. Une série de coïncidences futiles nous avait conduits jusqu'ici – c'était tout. Plus rien n'était connecté désormais. Et tandis que nous nous enfoncions dans nos silences respectifs, mon esprit s'est ouvert à des possibilités que je ne pouvais partager avec le détective.

Un garçon était en train de rendre un livre vrai. Mais je ne connaissais pas le nom de ce garçon.

Il était entré dans ma maison. (Il niait ce fait.)

Il était monté dans la voiture d'Aimee Light. (Mais l'avais-tu vraiment vu ?)

Il avait une histoire avec une fille avec qui j'avais une histoire.

(Parles-en. Admets la liaison. Laisse Jayne l'apprendre. Perds tout.)

Et il était présent dans une vidéo qui avait été tournée la nuit où mon père était mort, il y a douze ans.

(Mais n'oublie pas : dans la vidéo, il a le même âge qu'aujourd'hui. C'est le détail capital. C'est la confession qui ferait vraiment décoller cette affaire. C'est le truc qui serait retenu contre toi.)

Au bout du compte, c'était la peur que Kimball me prenne pour un fou qui m'a fourni la raison la plus légitime de me taire.

(*Le vent ? Qu'est-ce que tu veux dire par « le vent m'a empêché de fouiller le parking » ? Qu'est-ce que tu cherchais ? La voiture d'un étudiant qui n'existe pas ? Un fantôme ? Quelqu'un qui avait la même voiture que celle que tu conduisais quand tu étais adolescent et...*)

Autre sentiment horrible : je me sentais progressivement réconforté par l'irréalité de la situation. Ça provoquait une tension, mais aussi une désincarnation. La dernière journée et la dernière nuit étaient si loin du domaine de toute expérience antérieure que la peur se mêlait à présent à une excitation modérée, mais tangible. Je ne pouvais plus nier que j'étais accro à l'adrénaline. Les bouffées de nausée diminuaient et étaient remplacées par une horrible insouciance. Dès que je me mettais à penser « ordre » et « faits », je ne pouvais m'empêcher de rire. Je vivais dans un film, dans un roman, le rêve d'un idiot que quelqu'un d'autre écrivait, et je commençais à être sidéré – ébloui – par ma dissolution. S'il y avait eu des explications pour tous les aspects en suspens de ce monde réversible, j'aurais agi sur eux

(*mais il n'y aurait jamais d'explications parce que les explications sont ennuyeuses, non ?*)

même si, arrivé à ce point, je voulais seulement que tout reste suspendu dans les limbes de l'incertitude.

Quelqu'un avait essayé de rendre vrai un roman que tu avais écrit.

Et n'est-ce pas ce que *tu* as fait quand tu as écrit le livre ?

(*Mais tu n'avais pas écrit ce livre*)

(*Quelque chose d'autre a écrit ce livre*)

(*Et ton père voulait maintenant que tu remarques certaines choses*)

(*Mais quelque chose d'autre ne voulait pas*)

(*Tu rêves un livre, et quelquefois le rêve devient la réalité*)

(*Lorsque tu abandonnes la vie pour la fiction, tu deviens un personnage*)

(*Un écrivain serait toujours coupé de l'expérience parce qu'il est l'écrivain*)

« Mr. Ellis ? »

Kimball m'appelait d'un endroit très lointain, et j'ai réapparu en fondu enchaîné dans la pièce où nous nous trouvions tous les deux. Il était déjà debout et ses yeux ont repris contact avec les miens quand je me suis levé, mais une certaine distance demeurait. Et puis, après quelques promesses de se tenir réciproquement informés au cas où « surviendrait quelque chose » (formule délicieusement et délibérément vague), je l'ai accompagné jusqu'à la porte et puis Kimball n'était plus là.

Une fois la porte refermée, j'ai remarqué l'enveloppe beige près des empreintes de pas couleur cendre, sur le plancher, chose que je n'avais pas notée auparavant.

(*Parce qu'elle n'y était pas avant, hein ?*)

(*Mon esprit a préféré ignorer : tout était possible désormais*)

Je l'ai fixée du regard un long moment, respirant avec difficulté.

Je l'ai abordée, non pas avec la lassitude désinvolte que j'éprouvais normalement quand un étudiant me confiait une nouvelle, mais avec une trépidation particulière qui faisait que mon corps n'était plus qu'un spasme.

J'ai dû me forcer à déglutir avant de la ramasser.

J'ai ouvert l'enveloppe.

C'était un manuscrit.

Il s'intitulait *Nombres négatifs*.

Le nom de « Clayton » était gravé dans un coin de la page de titre.

Je ne sais combien de temps je suis resté là, mais soudain j'ai éprouvé le besoin d'appeler Kimball.

J'ai couru à la fenêtre et j'ai vu les feux arrière de la berline de Kimball qui descendait College Drive et au loin, dans la vallée, le projecteur d'un hélicoptère de l'armée balayant la forêt déserte.

Il faisait nuit à présent.

Et qu'allais-je dire à Kimball ? La paralysie m'a repris quand j'ai compris que je voulais lui demander quelque chose.

Tu rouleras jusqu'au studio d'Aimee Light, qui se trouve à un petit kilomètre de l'université dans un de ces bungalows sommaires en brique où logent les étudiants qui ne vivent pas sur le campus, avec un parking entouré de pins. Sa voiture ne sera pas là. Tu circuleras dans tout le parking pour la trouver, mais tu ne le trouveras jamais (*parce qu'elle n'a quitté le motel Orsic que pour être jetée quelque part*) et tu auras les paumes humides de sueur, ce qui les rendra glissantes sur le volant. La lune sera un miroir reflétant tout ce qu'elle menace, et l'odeur des feuilles brûlées emplira l'atmosphère de la nuit, pendant que tu réfléchiras rapidement à une journée qui est passée trop vite. Tu te gareras sur sa place vide et sortiras de la Porsche et tu remarqueras que tout est éteint chez elle, et les seuls bruits seront le hululement des chouettes et le cri des coyotes perdus dans les collines de Sherman Oaks, sortant de leurs tanières et se répondant, tout en courant vers les petites flaques d'eau, et toujours et partout avec toi il y aura cette odeur obsédante du Pacifique. Tu marcheras jusqu'à la porte et puis tu t'arrêteras parce que tu ne voudras pas vraiment l'ouvrir, mais après avoir inutilement poussé dessus, tu abandonneras et tu feras le tour jusqu'à une fenêtre par laquelle tu pourras regarder à l'intérieur

(*parce que tu as besoin d'être plus audacieux que tu ne te sens l'être*)

et l'ordinateur sur son bureau sera la seule source de lumière dans la pièce, illuminant un amoncellement de journaux, les Marlboro qu'elle fume, la lampe tempête à côté du matelas à même le sol, le tapis indien et le fauteuil en cuir usé et les CD éparpillés à côté d'un antique *boom box* et la photo de Diane Arbus encadrée et la table Chippendale (la seule concession faite à son éducation) et les piles de livres si élevées qu'elles font office de papier peint, et alors que tu seras en train de scruter la chambre vide quelque chose sautera sur le rebord de la fenêtre et elle aura un air féroce et tu pousseras un cri et tu feras un bond en arrière avant de comprendre que ce n'est que son chat, affamé, donnant des coups de patte sur la vitre qui vous sépare, et tu fonceras jusqu'à ta voiture quand tu remarqueras le sang séché sur ses joues, et tandis que le chat continuera à donner des coups de patte sur la vitre, tu quitteras le parking, avec le désir de rouler jusqu'au motel Orsic à Stoneboat, mais c'est à quarante minutes d'ici et ça te mettra en retard pour ton rendez-vous avec Jayne chez la conseillère conjugale, même si, bien sûr, arrivé à ce point, ce n'est pas la véritable raison. Tu as peur de nouveau parce qu'il n'est pas encore temps de se réveiller du cauchemar. Et même si tu pouvais, tu sais qu'il y en a tellement d'autres, des nouveaux sur le point de commencer.

Ce que je voulais demander à Kimball, c'était : Est-ce que le tronc que vous avez retrouvé dans la douche du motel Orsic avait le nombril percé ?

17
Thérapie de couple

Quand je suis arrivé à la maison, Jayne était en train de faire ses bagages. Le Lear Jet du studio l'emmènerait demain de Midland Airport et atterrirait à Toronto un peu après dix heures. Marta me l'a rappelé pendant que Jayne s'affairait dans la chambre à coucher, rangeant ses vêtements dans plusieurs sacs Tumi étalés sur le lit, contrôlant chaque chose emportée sur une liste. Elle gardait tout ce qu'elle avait à dire pour le cabinet du Dr Faheida (la thérapie de couple me rappelait toujours quel truc horrible était l'optimisme). J'ai pris une douche et je me suis habillé, et j'étais tellement épuisé que j'ai douté de ma capacité à tenir pendant toute une séance – j'ai frissonné en pensant à l'énergie qu'il faudrait déployer. Comme ces séances se terminaient en général avec Jayne en larmes et moi dans un état d'impuissance enragée, je me suis armé de courage et je me suis bien gardé de mentionner le coup de téléphone du bureau d'Harrison Ford que j'avais reçu sur le parking du studio d'Aimee Light, m'avertissant qu'il serait dans « les meilleurs intérêts de chacun » (j'ai noté la nouvelle tournure hollywoodienne menaçante) si je pouvais être là-bas vendredi après-midi. D'une voix monotone de zombie, j'avais dit que je les rappellerais le lendemain pour confirmer, pendant que je contemplais à travers le pare-brise les grands pins qui se balançaient dans l'obscurité, au-dessus de la Porsche dans laquelle j'étais assis. Un autre échec de ma part – bien que toute excuse pour sortir de la maison fût désormais bienvenue. Une excuse qui était, en fait, devenue une priorité. En attendant au rez-de-chaussée, j'ai évité la salle de séjour et mon bureau, et je n'ai pas jeté le moindre coup d'œil sur la maison lorsque Jayne et moi avons marché jusqu'à la Range Rover garée dans l'allée, parce que je ne voulais pas voir à quel point elle avait encore pelé.

(*Mais peut-être que c'était fini. Peut-être qu'elle savait que j'avais déjà compris ce qu'elle voulait de moi.*)

Et dans la voiture, il n'y a pas eu la complainte qui précédait habituellement ces rendez-vous. Pas la moindre dispute parce que j'étais totalement concentré sur mon silence. Jayne ne savait rien de ce qui se passait à l'intérieur de la maison ou de l'existence d'un vidéoclip de mon père quelques instants avant sa mort, ou encore de la transformation du 307 Elsinore Lane en une maison qui avait existé dans Valley Vista, au cœur d'une banlieue de la San Fernando Valley appelée Sherman Oaks, ou même qu'un vent phénoménal m'avait empêché de chercher une voiture que je conduisais adolescent, ou qu'un assassin rôdait dans le comté de Midland à cause d'un livre que j'avais écrit ou – plus pressant encore – qu'une fille que j'avais désirée avait disparu au motel Orsic à Stoneboat, tard au cours de la nuit dernière. Et soudain je me suis dit : Si tu as écrit quelque chose et que cela se produit, est-ce que tu ne pourrais pas écrire autre chose et le faire disparaître ?

Je me suis concentré sur le ruban plat de l'asphalte de l'autoroute pour ne pas voir les palmiers et les citrus couchés par le vent qui avaient soudain fait leur apparition sur le bord de la route (j'imaginais leurs troncs surgissant du sol dur et sombre pour moi seul), et les vitres étaient remontées afin que l'odeur du Pacifique ne s'infiltre pas dans la voiture, et la radio était éteinte de sorte qu'on n'entendait ni *Someone Saved My Life Tonight* ni *Rocket Man* sur la station d'un État voisin qui diffusait ce genre de truc. Jayne, sur le siège du passager, se tenait aussi loin de moi que possible, les bras croisés, tirant régulièrement sur sa ceinture de sécurité pour me rappeler de m'attacher. Elle a émis un petit claquement avec la langue quand elle a remarqué à quel point j'étais consciencieux. Chaque cellule de mon cerveau était mobilisée pour détruire (simplement pour ce soir) toutes les choses qui me tournaient dans la tête, mais en fin de compte j'étais trop fatigué et distrait pour flipper. Il était temps de se concentrer sur ce soir. Et comme je commençais à faire attention, quelque chose s'est détendu au moment où nous avons traversé le parking à pied. J'ai fait une plaisanterie qui l'a fait sourire, et puis nous avons échangé une autre plaisanterie. Elle m'a pris la main au moment où nous nous sommes approchés de l'immeuble, et j'étais plein d'espoir quand nous sommes entrés dans le cabinet du Dr Faheida, Jayne et moi nous asseyant dans des fauteuils en cuir noir, face à face, pendant que le Dr Faheida (qui semblait à la fois excitée et humiliée par le statut de star de Jayne) était perchée sur un tabouret, décalée comme un arbitre de chaise avec un bloc-notes jaune sur lequel elle allait prendre des notes et auquel elle se référerait négligemment pendant toute la séance. Nous étions censés nous parler l'un à l'autre, mais souvent nous n'y pensions pas et, pendant les dix premières minutes, adressions nos récriminations au psy, oubliant de recourir aux pronoms spécifiques, et je décrochais le premier tandis que Jayne commençait la première (parce qu'elle avait tellement plus de problèmes), et puis j'entendais quelque chose qui m'arrachait à mon accablement.

Ce soir, c'était : « Il n'a pas établi le contact avec Robby. »

Un silence, et puis le Dr Faheida a demandé, « Bret ? »

C'était le point clé de l'affaire, le coup tordu au milieu de la répétition abrutissante de chaque séance. Très vite, j'ai mis en place une défense en disant, « Ce n'est pas vrai », mais j'ai été interrompu par un son exaspéré émis par Jayne.

« OK… Je *veux* dire que ce n'est pas vrai parce que ce n'est pas *totalement* vrai… Je pense que nous nous entendons un peu mieux à présent et… »

Le Dr Faheida a levé la main pour faire taire Jayne, qui se tortillait dans son fauteuil. « Laissez Bret parler, Jayne.

— Et je veux dire que, nom de Dieu, ça ne fait que quatre mois. Ça ne peut pas se faire du jour au lendemain. » Ma voix était ferme, en raison de mon calme.

Silence. « Avez-vous terminé ? a demandé le Dr Faheida.

— Euh, je pourrais dire qu'*il* n'a pas établi le contact avec *moi*. » Je me suis tourné vers le Dr Faheida. « Je peux dire ça, non ? C'est possible ? Que Robby n'a pas essayé d'établir le contact avec *moi* ? »

Le Dr Faheida a caressé son cou mince et hoché la tête avec bienveillance.

« Il n'était pas là pendant que Robby grandissait », a dit Jayne. Et je pouvais déjà dire en entendant sa voix – quelques minutes après le début de la séance – que sa rage finirait par être défaite par sa tristesse.

« Adressez-vous à Bret, Jayne. »

Elle s'est tournée vers moi et quand nos yeux se sont croisés, j'ai détourné la tête.

« C'est pour ça qu'il n'est que ce garçon pour toi,

a-t-elle dit. C'est pour ça que tu n'éprouves rien de particulier pour lui.

— Il est encore en train de grandir », lui a rappelé gentiment le Dr Faheida.

Et puis, j'ai dû empêcher mes larmes de couler en disant : « Mais étais-tu vraiment là pour lui, Jayne ? Je veux dire, toutes ces années pendant lesquelles tu voyageais en tous sens, as-tu vraiment été là pour lui…

— Oh, mon Dieu, pas ces conneries encore, a grogné Jayne, en s'enfonçant dans son fauteuil.

— Non, vraiment. Combien de fois l'as-tu laissé pour aller sur un tournage ? Avec Marta ? Ou tes parents ? Ou je ne sais qui ? Chérie, il a grandi en partie avec une série de nounous sans visages…

— C'est exactement pour ça que je pense que la thérapie est inutile, a dit Jayne au Dr Faheida. C'est exactement pour ça. C'est une plaisanterie. C'est pour ça que c'est une perte de temps.

— C'est une plaisanterie pour vous, Bret ? a demandé le Dr Faheida.

— Il n'a jamais changé une couche », a dit Jayne, avant de se lancer dans sa litanie hystérique sur le fait que les difficultés auxquelles nous étions confrontés étaient dues à mon absence pendant la prime enfance de Robby. Elle était en train de souligner que « jamais on ne m'avait vomi dessus » quand j'ai dû lui couper la parole. Je ne pouvais pas m'en empêcher. Je voulais que sa culpabilité et sa colère donnent vraiment leur pleine mesure.

« On m'a vomi dessus, chérie, ai-je protesté. On m'a même vomi dessus assez souvent. En fait, il y a eu une année où on m'a vomi dessus sans arrêt.

— Que tu te sois vomi dessus ne compte pas ! a-t-elle crié avant de dire, sur un ton moins exaspéré, au Dr Faheida : Vous voyez… c'est une pure plaisanterie pour lui.

— Bret, pourquoi essayez-vous de masquer les vrais problèmes en recourant à l'ironie et au sarcasme ? a demandé le Dr Faheida.

— Parce que je ne sais pas à quel point je peux prendre tout ceci au sérieux si nous ne blâmons que moi.

— Personne ne "blâme" qui que ce soit, a dit le Dr Faheida. Je croyais que nous nous étions mis d'accord sur le fait que c'était un terme à proscrire ici.

— Je pense que Jayne a besoin d'assumer ses responsabilités dans cette affaire. » J'ai haussé les épaules. « N'avons-nous pas terminé la séance de la semaine dernière en parlant du problème de Jayne ? Le tout petit problème de Jayne... » J'ai levé deux doigts, les serrant l'un contre l'autre, en guise d'illustration « ... qui pense qu'elle n'est pas digne de respect et comment *ça* fout tout en l'air ? Nous en avons parlé ou pas, Dr Fajita ?

— C'est Faheida, a-t-elle corrigé posément.

— Dr Fajita, est-ce que personne ne voit ici que je ne voulais pas...

— Oh, c'est ridicule, a crié Jayne. C'est un drogué. Il a recommencé à en prendre.

— Rien de tout ceci n'a à voir avec le fait d'être drogué, ai-je crié à mon tour. Cela a à voir avec le fait que je ne voulais pas avoir d'enfant ! »

Tout est devenu très tendu. Le silence a envahi la pièce. Jayne me dévisageait.

J'ai respiré et commencé à parler lentement.

« Je ne voulais pas avoir d'enfant. C'est vrai. Je ne voulais pas. Mais... maintenant... » J'ai dû m'arrêter. Un cercle se resserrait autour de moi et j'avais l'impression d'avoir la poitrine tellement comprimée que l'obscurité m'a submergé un instant.

« Maintenant... quoi, Bret ? » C'était le Dr Faheida.

« Mais maintenant je veux... » J'étais si fatigué que je n'ai pas pu m'empêcher de me mettre à pleurer.

Jayne me regardait avec dégoût.

« Y a-t-il rien de plus pathétique qu'un monstre qui ne cesse de dire *s'il vous plaît ? s'il vous plaît ? s'il vous plaît ?...*

— Euh... qu'est-ce que tu veux de plus ? ai-je demandé, me reprenant un peu.

— Tu plaisantes ? Tu me poses vraiment la question ?

— Je vais essayer, Jayne. Je vais vraiment essayer. Je vais... » Je me suis essuyé le visage. « Je vais m'occuper des enfants quand tu seras partie demain et... »

Jayne a parlé par-dessus moi d'une voix lasse. « Nous avons une bonne, nous avons Marta, les enfants sont dehors toute la journée...

— Mais je peux m'en occuper aussi quand, euh, ils sont à la maison et... »

Jayne s'est brusquement levée.

« Mais je ne veux pas que tu t'occupes d'eux parce que tu es un drogué et un alcoolique, et c'est la raison pour laquelle nous avons besoin de gens à la maison, et c'est la raison pour laquelle je n'aime pas que tu les emmènes en voiture où que ce soit, et c'est la raison pour laquelle tu devrais simplement...

— Jayne, je crois que vous devriez vous asseoir. » Le Dr Faheida a désigné le fauteuil.

Jayne a pris une longue inspiration.

Voyant que je n'avais pas d'autre option (et que je ne voulais pas d'autre option), j'ai dit, « Je sais que je n'ai pas vraiment fait mes preuves, mais je vais essayer... Je vais vraiment essayer que ça marche ». J'espérais que plus je le dirais, mieux elle pourrait l'enregistrer.

J'ai voulu prendre sa main. Elle a frappé la mienne.

« Jayne, a dit le Dr Faheida sur un ton de remontrance.

— Que vas-tu essayer, Bret ? a demandé Jayne,

debout devant moi. Tu vas essayer parce que ta vie est pire quand tu es seul ? Parce que tu as trop peur de vivre seul ? Ne me dis pas que tu vas essayer parce que tu aimes Robby. Ou parce que tu m'aimes. Ou Sarah. Tu es bien trop égoïste pour t'en tirer avec un putain de mensonge pareil. Tu as seulement peur de te retrouver seul. C'est seulement plus facile de rester dans les parages.

— Alors fous-moi dehors ! »

Jayne s'est effondrée dans le fauteuil et s'est remise à sangloter.

Cela m'a permis de reprendre contenance.

« C'est un processus. Ce n'est pas intuitif. C'est quelque chose qu'il faut apprendre…

— Non, Bret, c'est quelque chose qu'il faut *sentir*. Tu n'apprends pas à entrer en contact avec ton propre fils à l'aide d'un foutu manuel.

— Les deux doivent faire un effort. Et Robby ne fait pas d'effort.

— C'est un enfant…

— Il est bien plus intelligent que tu ne veux le croire, Jayne.

— Ce n'est pas juste.

— Ouais, d'accord, tout est de ma faute. J'ai trahi tout le monde.

— Tu es tellement sentimental.

— Jayne, tu m'as repris pour des raisons égoïstes. Tu ne m'as pas repris à cause de Robby. »

Sa bouche est restée ouverte, sous le choc.

Je secouais la tête en lui jetant un regard furieux.

« Tu m'as repris pour toi-même. Parce que *tu* voulais que je revienne. Tu as *toujours* voulu que je revienne. Et tu ne supportes pas de ressentir ça. Je suis revenu vers toi parce que tu voulais que je revienne et ce choix n'avait pas grand-chose à voir avec Robby. C'était ce que Jayne voulait.

— Comment peux-tu dire une chose pareille ? a sangloté Jayne, la voix haut perchée, incrédule.

— Parce que je ne pense pas que Robby veuille que je sois ici. Je ne pense pas que Robby ait jamais voulu que je revienne. » Je me suis senti si fatigué en faisant cette confession que ma voix s'est transformée en murmure. « Je ne pense pas qu'un père ait jamais vraiment besoin d'être présent. » J'avais de nouveau les larmes aux yeux. « Les gens s'en sortent mieux sans eux. »

Jayne a cessé de pleurer et m'a considéré avec un intérêt froid et authentique. « Vraiment ? Tu penses que les gens s'en sortent sans père ?

— Oui. » On pouvait à peine m'entendre dans la pièce. « Je le pense.

— Je pense qu'on peut prouver immédiatement que cette théorie est fausse.

— Comment ? Comment, Jayne ? »

Posément, sans effort, elle a répondu, « Regarde ce que tu es devenu ».

Je savais qu'elle avait raison, mais je ne pouvais pas supporter le silence qui aurait pu ponctuer cette phrase, qui aurait pu lui donner une dimension et une profondeur et un poids, la phrase qui établirait un contact avec un public.

« Qu'est-ce que ça veut dire ?

— Que tu te trompes. Qu'un garçon a besoin de son père. Ça veut dire que tu t'es trompé, Bret.

— Non, Jayne, c'est toi qui te trompes. Tu t'es trompée en ayant cet enfant, pour commencer. Et tu sais que tu t'es trompée. Ce n'était pas prévu et lorsque tu m'as soi-disant consulté, je t'ai dit que je ne voulais pas d'enfant et tu l'as fait quand même, même si tu savais que tu te trompais. Nous n'avons pas pris cette décision ensemble. Si quelqu'un s'est trompé, Jayne, c'est toi…

— Tu es une pharmacie ambulante – tu ne sais

même pas de quoi tu parles. » Jayne sanglotait de nouveau. « Comment peut-on écouter des trucs pareils ? »

Je pensais avoir atteint la limite de l'affection, mais l'épuisement me poussait inlassablement sur un ton raisonnable.

« Tu as fait quelque chose de très égoïste en mettant Robby au monde et maintenant tu t'aperçois à quel point c'était égoïste et tu me fais porter la responsabilité de cet égoïsme.

— Espèce d'enfoiré, a-t-elle sangloté, décomposée. Tu es un enfoiré total.

— Jayne, a coupé le Dr Faheida. Nous avons parlé de la nécessité pour vous d'ignorer Bret quand il dit une chose que vous désapprouvez ou que vous savez être fausse de toute évidence.

— Hé ! me suis-je exclamé en me redressant.

— Oh, j'essaie, a dit Jayne, respirant difficilement, le visage tordu par le remords. Mais il ne me laisse pas l'ignorer. Parce que Mister Rock Star a besoin de toute l'attention possible et qu'il est incapable de l'accorder à qui que ce soit d'autre. » Elle avait ravalé un sanglot et puis elle a dirigé sa fureur contre moi de nouveau. « Tu es incapable de te dégager d'une situation et de la voir depuis une perspective qui n'est pas la tienne. C'est toi, Bret, qui es complètement égoïste et totalement absorbé par toi-même et…

— Quand j'essaie d'accorder à toi ou aux enfants l'attention dont vous dites avoir besoin, tout ce que vous faites, c'est vous éloigner de moi. Pourquoi devrais-je encore essayer ?

— Arrête de pleurnicher !

— Jayne…, est intervenue le Dr Faheida.

— Robby était largué avant même que je n'arrive ici, Jayne. Et ce n'était pas à cause de moi.

— Il n'est pas largué, Bret. » Elle s'est mise à

tousser. Elle a cherché un Kleenex. « C'est vraiment tout ce que tu as appris ?

— Ce que j'ai pu apprendre au cours des quatre derniers mois, c'est que l'hostilité manifestée à mon égard dans cette maison m'a empêché d'être en contact avec *qui que ce soit*. Voilà ce que j'ai appris, Jayne… »

Je me suis tu. Soudain, je ne pouvais plus continuer. Involontairement, je me suis radouci. J'ai commencé à pleurer. Comment avais-je fini par être aussi seul ? Je voulais faire tout repartir en arrière. Immédiatement, je me suis levé du fauteuil et agenouillé devant Jayne, la tête inclinée. Elle a essayé de me repousser, mais je tenais ses bras fermement. Et je me suis mis à faire des promesses. J'ai parlé sans être interrompu, d'une voix brute. Je lui ai dit que j'allais être présent pour lui et que les choses allaient changer et que j'avais compris au cours de la semaine qui venait de s'écouler qu'il me fallait être là pour lui et qu'il était temps pour moi de devenir un père. Je n'avais jamais prononcé ces mots avec autant de force et à ce moment précis j'ai pris la décision de laisser la marée du récit m'emporter où elle voulait, ce que je croyais alors être vers Robby, et j'ai continué à parler en pleurant. J'allais me concentrer uniquement sur notre famille désormais. C'était la seule chose ayant du sens à mes yeux. Et quand j'ai terminé et enfin levé les yeux vers le visage de Jayne, il était brisé, tordu, et puis il s'est passé entre nous quelque chose de clair et distinct, et de la façon la plus onirique, sa tête s'est lentement penchée sur le côté et, dans ce mouvement, j'ai senti quelque chose monter et puis son visage s'est recomposé quand elle m'a regardé à son tour et que ses larmes ont cessé en même temps que les miennes, et cette nouvelle expression contrastait tant avec la dureté qui l'avait ravagé auparavant qu'un grand calme a envahi la pièce, la transportant ailleurs. Elle avait été paralysée, stupéfaite, par ma confession. J'étais agenouillé, nos mains toujours nouées. Nous nous tirions mutuellement à l'intérieur. C'était un faible mouvement vers une vision renversée, vers un réconfort. J'avais l'impression d'avoir traversé un monde pour parvenir à ce point. Quelque chose s'est desserré en moi et son regard chargé de remords laissait imaginer un avenir. Mais – et j'ai essayé de bloquer cette pensée – nous regardions-nous vraiment l'un l'autre, ou bien regardions-nous ce que nous voulions être ?

18

Spago

Un Spago avait ouvert sur Main Street en avril dernier, presque vingt ans après que l'original avait ouvert au-dessus de Sunset Boulevard à LA, où j'avais emmené Blair dans la 450 SL à la fin d'un concert d'Elvis Costello au Greek Theatre, et devant une baie vitrée qui donnait sur la ville, je lui avais annoncé que j'étais accepté à Camden et que je partais pour le New Hampshire à la fin du mois d'août ; elle avait gardé le silence pendant le reste du dîner (Blair, une fille de Laurel Canyon, avait placé une citation tirée de *Landslide* de Fleetwood Mac dans la page de sa dernière année pour l'album des anciens élèves de Buckley, qui m'avait secrètement donné envie de rentrer sous terre à l'époque, mais maintenant, vingt ans plus tard, le couplet qu'elle avait choisi m'émouvait aux larmes). Quand Jayne et moi sommes entrés dans le restaurant, il était déjà à moitié vide. Nous avons été placés à une table près de la fenêtre et notre garçon avait les cheveux brillants et il avait récité la moitié des plats du jour quand il a reconnu Jayne, après quoi son numéro est devenu faussement primesautier, la présence de la star réveillant sa timidité. J'ai remarqué ça. Jayne non, parce qu'elle me regardait fixement et tristement, et son expression n'a pas changé quand j'ai commandé une Stoli et jus de pamplemousse. Elle acceptait ce fait et elle a commandé un verre de Viognier. Nous nous sommes pris la main à travers la table. Ses yeux erraient quelque part de l'autre côté de la vitre ; il faisait froid et les vitrines des boutiques de Main Street étaient éteintes et un feu orange clignotant dansait au-dessus d'une intersection déserte. Nous étions tous les deux moins graves. Nous nous étions simplifiés, ancrés, rien ici n'était furtif ou paniqué entre nous, et nous voulions être tendres l'un envers l'autre.

« Au début, l'homme prend un verre, puis le verre prend un verre, et enfin le verre prend l'homme », murmurait-elle.

J'ai souri en guise d'excuses. Commander un cocktail était un geste si naturel que je n'y avais même pas réfléchi. C'était totalement involontaire. « Je suis désolé…

— Pourquoi bois-tu un verre ?

— Ce sera ma vodka de récompense ?

— Comment se fait-il que j'aie su que tu répondrais un truc merdique comme ça ? » Mais il n'y avait aucune rancœur dans sa voix et nous nous tenions toujours la main dans la lumière tamisée du restaurant.

« Tu veux vraiment être ici cette semaine ? »

C'était comme si l'intensité de ma supplique sincère – à genoux, la tête inclinée – dans le cabinet du Dr Faheida avait été oubliée. Mais ensuite j'ai pensé : Pendant ce discours passionné, tu ne pensais qu'à toi-même ? « Qu'est-ce que tu veux dire ? Où pourrais-je bien vouloir être ?

— Je ne sais pas, je pensais que tu aimerais peut-être partir une semaine. » Elle a haussé les épaules. « Marta sera là. Rosa aussi.

— Jayne…

— Ou tu pourrais venir à Toronto avec moi.

— Hé, tu sais que ça ne pourrait pas marcher.

— Tu as raison. Tu as raison. » Elle a secoué la tête. « C'était une idée stupide.

— Ce n'était pas une idée stupide.

— J'ai simplement pensé que tu aimerais aller quelque part. Prendre des vacances.

— Je ne veux aller nulle part. » Je faisais mon imitation de Richard Gere dans *Officier et Gentleman.* « Je ne veux aller nulle part… »

Elle a ri un peu, et ça n'avait pas l'air faux, et nous nous sommes pressé la main.

Et puis j'ai décidé de le lui dire. « Euh, je suis pressenti pour ce truc avec Harrison Ford et ils veulent peut-être me rencontrer cette semaine. » Je me suis interrompu. « À LA.

— Je trouve que c'est formidable. »

Je n'étais pas surpris par son enthousiasme, mais j'ai dit, « Vraiment ?

— Ouais. Tu devrais y réfléchir sérieusement.

— Ce ne serait que pour un jour ou deux.

— Très bien. J'espère que tu vas le faire. »

Soudain, j'ai demandé, « Pourquoi est-ce que tu restes avec moi ?

— Parce que… » Elle a soupiré. « Parce que… je te comprends, je suppose.

— Et pourtant tout ce que je fais te déçoit. Tout ce que je fais déçoit tout le monde.

— Tu as du potentiel. » Elle s'est tue. Le commentaire un peu général s'était transformé en autre chose grâce à sa tendresse. « Il y a eu une époque où tu me faisais rire et tu étais… gentil… » Elle s'est interrompue de nouveau. « Et je crois que ça se reproduira. » Elle a baissé la tête et ne l'a pas relevée pendant un long moment.

« Tu me donnes l'impression que c'est la fin du monde. »

Le garçon est arrivé avec nos verres. Il a fait semblant de la reconnaître seulement à ce moment-là et lui a fait un grand sourire. Elle lui a répondu par un sourire triste. Il nous a avertis que la cuisine allait bientôt fermer, mais ça n'a produit aucun effet. J'ai remarqué que des gens quittaient le bar. Il y avait un bassin à remous au centre de la salle à manger. Après avoir bu un peu de vin, Jayne a lâché ma main et demandé, « Pourquoi nous n'avons pas travaillé plus à ça ? » Silence. « Je veux dire, au début… » Nouveau silence. « Avant de rompre.

— Je ne sais pas. » C'était la seule réponse qui me soit venue à l'esprit. « Nous étions trop jeunes ? C'est possible ?

— Tu n'as jamais eu confiance en mes sentiments pour toi. Je ne crois pas que tu aies jamais cru que je t'aimais bien.

— Ce n'est pas vrai. Je l'ai cru. Je le savais. Je n'étais… pas prêt tout simplement.

— Et tu l'es maintenant ? Après une séance particulièrement lunatique ?

— Sur l'échelle du lunatique, je dirais que c'était à 7 seulement. »

Et après que nous avons essayé de sourire tous les deux, j'ai dit, « Peut-être que tu ne m'as jamais vraiment compris ». Avec la même voix douce que j'avais employée depuis que nous étions entrés dans le restaurant. « Tu dis que oui. Mais peut-être que non. Pas vraiment. » J'ai réfléchi. « Peut-être pas assez pour résoudre quoi que ce soit ? Mais c'était probablement de ma faute. J'étais ce type… qui se cachait et…

— Qui rendait impossible qu'on puisse résoudre quoi que ce soit. » Elle a fini la phrase.

« Je veux que ce soit possible maintenant. Je veux que ça marche… et… » Mon pied a trouvé le sien sous la table. Et puis j'ai eu un flash : Jayne, seule devant une tombe dans un champ brûlé au crépuscule, et cette image m'a obligé à admettre, « Tu as raison sur un point.

— Lequel ?

— J'ai peur d'être seul. »

Tu trébuches dans un cauchemar – tu t'accroches à un truc pour ton salut.

« J'ai peur de te perdre toi… et Robby… et Sarah… »

Si une chose est écrite, peut-elle être désécrite ?

Je me suis raidi en disant, « Ne pars pas », même si ce n'était pas entendu de manière littérale.

« Je ne serai partie qu'une semaine. »

J'ai pensé à la semaine qui venait de s'écouler. « C'est long.

— Il y aura toujours l'été, a-t-elle dit avec nostalgie, réplique célèbre d'un film qu'elle avait fait – l'amoureuse insaisissable qui plante le fiancé devant l'autel.

— Ne pars pas. »

Elle dépliait une serviette. Elle pleurait doucement.

« Quoi ? » J'ai tendu la main vers elle. J'ai senti les coins de ma bouche s'affaisser.

« C'est la première fois que tu me dis ça. »

Ce serait la dernière fois que je dînais avec Jayne.

19

Mercredi 5 novembre

Le chat

Je me suis réveillé, les yeux fixés sur le plafond assombri de notre chambre à coucher.

L'écrivain était en train d'imaginer un moment compliqué : Jayne disant au revoir aux enfants, s'agenouillant sur le granit froid de l'allée, un chauffeur dans une berline tournant au ralenti derrière elle, et les enfants étaient déjà en tenue pour l'école et elle les avait quittés tant de fois déjà, Sarah et Robby avaient l'habitude – ils ne boudaient pas, ils faisaient à peine attention, parce que c'étaient les affaires : Maman partant pour nulle part encore une fois (si Robby était légèrement plus affecté en ce jour de novembre, il ne l'a pas montré à Jayne). Pourquoi Jayne traînait-elle en disant au revoir à Robby ? Pourquoi cherchait-elle à croiser son regard ? Pourquoi Jayne a-t-elle caressé son visage jusqu'à ce que Robby se dégage en tressaillant, les doigts de Sarah nerveusement noués à ceux de sa mère ? Elle les a écrasés l'un contre l'autre en les serrant dans ses bras, leurs fronts se touchant, la façade de la maison au-dessus d'eux, avec le mur qui était une carte s'étalant à sa surface. Elle serait partie une semaine.

Elle les appellerait ce soir de sa chambre d'hôtel à Toronto (plus tard, à Buckley, Sarah montrerait du doigt le mauvais avion traversant le ciel, entrant et sortant des nuages, et dirait à son institutrice, « Ma maman est là-haut », et à ce moment-là la douleur de Jayne aurait déjà bien diminué). Pourquoi Jayne avait-elle pleuré pendant le trajet jusqu'à Midland Airport ? Avant que Jayne ne quitte l'obscurité de notre chambre, pourquoi avais-je prononcé les mots *Je promets* ? Mon oreiller était humide. J'avais de nouveau pleuré pendant mon sommeil. Le soleil entrait dans la pièce à présent et le plafond s'éclairait, médiocrement décoré d'un diamant qui ne cessait de grandir, et les parasols continuaient à tourner et des halos iridescents tourbillonnaient autour de moi – restes d'un rêve dont je ne pouvais me souvenir – et, au milieu d'un bâillement, il m'est venu une pensée : Jayne est partie. Ce que l'écrivain voulait savoir, c'était la chose suivante : Pourquoi Jayne était-elle tellement effrayée le matin du 5 novembre ? Ou plus exactement : Comment Jayne avait-elle eu l'intuition de ce qui allait nous arriver pendant son absence ?

Tout ignorer est une chose très facile à faire. Être attentif est beaucoup plus dur, mais c'était ce qu'on exigeait de moi puisque j'étais à présent le gardien provisoire.

Il était temps de résumer les choses et, pour cette raison même, tout s'est mis à bouger plus vite. J'avais maintenant une liste qu'il fallait contrôler le matin du 5 novembre. Le journal devait être parcouru pour trouver des informations concernant les garçons disparus (rien). Il devait être parcouru aussi pour trouver des informations relatives à un meurtre au motel Orsic (rien).

C'est le matin du 5 novembre que j'ai composé pour la dernière fois le numéro d'Aimee Light. Son portable ne répondait même plus.

J'ai vérifié mes e-mails. Il n'y avait plus de messages en provenance de la Bank of America de Sherman Oaks à 2 h 40 du matin.

J'étais incapable de dire si la moquette dans la salle de séjour était plus sombre. L'écrivain m'a dit qu'elle l'était. Mais il a dit aussi que cela n'avait plus aucune importance.

Les meubles étaient toujours dans la formation que j'avais connue enfant. L'écrivain l'a confirmé, puis il a voulu que j'inspecte l'extérieur de la maison.

Quand nous sommes allés du côté de la maison qui faisait face à celle des Allen, nous avons constaté que le mur était encore en phase de transformation. Le rose saumon était plus foncé et le stuc nettement plus marqué, avec des motifs tourbillonnants qui apparaissaient partout. L'écrivain a murmuré à mon oreille : La maison est en train de devenir celle dans laquelle tu as grandi.

Je me suis déplacé vers la façade de la maison où la peinture qui pelait continuait à donner son avertissement et où l'odeur douce et fétide d'un truc mort était immédiatement perceptible.

Il y avait un parterre qui longeait le bas du côté nord de la maison et je l'ai scruté jusqu'à ce que j'aperçoive le chat.

Il était couché sur le flanc, le dos bombé, ses petites dents jaunes visibles dans une grimace figée, et ses intestins étaient collés au sol, à la terre sur laquelle ils s'étaient déversés. Ses yeux étaient plissés dans ce que j'ai d'abord pris pour une expression de douleur.

Mais quand l'écrivain m'a forcé à regarder de plus près, je me suis aperçu que quelque chose les avait arrachés.

Le sol était trempé de sang et les viscères que le Terby avait sortis du ventre du chat étaient étalés sur le parterre de marguerites, couverts de mouches à présent.

J'ai imaginé que quelque chose observait ma découverte du chat et j'ai pivoté sur moi-même au moment où un éclair noir disparaissait derrière l'angle de la maison.

L'écrivain m'a promis que ce n'était pas quelque chose que j'avais rêvé.

Mais je n'arrivais pas à imaginer comment le Terby avait pu capturer le chat.

Je n'arrivais pas à imaginer la peluche faisant un truc pareil.

Le Terby n'était qu'un accessoire de film d'horreur.

Mais il y avait une part de l'écrivain qui voulait que le Terby ait tué le chat.

L'écrivain pouvait imaginer cette scène : la peluche montant la garde – une sentinelle – sur son perchoir, le rebord de la fenêtre de la chambre de Sarah, la peluche repérant le chat, la peluche en piqué, la peluche luttant avec le chat sous le parterre bien taillé, une serre levée, et puis quoi ? A-t-elle joué avec le chat avant de l'ouvrir en deux ? La chose s'est-elle nourrie du chat ? Le dernier truc qu'ait vu le chat était-il la tête tordue de l'oiseau et au-delà un ciel vide et gris ? L'écrivain a considéré les divers scénarios possibles jusqu'à ce que j'intervienne et oblige l'écrivain à espérer que ce n'était pas vrai. Parce que si je croyais que la peluche était coupable, le sol sur lequel je me tenais allait se transformer en un monde de sables mouvants.

Indépendamment du fait que le Terby ait pu tuer le chat, j'étais décidé à m'en débarrasser ce jour-là.

Je suis rentré dans la maison pour le chercher.

Marta avait emmené Robby et Sarah à l'école. Rosa nettoyait la cuisine.

J'ai supposé que si le Terby était dans la maison, il serait couché innocemment dans la chambre de Sarah.

Mais le Terby n'était pas dans la chambre de Sarah. C'est ce que j'ai découvert après une inspection en règle de la pièce.

L'écrivain m'a dit qu'il se cachait. L'écrivain m'a dit qu'il me fallait l'attirer hors de sa cachette.

J'ai demandé à l'écrivain comment un truc qui n'est pas vivant peut se cacher ?

J'ai demandé à l'écrivain comment on attire quelque chose qui n'est pas vivant hors de sa cachette ?

Ça a momentanément réduit l'écrivain au silence. Ce silence a fini par m'inquiéter.

L'écrivain a été réactivé lorsque je me suis avancé jusqu'à la fenêtre de la chambre de Sarah pour jeter un coup d'œil au parterre et au chat mutilé.

L'écrivain a suggéré que nous allions dans la chambre de Robby.

J'ai hésité dans le couloir devant la chambre de Robby en observant les griffures dans le bas de la porte, puis j'ai tourné la poignée et suis entré.

La chambre était immaculée.

Je ne l'avais jamais vue aussi bien rangée. Tout était à sa place.

Le lit était bien fait. Il n'y avait pas de vêtements éparpillés sur le sol. Les cassettes vidéo et les DVD et les magazines étaient soigneusement empilés. L'aspirateur venait d'être passé sur le paysage martien du tapis. Il n'y avait pas de gobelet Starbuck sur le mini-réfrigérateur. Son bureau était vide. Les coussins du sofa en cuir étaient bien gonflés. Toutes les surfaces étaient propres. La pièce sentait la cire et le citron.

C'était un show-room.

Tout était en place.

Et ça donnait l'impression d'être vide.

C'était censé procurer une impression paisible.

Mais il y avait eu un effort intense pour donner aussi cette impression superficielle.

Personne n'y avait jamais vécu.

Il y avait quelque chose d'atrocement faux là-dedans.

Cette fausseté m'a poussé en direction de l'ordinateur.

La lune émettait ses pulsations sur l'écran.

De nouveau : hésitation. Et puis : le besoin que les choses s'accélèrent.

La théorie angoissée de Nadine Allen a tourbillonné dans la chambre déserte.

Le mot *Neverland* a poussé l'écrivain à tendre la main et à effleurer la souris.

Le bureau est apparu à l'écran.

Je savais qu'il n'y avait personne à l'étage, mais j'ai tout de même regardé par-dessus mon épaule.

Après avoir cliqué sur « Mes documents », je suis allé fermer la porte.

Quand je suis revenu devant l'écran du Gateway, une centaine de documents Word Perfect environ s'étaient affichés.

Je me suis mis à transpirer.

En descendant jusqu'au bas de l'écran, j'ai vu que dix documents avaient été téléchargés de quelque part.

Ces fichiers avaient pour titre des initiales.

L'écrivain a été immédiatement en mesure de leur rattacher des noms.

MC aurait pu être Maer Cohen.

Et TC était Tom Slater ?

EB était Eddie Burgess.

JW : Josh Wolitzer.

CM, c'était Cleary Miller.

Quand j'ai cliqué le document MC, une boîte de dialogue est apparue sur l'écran me demandant un mot de passe.

Pourquoi avait-on besoin d'un mot de passe pour ouvrir un document ?

Parce qu'il ne veut pas être lu par toi, a soufflé l'écrivain.

J'ai examiné la pièce pendant que l'écrivain se demandait ce que pouvait bien être le mot de passe de Robby.

L'écrivain se demandait s'il y avait un moyen pour nous de le découvrir.

L'écrivain se demandait si Marta savait.

J'ai levé les yeux de l'ordinateur et suis tombé sur mon reflet dans le grand miroir.

Je portais un pantalon kaki, un pull rouge Polo sur un tee-shirt blanc et des Vans, et transpirant abondamment, j'étais penché sur l'ordinateur de mon fils. J'ai enlevé le pull. J'avais toujours l'air ridicule.

J'ai concentré toute mon attention sur l'ordinateur.

Je me suis mis à taper des mots qui, me disais-je, pourraient signifier quelque chose pour Robby.

Les noms des lunes : Titan. Miranda. Io. Atlas. Hypérion.

L'accès a été dénié à chacun de ces mots.

L'écrivain s'y attendait et a grondé le père pour avoir l'air surpris.

Je n'étais pas conscient, penché sur l'ordinateur, du fait que la porte derrière moi était en train de s'ouvrir tout doucement.

L'écrivain supposait que j'avais fermé la porte.

L'écrivain est même allé jusqu'à suggérer que je l'avais fermée à clé.

Je me suis accroché à la possibilité de l'avoir laissée entrouverte.

Tandis que je continuais à taper inutilement des mots de passe, la porte s'est ouverte entièrement et quelque chose est entré dans la chambre de Robby.

Et juste au moment où l'écrivain a décidé de taper *Neverland*, je me suis rendu compte que Nadine Allen s'était trompée.

Le mot n'était pas *Neverland.*

Le mot était *Neverneverland.*

Neverneverland était l'endroit où allaient les garçons perdus.

Pas *Neverland,* mais *Neverneverland.*

L'écrivain m'a dit de le taper immédiatement.

C'était le mot de passe.

Et alors que l'écran se remplissait d'une photo digitale de Maer Cohen, accompagnée d'une longue lettre datée du 3 novembre qui commençait par les mots « Hé, RD », un autre abîme s'est ouvert dans la chambre de Robby.

(Robert Dennis était RD.)

J'ai été pétrifié en entendant un truc cliqueter derrière moi.

Avant que je ne puisse me retourner, un cri strident a retenti.

Le Terby était sur le seuil, les ailes déployées.

Ce n'était plus une peluche. C'était autre chose à présent.

Il était parfaitement immobile, mais quelque chose bougeait sous ses plumes.

La présence du Terby – et tout ce qu'il avait fait – m'a libéré de ma peur et je me suis jeté en avant.

Quand je l'ai attrapé dans mon pull, je m'attendais à ce qu'il réagisse d'une manière ou d'une autre.

Les lèvres animées électroniquement, sous son bec, se sont ouvertes pour révéler une série de dents inégales que je ne lui savais pas avoir.

La tête noire s'est grippée – les yeux étaient brillants et humides – et les plumes ont commencé à se hérisser quand je lui ai jeté mon pull dessus.

Mais lorsque j'ai soulevé la peluche, il n'y a pas eu de résistance.

OK, me suis-je dit, *Sarah l'avait laissé en marche. Il pouvait se déplacer tout seul. Il a donc marché dans un couloir. Il est entré dans une chambre. Je n'avais pas fermé la porte. Sarah ne l'avait tout simplement pas éteint avant de partir pour l'école.*

J'ai lentement soulevé le pull du Terby – il puait, il avait l'air mou et flexible, et il vibrait encore légèrement dans mes mains.

J'ai retourné la peluche pour éteindre la lumière rouge sous son cou afin de le désactiver.

Mais la lumière rouge n'était pas allumée.

Ce détail m'a immédiatement fait sortir de la chambre.

Peu importait la peur provoquée par ce truc, elle se transformait en énergie.

J'ai couru dans mon bureau prendre mes clés de voiture.

J'ai jeté la peluche dans le coffre de la Porsche.

Je me suis dirigé sans hésitation vers la périphérie de la ville.

L'écrivain, à côté de moi, réfléchissait à tout ça, élaborant ses propres théories.

La peluche n'était pas en marche parce que personne ne l'avait mise en marche.

La peluche, Bret, avait senti ton odeur.

La peluche savait que tu étais dans la chambre de Robby et ne voulait pas que tu découvres les fichiers.

Tout comme elle n'avait pas voulu que tu voies ce qui se trouvait dans la chambre de Robby, le dimanche soir.

Le soir où elle t'a donné un coup de bec, elle avait visé la main qui tenait le pistolet.

La chose protégeait quelque chose.

Elle ne voulait pas que tu saches certaines choses.

Quelque chose avait voulu que la peluche soit placée dans ta maison.

Tu n'étais que l'entremetteur.

Il fallait que j'appelle Kentucky Pete pour savoir où il avait dégoté la peluche.

J'ai dit à l'écrivain que ça permettrait de commencer à répondre à toutes les questions.

OK : j'avais acheté le truc en août dernier, et août était le mois au cours duquel mon père était mort et…

Arrête, a coupé l'écrivain. Il y avait une montagne de questions et tu ne serais jamais capable d'y répondre – il y en avait trop et elles étaient toutes cancéreuses.

L'écrivain m'a pressé de foncer à l'université. L'écrivain voulait que je prenne le manuscrit de *Nombres négatifs* – que Clayton avait laissé dans mon bureau. Il nous fournirait une réponse, m'a assuré l'écrivain. Mais la réponse ne ferait que te conduire à d'autres questions et c'étaient des questions dont tu ne voulais pas connaître les réponses.

Il était trop tôt pour trouver Pete, mais j'ai appelé son portable et laissé un message.

À un moment donné, j'ai garé la Porsche le long d'un champ sur une portion déserte de l'autoroute.

Au-dessus, le ciel était divisé en deux : un intense bleu arctique lentement effacé par une couche de nuages noirs. Les arbres perdaient leurs feuilles à présent. Le champ était brillant de rosée.

J'ai ouvert le coffre.

L'écrivain a attiré mon attention sur le pull dans lequel j'avais enveloppé la peluche.

Le pull rouge Polo avait été déchiqueté pendant les vingt minutes du trajet depuis Elsinore Lane jusqu'à ce champ au bord de l'autoroute.

Prenant le Terby par une aile pour le sortir du coffre, j'ai détourné les yeux quand la peluche s'est mise à uriner, un long jet jaune jaillissant de son corps noir et éclaboussant l'asphalte de l'autoroute.

L'écrivain a attiré mon attention sur les corbeaux perchés sur la ligne du téléphone au-dessus de moi, au moment où je lançais la peluche dans le champ. Elle est restée sans bouger après y avoir atterri.

Des feuilles se sont soulevées du champ.

Je pouvais entendre le bruit d'une rivière, ou bien était-ce les vagues déferlant sur le rivage ?

Le Terby a été immédiatement enveloppé par un nuage de mouches.

Au loin, un cheval broutait – à une trentaine de mètres peut-être de l'endroit où j'étais – et à l'instant où les mouches se sont ruées sur la peluche, le cheval a secoué la tête et galopé dans le champ, comme s'il avait été offensé par la présence de la chose.

Tue-le, a murmuré l'écrivain. *Tue ce truc maintenant.*

Tu n'as plus besoin de me convaincre, ai-je dit à l'écrivain.

J'ai déplu à l'écrivain parce que j'essayais de suivre un plan.

Je suivais une vague idée. Je prévoyais la météo. Je prédisais les événements. Je voulais des réponses. J'avais besoin de clarté. Je devais contrôler le monde.

L'écrivain aspirait au chaos, au mystère, à la mort. C'était ça ses inspirations. C'était l'impulsion qui le dirigeait. L'écrivain voulait que des bombes explosent. L'écrivain voulait la destruction de l'Olympe. L'écrivain était avide de mythe et de légende et de coïncidences et de flammes. L'écrivain voulait que Patrick Bateman revienne dans nos vies. L'écrivain espérait que l'horreur de tout ce machin allait me galvaniser.

J'en étais arrivé à un point où tout ce que l'écrivain voulait me remplissait tout simplement de remords.

Je croyais innocemment à la métaphore que l'écrivain, à ce moment précis, décourageait activement.

Il y avait à présent deux stratégies opposées pour faire face à la situation en cours.

Mais l'écrivain était en train de gagner, parce que en me penchant pour monter dans la Porsche j'ai senti un vent marin souffler sur moi.

20
Kentucky Pete

J'ai gardé les yeux fixés sur l'horizon. Le ciel tournait au noir et les nuages qui y roulaient ne cessaient de changer de formes. Ils ressemblaient à des vagues, des crêtes, à l'écume d'un millier de plages. Je regardais régulièrement dans le rétroviseur pour voir si rien ne nous suivait. Je n'avais rien à foutre de la façon dont Sarah réagirait quand elle s'apercevrait que sa peluche avait disparu. Il faudrait qu'elle s'y fasse, rock'n'roll. L'écrivain a remarqué que nous ne prenions pas la direction de l'université et il a reparlé de *Nombres négatifs*. J'ai dit posément à l'écrivain que nous n'allions pas à l'université. J'ai dit à l'écrivain que nous retournions au 307 Elsinore Lane. J'ai dit à l'écrivain qu'il nous fallait remonter dans la chambre de Robby. Il y avait des informations dans l'ordinateur de Robby. Nous devions voir en quoi consistaient ces informations. Les informations allaient éclaircir les choses. C'était la raison pour laquelle nous avions pris la direction de la maison et non de l'université.

Ce qui se trouve dans l'ordinateur est simplement un avertissement, a répliqué l'écrivain.

La réponse est dans ce manuscrit et non dans ces fichiers, a répliqué l'écrivain.

J'étais parti à la dérive, pensant à mon propre manuscrit. Je pensais que je savais, à ce moment précis, que je ne le finirais jamais. J'ai accepté ce fait avec stoïcisme.

Quand l'écrivain s'est mis à rire de moi, je me suis senti transparent.

L'écrivain a dit en riant, « Gare-toi ».

L'écrivain a dit en riant, « Laisse-moi descendre ».

Le portable a sonné. Je l'ai attrapé sur le tableau de bord. C'était Pete.

« Où as-tu trouvé cette peluche ? ai-je demandé dès que j'ai décroché.

— Hé, Bret Ellis, a-t-il dit d'une voix traînante, en train de mâcher quelque chose. C'est un petit peu tôt dans la journée… On n'a pas dormi de la nuit ?

— Non, non. Ce n'est pas ça. Je voulais juste te parler de cette peluche…

— Quelle peluche, mec ?

— Ce piaf que je t'ai demandé de trouver pour ma petite fille ? ai-je précisé en essayant de prendre le ton du parent inquiet et non celui d'un des camés préférés de Pete. J'avais besoin d'un de ces Terby pour son anniversaire, et ils étaient en rupture de stock. Tu te souviens ?

— Ah ouais, d'accord, cet ignoble truc flippant que tu voulais à n'importe quel prix.

— Oui, exactement », ai-je dit, soulagé en fait que Pete s'en souvienne. Nous ne faisions pas fausse route. « Qui te l'a fourni ? »

J'ai pu l'entendre hausser les épaules. « Un contact à moi.

— C'était qui ?

— Pourquoi ?

— J'ai besoin d'un renseignement précis, Pete. C'était qui ?

— Tu es sûr que tu n'es pas pété, mec ? »

M'apercevant que j'avais la voix rauque et pâteuse, j'ai essayé de trouver un ton plus neutre.

« C'est important, d'accord ? Tu n'as pas besoin de dénoncer qui que ce soit. Est-ce que ton contact a trouvé ce truc dans un magasin de jouets ou par quelqu'un ou je ne sais quoi ?

— Je ne lui ai pas demandé où il l'avait trouvé. » Je pouvais voir le visage bourré de Pete à la façon dont il venait de dire ça. « Il me l'a apporté, c'est tout. »

OK. J'ai respiré à fond. Nous progressions. Le contact était un homme.

« À quoi ressemblait le type ? » J'ai serré le volant, redoutant la réponse de Pete.

« À quoi il ressemblait ? a demandé Pete. Qu'est-ce que c'est que ces conneries ?

— C'était un type jeune ? Vieux ?

— Pourquoi tu veux connaître des conneries pareilles ?

— Pete, donne-moi simplement une vague description. » J'ai baissé la voix. « S'il te plaît, je crois que c'est important.

— C'était un type plutôt jeune, a dit Pete, perplexe.

— À quoi il ressemblait ?

— À quoi ? Il ressemblait à un mec qui va à l'université. En fait, c'était un mec qui va à l'université. Là où tu donnes tes cours, mec. »

L'écrivain a commencé à sourire.

L'écrivain se tortillait d'extase sur son siège.

L'écrivain voulait applaudir.

Mon silence a encouragé Pete à continuer.

« Je devais rencontrer des gamins, la première semaine de cours, et je dois dire que j'avais essayé partout – ce truc était absolument introuvable – et je savais combien de fric t'étais prêt à mettre, alors j'étais un peu désespéré et en fait je demandais à tout le monde et un soir que je passais à l'université… je faisais mon petit tour, j'ai demandé à cette bande de gamins s'ils pouvaient m'en procurer un et ce gamin a dit qu'il pourrait m'en avoir un, le lendemain. Pas de problème. »

Je roulais sur l'autoroute.

J'ignorais les palmiers qui ne se balançaient pas sur le bord et avaient transformé l'autoroute en corridor.

J'avais bien aligné la voiture dans la file qui était la nôtre.

L'écrivain ne pouvait plus contenir sa joie.

Kentucky Pete continuait à parler et ce qu'il disait n'avait plus aucune importance.

« Et donc je me suis arrêté au parking du Fortinbras et on s'est retrouvés et il avait le truc et voilà l'histoire. » Pete a inhalé quelque chose et sa voix est devenue plus profonde. « Je lui ai donné la moitié du fric et j'ai gardé le reste pour ma commission et affaire conclue.

— À quoi est-ce qu'il ressemblait, Pete ?

— Merde, mec, t'arrêtes pas de me demander ça comme si c'était important.

— Ça l'est. Dis-moi à quoi il ressemblait. »

Pete est resté silencieux, et puis il a inhalé encore une fois. « Bon, tu vas sûrement croire que je me casse pas trop sur ce coup, mais il te ressemblait un peu. »

J'ai trouvé la ressource en moi pour demander : « Qu'est-ce que tu veux dire ?

— Eh ben, il te ressemblerait si t'étais un peu plus jeune. »

J'ai trouvé la ressource en moi pour demander : « Il s'appelait Clayton ?

— Je garde pas les dossiers, mon pote. »

À l'extérieur de la voiture, tout était flou. « Il s'appelait Clayton ?

— Tout ce que je sais, c'est que je l'ai rencontré à l'université et qu'il conduisait cette petite Mercedes blanche. » Pete a toussé. « Je me souviens de la voiture. Je me souviens de m'être dit, Putain, ce gamin est bourré de fric. Je me souviens de m'être dit, Ça va être un trimestre très lucratif. » Parasites. « Mais je l'ai jamais revu le gamin. »

La Porsche a tangué légèrement. Une autre vague de peur qui déferlait.

« Il s'appelait Clayton ? » ai-je bégayé et j'ai essayé de me redresser. J'aurais tout aussi bien pu me parler à moi-même.

Il y a eu un long silence, seulement perturbé par les parasites sur la ligne. Et puis ça a été le silence.

J'allais raccrocher.

« Tu sais quoi ? » Pete était de retour. « Je crois qu'il s'appelait comme ça. Ouais, Clayton. Ça m'a l'air d'être ça. » Un silence concentré pendant lequel Pete a compris quelque chose. « Hé, attends une minute… alors tu le connais ? Merde, pourquoi tu m'appelles si… »

J'ai raccroché.

Je me suis concentré sur le vide aveuglant de l'autoroute.

Ce que tu viens d'entendre ne te donnera aucune réponse, Bret. C'est ce qu'a dit l'écrivain.

Regarde comme le ciel est noir, a dit l'écrivain. C'est moi qui l'ai fait comme ça.

21

L'acteur

La Porsche a plongé dans le garage.

Le rire de l'écrivain avait cessé. L'écrivain était un guide aveugle qui disparaissait lentement. J'étais maintenant seul.

Tout ce que je faisais avait un dessein qui n'appartenait qu'à moi.

L'escalier avait l'air plus raide quand je l'ai monté.

J'ai ouvert la porte de la chambre de Robby.

L'ordinateur était éteint.

(Il était allumé quand j'avais été interrompu.)

Après l'avoir fait redémarrer, je me suis assis devant l'écran pendant trois heures.

Au moment où j'ai tapé le mot de passe pour ouvrir le fichier MC, l'écran de l'ordinateur a clignoté et réaffiché le bureau.

L'écran a recommencé à clignoter, l'image se réduisant par les bords, avant de tourner au vert et d'être envahie par l'électricité statique.

J'ai essayé de résoudre péniblement les problèmes techniques. Je continuais à me dire que si je pouvais lire ces fichiers, tout s'éclaircirait et s'allégerait.

J'ai débranché le Gateway. Je l'ai fait redémarrer.

Le service d'assistance technique d'urgence m'a fait

attendre pendant une heure avant que je ne raccroche, sachant finalement qu'ils ne pourraient rien faire.

J'avais mal aux yeux, mais je continuais à taper sur les touches d'une main, tout en déplaçant la souris en cercles inutiles sur son tapis de l'autre, le visage rouge de concentration.

L'ordinateur était maintenant un jouet de pierre qui se contentait de me rendre mon regard. L'ordinateur n'allait pas perdre cette partie.

Chaque touche enfoncée m'éloignait un peu plus de l'endroit où je voulais aller.

Je me détournais de l'information.

Dans l'électricité statique et les clignotements aléatoires, j'arrivais à apercevoir de temps en temps les collines de Sherman Oaks dans San Fernando Valley ou à entrevoir le rivage devant un hôtel au Mexique, mon père se tenant sur un ponton et faisant signe de la main, et le bruit de l'océan retentissait dans les haut-parleurs de l'ordinateur.

Rapidement, l'ombre de la Bank of America dans Ventura Boulevard est passée.

Autre apparition familière : le visage de Clayton.

Et puis l'ordinateur a agonisé.

Avant que le son ne disparaisse, des paroles étouffées, lointaines, de *On The Sunny Side of the Street* se sont fait entendre.

Et puis l'ordinateur a vrombi pour se taire définitivement et mourir.

Les seules réponses allaient être données par Robby, me suis-je dit en m'éloignant du bureau.

L'écrivain s'est immédiatement matérialisé.

L'écrivain a demandé de sa petite voix : *Tu le crois vraiment, Bret ? Tu crois vraiment que ton fils va t'apporter les réponses ?*

Quand j'ai répondu par l'affirmative, l'écrivain a dit : *C'est triste.*

J'ai dit que j'irais chercher Robby à Buckley. Je ne l'ai pas laissé dire quoi que ce soit. Je suis sorti de sa chambre aussitôt après le lui avoir annoncé.

Je pouvais l'entendre accepter à contrecœur pendant que je traversais l'entrée en direction du garage.

Dehors, le vent continuait à changer de direction.

Sur l'autoroute, j'ai vu mon père, immobile sur une passerelle.

Après avoir baissé ma vitre et montré ma carte d'identité à un garde, je me suis rangé dans une file de voitures qui attendaient sur le parking devant la bibliothèque. Des pins pointus et noueux se dressaient tout autour de nous, encerclant l'école.

J'ai jeté un coup d'œil à la cicatrice sur la paume de ma main.

Ce serait soit la fin

(*c'était toujours si facile les fins pour toi*)

soit une guérison, et la guérison empêcherait une tragédie.

L'écrivain, à sa manière, a manifesté son désaccord de façon véhémente.

Tous ces enfants privilégiés échangeaient des avertissements avant de se diriger vers la flotte de 4 × 4 qui les attendait. Les caméras de sécurité suivaient les garçons. Les fils seraient toujours en péril. Les pères seraient toujours condamnés.

Robby a jeté son sac à dos sur son épaule et sa chemise sortait de son pantalon et la cravate rouge et grise était desserrée, pendant de travers : une parodie d'homme d'affaires fatigué.

Robby regardait fixement la Porsche et l'homme sur le siège du conducteur. Robby regardait l'homme, avec un air inquisiteur, comme si j'étais quelqu'un qui n'avait jamais connu son nom.

Mes questions allaient fusionner avec ses réponses.

Je pouvais sentir son doute alors qu'il se tenait, un peu raide, devant la voiture.

Je le suppliais d'avancer. Tu dois capituler. Tu dois me donner encore une chance.

L'écrivain allait siffler quelque chose et je l'ai fait taire.

Et puis, comme s'il m'avait entendu, Robby a avancé lentement vers la voiture, en se forçant à sourire.

Il a enlevé son sac à dos avant d'ouvrir la portière du passager.

« Qu'est-ce qui se passe ? » Il souriait quand il a posé le sac sur le plancher.

En s'asseyant, il a refermé la portière. « Où est Marta ?

— OK, écoute, je sais que tu n'es pas content de me voir, alors tu n'as pas besoin de sourire comme ça. »

Robby n'a pas attendu une seconde. Il s'est immédiatement tourné et s'apprêtait à rouvrir la portière, quand je l'ai verrouillée. Sa main s'est refermée sur la poignée.

« Je veux te parler, ai-je dit, maintenant que nous étions tous les deux coincés dans la voiture.

— De quoi ? » Il a lâché la poignée et regardé droit devant lui.

La discorde dans la voiture est devenue patente, comme je m'y attendais.

« Écoute, je veux que toutes ces conneries cessent, d'accord ? »

Il s'est tourné vers moi, incrédule. « Quelles conneries, Papa ? »

Le « Papa » était symptomatique.

« Oh, merde, Robby, arrête. Je sais à quel point tu as été malheureux. » J'ai respiré à fond et essayé d'adoucir ma voix, sans succès. « Parce que j'ai été malheureux dans cette maison, moi aussi. » J'ai respiré de nouveau. « J'ai rendu tout le monde malheureux dans cette maison. Tu n'as plus besoin de faire semblant. »

J'ai vu sa joue lisse se durcir et puis se détendre quand il a regardé à travers le pare-brise.

« Je veux que tu me dises ce qui se passe. » Je m'étais tourné dans mon siège pour lui faire face. J'avais les bras croisés.

« À quel sujet ? a-t-il demandé, inquiet.

— Les garçons disparus. » Il n'y avait pas moyen de contrôler l'impatience dans ma voix. « Qu'est-ce que tu sais à leur sujet ? »

Son silence a amplifié quelque chose. Autour de nous, les enfants s'empilaient dans les voitures. Les voitures faisaient le tour du rond-point, tandis que la Porsche restait garée contre le trottoir. J'attendais.

« Je ne vois pas de quoi tu parles.

— J'ai parlé à la mère d'Ashton. J'ai parlé avec Nadine. Tu sais ce qu'elle a trouvé sur son ordinateur ?

— Elle est folle. » Robby s'est tourné pour me faire face, paniqué. « Elle est folle, Papa.

— Elle a dit qu'elle avait trouvé des lettres échangées entre les garçons disparus et Ashton. Elle a dit que cette correspondance avait été échangée après la disparition de ces garçons. »

Robby avait rougi et il avalait sa salive. Se succédant rapidement : mépris, spéculation, acceptation. Donc : Ashton les avait donnés. Donc : Ashton était le traître. Robby imaginait une très grosse comète. Robby imaginait un voyage vers des cités lointaines où…

Faux, Bret. Robby imaginait une évasion.

« Qu'est-ce que ça a à voir avec moi ?

— Ça a sacrément à voir avec toi, quand Ashton t'envoie des fichiers à télécharger et que Cleary Miller t'envoie une lettre et…

— Papa, ce n'est pas…

— Et je t'ai entendu au centre commercial, samedi Quand tu étais là avec tes amis et que quelqu'un a mentionné le nom de Maer Cohen. Et puis, vous vous êtes tous tus parce que vous ne vouliez pas que j'entende votre conversation. Alors de quoi s'agissait-il, Robby ? »

Je me suis interrompu pour essayer de contrôler le volume de ma voix. « Tu veux qu'on en parle ? Tu veux me dire quelque chose ?

— Je ne vois pas de quoi on pourrait parler. » Il avait une voix calme et raisonnable, mais le mensonge me montrait sa face noire.

« Arrête, Robby.

— Pourquoi est-ce que tu es furieux contre moi ?

— Je ne suis pas furieux contre toi. Je suis simplement inquiet. Je suis très inquiet en ce qui te concerne.

— Pourquoi est-ce que tu es inquiet ? a-t-il demandé avec un regard suppliant. Je vais bien, Papa. »

Et voilà. Le mot « Papa ». C'était une opération de séduction. J'ai quitté la terre brièvement.

« Je veux que tu arrêtes ce truc.

— Que j'arrête quel truc ?

— Je ne veux plus que tu éprouves le besoin de me mentir.

— Mentir à quel sujet ?

— Nom de Dieu, Robby ! J'ai vu ce qu'il y avait sur ton ordinateur. J'ai vu cette page avec Maer Cohen. Pourquoi mens-tu, nom de Dieu ? »

Il s'est tourné à toute vitesse, horrifié. « Tu as fouillé dans mon ordinateur ?

— Ouais. J'ai vu les fichiers, Robby.

— Papa… »

Il a oublié un instant ses répliques. Il s'est mis à improviser.

(Ou encore mieux, a suggéré l'écrivain, il a envoyé sa doublure.)

Soudain, Robby s'est mis à sourire. Robby s'est penché en avant, extrêmement soulagé. Et il s'est mis à rire tout seul.

« Papa, je sais ce que tu crois avoir vu…

— C'était une lettre…

— Papa…

— Une lettre de Cleary Miller…

— Papa, je ne connais même pas Cleary Miller. Pourquoi est-ce qu'il m'enverrait une lettre ? »

J'ai demandé à l'écrivain : est-ce que tu écris ses répliques ?

Comme l'écrivain ne répondait pas, je me suis mis à espérer que Robby fût sincère.

« Que se passe-t-il avec les garçons disparus ? Est-ce que tu sais quelque chose que nous devrions tous savoir ? Est-ce que tes amis ou toi savez quelque chose qui pourrait aider les gens…

— Papa, ce n'est pas ce que tu penses. » Il a levé les yeux au ciel. « Est-ce que c'est ça qui t'a mis en colère ?

— Qu'est-ce que tu veux dire, “ce n'est pas ce que tu penses” ? »

Robby s'est tourné vers moi de nouveau et, le sourire aux lèvres, il a dit, « C'est juste un jeu, Papa. C'est un jeu idiot ».

Il m'a fallu un long moment pour décider si c'était la vérité ou encore le mensonge noir.

« Qu'est-ce qui est un jeu ?

— Les garçons disparus. » Il a secoué la tête. Il avait l'air à la fois soulagé et gêné. Était-ce une combinaison étrange – à laquelle je n'étais pas sûr de pouvoir me fier – ou simplement une attitude qu'il avait adoptée ?

« Qu'est-ce que tu veux dire… un jeu ?

— On essaie de les suivre à la trace. » Il s'est interrompu. « On fait des paris.

— Quoi ? Vous faites des paris sur quoi ? »

C'était maintenant le tour de Robby de respirer avec difficulté. « Sur qui va être retrouvé en premier. »

Je n'ai rien dit.

« Parfois, on s'envoie des e-mails en faisant semblant d'être eux et c'est complètement idiot, mais c'est juste pour se faire flipper. » Il a souri pour lui-même de nouveau. « C'est ça ce que la mère d'Ashton a vu… »

Je ne le lâchais pas des yeux.

Robby a compris qu'il lui fallait me rejoindre.

« Papa, tu crois que ces enfants… sont, euh, morts ? »

L'écrivain a émergé et fait remarquer qu'il n'y avait pas la moindre peur dans cette dernière question.

La question exigeait de moi une réponse que Robby pourrait jauger. Il allait apprendre quelque chose sur moi d'après cette réponse. Il agirait ensuite en fonction de ce qu'il aurait récolté.

Tout ralentissait.

« Je ne sais que penser, Robby. Je ne sais pas si tu me dis la vérité.

— Papa, a-t-il dit tout bas pour essayer de m'apaiser, je vais te montrer quand on sera à la maison. »

(*Ceci, m'a dit l'écrivain, n'aura jamais lieu.*)

Pourquoi pas ? ai-je demandé.

Parce que l'ordinateur est mort dans l'après-midi.

Comment ça ?

Un virus a été envoyé pour infecter l'ordinateur.

Et les fichiers ?

Robby n'aura plus besoin de l'ordinateur désormais.

Qu'est-ce que tu racontes ?

Tu verras bien, ce soir.

J'ai pris la main de Robby et je l'ai attiré à moi.

C'est sorti de moi à toute vitesse. « Robby, je veux que tu me dises la vérité. Je suis ici avec toi. Tu peux me dire tout ce que tu veux. Je sais que c'est peut-être une chose que tu ne veux pas faire, mais je suis ici avec toi et il faut que tu me croies. Je ferai ce que tu veux. Que veux-tu que je fasse ? Je le ferai. Arrête simplement de faire semblant. Arrête simplement de mentir. »

J'espérais que cet aveu de vulnérabilité donnerait à

Robby plus de force, mais sa nudité l'a mis en fait si mal à l'aise qu'il s'est dégagé de mon emprise.

« Papa, arrête. Je ne veux pas que tu fasses…

— Robby, si tu sais quelque chose à propos des garçons, s'il te plaît, dis-le-moi. » J'ai repris sa main.

« Papa… » Il a soupiré. Une nouvelle tactique se mettait en place.

J'étais tellement plein d'espoir que je l'ai cru. « Ouais ? »

La lèvre inférieure de Robby s'est mise à trembler et il l'a mordue pour y mettre fin.

« C'est juste que… J'ai tellement peur parfois et je me dis que peut-être… on joue à ce jeu pour… rire de ce qui se passe… parce que si on y réfléchissait vraiment… on aurait trop peur… je veux dire que… peut-être le prochain, c'est l'un de nous… Peut-être que c'est une façon pour nous de supporter tout ça… »

Il m'a jeté un regard craintif, jaugeant encore une fois ma réaction.

J'étudiais le numéro et j'étais incapable de dire si c'était un acteur qui était assis sur le siège du passager ou mon fils.

Mais il n'y avait pas d'autre réaction possible à sa confession : je devais le croire.

« Il ne va rien t'arriver, Robby.

— Comment tu le sais ? a-t-il demandé, sa voix montant d'une octave.

— Je le sais…

— Mais comment tu le sais, sérieusement ?

— Parce que je ne permettrai pas qu'il t'arrive quelque chose.

— Mais tu n'as pas peur, toi ? » Sa voix a déraillé.

Je l'ai dévisagé. « Si. Tout le monde a peur. Mais si nous sommes unis – si nous essayons de nous soutenir les uns les autres – nous n'aurons plus peur. »

Il n'a rien dit.

« Je ne veux pas que tu ailles où que ce soit, Robby. »

Sa respiration était irrégulière et il regardait fixement le tableau de bord.

« Tu ne veux pas que nous soyons une famille ? Tu ne voudrais pas ?

— Je veux que nous soyons une famille, mais…

— Mais quoi ?

— Tu n'as jamais agi comme si, toi, tu le voulais. »

Mon cœur s'est mis à battre à tout rompre et la douleur a envahi tout le corps. « Je suis désolé. Je suis désolé d'avoir tout foutu en l'air. Je suis désolé de ne pas être présent pour toi et ta mère et ta sœur, et je ne sais pas comment réparer mes torts envers vous. » J'avais la voix tellement tendue par le chagrin que je pouvais à peine parler. « Il faut que je fasse un plus gros effort, mais j'ai besoin que tu fasses un pas vers moi… J'ai besoin que tu me fasses confiance…

— Tout a changé quand tu es arrivé à la maison. » Il marmonnait à présent. Il essayait d'empêcher ses lèvres de trembler.

« Je sais, je sais.

— Je n'ai pas aimé.

— Je sais.

— Et tu me fais peur. Tu es tellement en colère tout le temps. Je déteste ça.

— Tout ça va changer. Je vais changer, d'accord ?

— Comment ? Pourquoi ? À cause de quoi ?

— Parce que… » Et alors j'ai compris pourquoi. « Parce que ça ne marchera pas, si je ne change pas. »

J'ai ravalé un sanglot, mais j'avais déjà les yeux gonflés et lorsque Robby a pris un air affligé, je me suis penché vers lui et je l'ai serré dans mes bras, si fermement que je pouvais sentir ses côtes sous les différentes couches de l'uniforme et quand j'ai voulu le relâcher, il s'est accroché à moi en sanglotant. Il s'est mis à pleurer si fort qu'il s'en étouffait. Nous étions l'un contre l'autre, haletants, les yeux fermés.

Quelque chose était en train de fondre entre nous – la discorde s'érodait. Il y avait maintenant, croyais-je, une sorte de pardon de sa part.

Les sanglots étouffaient Robby, mais les pleurs ont bientôt cessé et il s'est écarté, le visage rouge, épuisé. Il s'est penché vers moi quand il s'est remis à pleurer, les mains sur le visage, maudissant ses larmes, quand je me suis approché pour le serrer contre moi de nouveau. Il a retiré ses mains de son visage lorsqu'il a cessé de pleurer et m'a regardé avec un air qui était proche de la tendresse, et j'ai vraiment cru qu'il n'avait pas de secret.

Le monde s'est ouvert pour moi à cet instant-là.

Je n'étais plus la personne qui ne convient pas.

Le bonheur était maintenant une possibilité parce que – enfin – Robby avait un père et que ce n'était plus son fardeau de faire de moi ce père.

Bien sûr, pensais-je, nous nous étions toujours aimés.

Pourquoi ressentais-tu ça, ce mercredi après-midi de novembre ? m'a demandé par la suite l'écrivain.

Parce qu'il n'y avait pas de trahison dans le sourire qui a envahi le visage de mon fils.

Mais tu n'avais pas les yeux voilés par les larmes ? Étais-tu parfaitement sûr que c'était une description exacte ? Ou bien était-ce une chose que tu voulais simplement croire à tout prix ?

Tu ne t'es pas rendu compte du fait que, même si tu te sentais consolé, tu étais encore aveugle ?

C'était vrai : l'image du visage de Robby s'était multipliée à travers mes larmes et chaque visage avait une expression différente.

Mais quand nous avons roulé jusqu'à la maison sans dire un mot et que, pour la première fois, nous avons semblé à l'aise l'un avec l'autre en dépit du silence, plus rien n'avait d'importance.

22
Interlude

Nous ne nous connaissions pas parce que nous n'étions pas encore une famille. Nous étions simplement des survivants dans un monde anonyme. Mais le passé s'effaçait et un nouveau commencement le remplaçait. Un autre monde attendait que nous l'habitions. La tension était rompue et la lumière dans la maison faisait l'effet d'être propre. Une langue nouvelle nous était enseignée. Robby m'a emmené dans sa chambre pour me montrer combien étaient innocents les fichiers que j'avais crus terrifiants et je m'étais bien gardé de lui dire que l'ordinateur était tombé en panne ; mais lorsqu'il s'en est aperçu, Robby a pris ça calmement en haussant simplement les épaules, et quand Marta a ramené Sarah de son cours de danse, il n'y a pas eu la moindre plainte concernant la peluche disparue après qu'elle fut allée dans sa chambre pour se mettre en pyjama. Ni Robby ni moi n'avons fait état de la scène qui s'était déroulée dans la voiture à Buckley devant qui que ce soit, mais on aurait pu croire que tout le monde le savait parce que les gens dans la maison étaient plus heureux (exemple : Sarah avait rapporté de l'école des dessins d'une étoile de mer sur le sable gris perle d'une plage, avec un ciel nocturne rempli d'astérisques étincelants). Rosa avait fait des lasagnes végétariennes et s'est jointe à nous pour dîner, et comme je n'avais rien mangé de la journée, j'avais une faim de loup. La conversation était apaisante et Marta savait comment la diriger, et comme on débarrassait, Jayne a appelé de Toronto. Elle a parlé à Sarah (« Maman, le papa de Caitlin a divorcé ») et à Robby (« Ça se passe bien ») et à Marta, et une fois que les enfants sont sortis de la cuisine, j'ai pris le téléphone pour lui parler de la conversation avec mon fils (sans donner la raison pour laquelle j'avais eu le sentiment qu'il était indispensable de lui parler) et Jayne a semblé réconfortée (« Quel effet ça t'a fait ? – L'effet d'avoir mon âge – C'est bien, Bret – Tu me manques »). Au moment où Marta la couchait, la fille de Jayne, sous sa couette, m'a fait un petit signe de la main auquel j'ai répondu, débarrassé d'un poids (« 'onne nuit » a été son seul mot), et Marta souriait curieusement quand je l'ai accompagnée dehors et que je lui ai dit que nous serions de nouveau « réunis demain », m'inclinant de façon un peu théâtrale pour le dire (le seul à être nerveux au 307 Elsinore Lane était Victor, qui tournait dans le jardin, s'arrêtant de temps en temps pour aboyer en direction des bois, au-delà du champ envahi par le brouillard, parce que quelque chose avait laissé des empreintes). Un vent nouveau soufflait autour de la maison, qui paraissait tellement plus vide sans Jayne, mais elle serait bientôt de retour, me suis-je dit pendant que je prenais un long bain. Tout ce qui précédait ce moment faisait partie du rêve, ai-je soupiré, satisfait, allongé dans la baignoire en marbre qui se remplissait rapidement d'eau chaude. Le rêve était terminé pour le moment (*Tu as raison*, a acquiescé l'écrivain. *Il l'est*). Avant d'aller me coucher, je me suis assuré que les enfants étaient bien – une pulsion nouvelle et involontaire. Sarah était déjà endormie et j'ai traversé sa chambre, la salle de bains qui donnait sur la chambre de son frère, et j'ai dit à Robby qu'il pouvait se coucher aussi tard qu'il le voulait, mais uniquement s'il avait des devoirs à faire. Il n'y a pas eu de colère, pas d'incompréhension, pas de double langage – juste un hochement de tête. De nouveau, Robby est devenu flou à cause de mes larmes. Son regard clair et reconnaissant a suffi à les déclencher. Je suis sorti dans le couloir et j'ai refermé délicatement sa porte, et j'ai attendu qu'il la verrouille, mais le son ne s'est pas fait entendre. J'ai trouvé une bouteille de vin rouge en fouillant dans la cuisine et je l'ai ouverte pour m'en servir un grand verre. Le vin allait gentiment m'aider à m'endormir. Je boirais le vin en regardant un vieil épisode de *Friends*, je m'endormirais, et demain tout serait différent. À 23 h 15, l'écrivain a voulu que je change de chaîne pour voir les nouvelles locales, parce qu'un cheval avait été retrouvé mutilé dans un champ près de Pearce, qui était l'endroit où je m'étais débarrassé de la peluche. Et tout est remonté : sur l'écran, le ciel coupé en deux et les corbeaux s'envolaient du fil téléphonique et tournoyaient au-dessus d'une voiture de police garée sur l'autoroute, et les badauds tendaient le cou et la caméra zoomait sur la pile des restes, passant discrètement sur le carnage, et un fermier du coin, les yeux pleins de larmes, répondait à la question du journaliste avec un haussement d'épaules et on avait cru d'abord que le cheval avait « donné naissance » parce qu'il était si horriblement « éclaté » et puis on avait vaguement parlé d'un sacrifice, et alors que je commençais à réagir, un téléphone s'est mis à sonner dans mon bureau.

23

Le coup de téléphone

C'était mon portable qui sonnait. Il était là sur mon bureau, attendant que je le prenne.

Mon esprit projetait encore l'image du champ près de l'autoroute, et j'étais un peu secoué quand j'ai décroché.

« Allô ? »

Je pouvais entendre quelqu'un respirer à l'autre bout du fil.

« Allô ?

— Bret ? ai-je entendu une voix dire tout bas.

— Oui. Qui est-ce ? »

Nouveau silence.

« Allô ? »

Le bruit du vent et les parasites alternaient.

J'ai écarté le portable de mon oreille et j'ai regardé le numéro qui appelait.

L'appel venait du portable d'Aimee Light.

« Qui est à l'appareil ? » Je ne m'étais même pas rendu compte que j'étais tombé de mon fauteuil. Mon cœur battait trop vite. J'ai pensé qu'en serrant le poing je pourrais le contrôler. « Aimee ?

— Non. »

Silence, électricité statique, vent.

Je me suis penché en avant et j'ai prononcé un nom.
« Clayton ? »

La voix était de glace. « C'est un de mes noms. »

Je me suis relevé. « Qu'est-ce que vous voulez dire ? C'est Clayton ou pas ?

— Je suis tout. Je suis chacun. » Silence rempli d'électricité statique. « Je suis même vous. »

Ce dernier point a forcé la peur à prendre un ton décontracté, amical. Je ne voulais pas contrarier cette personne. J'allais faire l'idiot. J'allais faire semblant d'avoir une conversation avec quelqu'un d'autre. Je m'étais mis à trembler si fort qu'il m'était presque impossible de poser ma voix. « Où êtes-vous ? » J'ai avancé jusqu'à la fenêtre. « Je ne vous ai plus revu après que vous êtes passé à mon bureau.

— Si, vous m'avez vu. » La voix était curieusement intime à présent.

J'ai marqué une pause. « Non... euh, et où ça ?

— Vous avez trouvé le manuscrit ?

— Oui. Oui, je l'ai. Où êtes-vous ? » Je ne sais pourquoi, j'ai voulu prendre un stylo, mais il est tombé de ma main tremblante.

« Partout. »

Il a dit ça d'une manière tellement horrible que j'ai dû me ressaisir avant de pouvoir reprendre ma fausse attitude débile. La voix avait des écailles et une sorte de corne. La voix était un truc qui avait surgi d'un bûcher. La peur qu'elle me faisait me décomposait.

« Attendez une minute. Ouais, je crois que je vous ai revu. Vous n'étiez pas dans notre maison, dimanche soir ?

— "Notre" maison ? » La voix faisait semblant d'être stupéfaite. « C'est une formulation intéressante. Sujette à interprétation. »

J'ai fermé les stores. Je me suis rassis et puis relevé aussi vite. Soudain, je ne pouvais plus me retenir. J'ai décidé de jouer le jeu, ma voix dissimulant mal mon impatience.

« Est-ce que c'est… Patrick ?

— Nous sommes beaucoup de gens.

— Alors… qu'est-ce que vous faisiez chez nous, l'autre soir ? Qu'est-ce que vous faisiez dans la chambre de mon fils ?

— Ce soir-là, ce n'était pas moi. Ce soir-là, c'était quelque chose d'autre.

— Et c'était quoi ?

— Quelque chose qui n'est pas un allié de notre cause.

— Votre cause ? Quelle cause ? Je ne comprends pas.

— Vous avez lu le manuscrit, Bret ?

— Est-ce que l'un de vous est responsable… pour les garçons ? » J'ai fermé intensément les yeux.

« Les garçons ? » J'avais répondu à sa question par une autre question. La voix était sur le point de ne plus bien se tenir.

« Les garçons disparus. Vous êtes… »

C'était comme si la voix ne s'était pas attendue à cette question. C'était comme si la voix supposait que je savais où conduisait la vérité singulière de cette situation. « Non, Bret. Encore une fois, vous ne cherchez pas là où il faut.

— Où est-ce que je devrais chercher ?

— Ouvrez les yeux. Arrêtez de chercher à tâtons des choses qui ne sont pas là.

— Où sont les garçons ? Vous le savez ?

— Demandez à votre fils. Il sait. »

La peur s'est muée instantanément en colère. « Je ne crois pas.

— C'est ce qui causera votre perte. »

L'écrivain était parti. L'écrivain avait eu peur et s'était enfui, et se cachait quelque part maintenant. Il hurlait.

« Que voulez-vous dire par là ? Ma perte ? Vous me menacez ?

— Je vois qu'un certain détective Donald Kimball vous a rendu visite. Il vous a parlé de moi ?

— Qu'est-il arrivé à Aimee Light ?

— Ah, enfin, nous progressons.

— Où est-elle ?

— Dans un monde meilleur que celui-ci.

— Qu'est-ce que vous lui avez fait ?

— Non, Bret. C'est ce que *vous* lui avez fait.

— Je ne lui ai rien fait du tout.

— Oui, c'est en partie vrai : vous ne l'avez pas sauvée.

— Qu'est-ce que vous lui avez fait ?

— J'ai vérifié encore une fois le texte de ce sale petit livre que vous avez écrit.

— Je ne suis en rien impliqué dans ce qui est arrivé à Aimee Light. Je vais raccrocher.

— Même si, bien entendu, je peux faire que des choses arrivent. » La voix a baissé, tout en devenant plus distincte. « Je pourrais vous impliquer. »

Des blessures saignaient partout.

« Que voulez-vous dire ? Comment ça ?

— Eh bien, vous étiez son mentor. Elle était la jeune étudiante complaisante. Très séduisante, au fait. » La voix s'est tue et a réfléchi à quelque chose. « Peut-être qu'Aimee Light attendait plus du grand professeur célèbre, sur qui elle faisait sa thèse. » La voix s'est tue de nouveau. « Peut-être que vous l'avez laissée tomber d'une certaine façon. Peut-être qu'il y a même des e-mails pour le prouver. Peut-être qu'Aimee Light a laissé une piste avec une note ou deux. Et disons simplement que ces notes laissaient entendre qu'elle attendait de vous que vous teniez promesse. Disons simplement qu'il y avait un risque qu'elle aille raconter à votre très célèbre épouse…

— Vous êtes qui, bordel ?

— … ce que vous faisiez tous les deux. » La voix a soupiré, puis a dit très vite, « Même si, lorsque je lui ai posé des questions sur votre “liaison”, elle avait l'air de dire qu'il ne s'était rien passé entre vous deux. Bien sûr, je l'avais bâillonnée et, à ce moment-là, elle perdait beaucoup de sang, mais il me paraissait assez évident que vous n'aviez jamais baisé tous les deux. Peut-être que vous étiez en colère contre Aimee Light parce qu'elle ne voulait pas coucher avec vous. C'est un autre scénario que nous pourrions explorer. Être rejeté était tout simplement insupportable pour l'écrivain qui a toujours obtenu tout ce qu'il voulait, et vous avez craqué ». La voix s'est tue. « Je vois que vous n'avez pas informé les autorités sur la nature de vos relations avec la victime.

— Parce que je ne suis lié à rien de crimin…

— Oh, mais si vous l'êtes.

— Comment ? » Tout ça me conduisait bien au-delà de ce à quoi je m'attendais : dans un endroit au-delà de toute résistance.

« Vous avez été vu devant sa maison par trois témoins, le soir où on a découvert son corps démembré dans cette chambre très sale du motel Orsic. Et qu'est-ce que vous faisiez là, Bret ?

— J'ai un alibi pour…

— En réalité, non.

— Il est impossible…

— Vous voulez parler de la nuit où vous avez circulé dans “votre” maison, en comprenant certaines choses du passé ? Tout le monde dormait. Vous étiez tout seul. Personne ne vous a vu entre votre retour de Buckley et le lendemain matin, quand Marta vous a vu courir vers votre bureau à cause de ces pièces jointes. Ça vous donne beaucoup de temps, Bret. Au fait, vous avez aimé la vidéo ? Il a fallu un temps atrocement long pour la trouver. Je voulais vous la montrer depuis des années. »

Je suis revenu à Aimee Light. « Ils ne savent même pas que c'est son corps.

— Je pourrais leur envoyer la tête. Je l'ai toujours.

— C'est une plaisanterie. Vous n'êtes même pas réel. Vous n'existez pas.

— Si vous le croyez, pourquoi êtes-vous encore au téléphone ? »

Je n'avais rien à dire, sinon, « Qu'est-ce que vous voulez ?

— Je veux que vous compreniez un certain nombre de choses sur vous-même. Je veux que vous réfléchissiez à votre vie. Je veux que vous soyez conscient de toutes les choses horribles que vous avez faites. Je veux que vous regardiez en face le désastre qu'est Bret Easton Ellis.

— Vous assassinez des gens et vous me dites…

— Comment puis-je assassiner des gens si je ne suis pas réel, Bret ? » La voix souriait. Elle me présentait un mystère. « Une fois encore, vous êtes paumé, a soupiré la voix. Une fois encore, Bret ne comprend rien du tout.

— Si vous approchez un jour de ma famille, je vous tuerai.

— Je ne m'intéresse pas particulièrement à votre famille. De plus, je ne crois pas que vous ayez trouvé le moyen de vous débarrasser de moi, pas encore.

— Si vous n'êtes pas réel, comment je vais y arriver ?

— Vous avez lu le manuscrit ? »

J'étais au bord des larmes. J'ai enfoncé mon poing dans ma bouche et j'ai mordu.

« Faisons un petit jeu, Bret.

— Je ne…

— Le jeu s'appelle : Devine qui est le suivant ?

— Vous n'êtes pas vivant. »

Et soudain, et tout doucement, la voix a commencé à fredonner un air que j'ai reconnu – *On The Sunny Side of the Street* – avant qu'un rugissement n'emporte le fredonnement et que la ligne sonne occupé.

Quand j'ai posé le téléphone sur le bureau, j'ai remarqué une bouteille de vodka qui n'était pas là quand j'étais entré dans la pièce.

L'écrivain n'avait pas besoin de me dire de la boire.

24

Mardi 6 novembre

Les ténèbres

Il n'y a réellement pas d'autre moyen, pour décrire les événements qui se sont déroulés au 307 Elsinore Lane, tôt dans la journée du 6 novembre, que de relater les faits tout simplement. L'écrivain voulait faire ce travail, mais je l'en ai dissuadé. Le récit qui suit n'appelle pas les embellissements qu'un écrivain n'aurait pas manqué d'y apporter.

Vers 2 h 15 environ, Robby a fait un cauchemar qui l'a réveillé.

À 2 h 25, Robby a entendu « des bruits » de quelque chose dans la maison.

Robby a supposé que c'était moi jusqu'à ce qu'il entende le grattement sur sa porte, et il a alors supposé que c'était Victor (par la suite, Robby admettrait qu'il avait « espéré » que c'était Victor, parce qu'il savait, pour une raison quelconque, que « ce n'était pas lui »).

Robby a décidé de passer par la salle de bains dans la chambre de sa sœur (selon son propre récit, elle était apparemment aux prises avec son propre cauchemar), où il a ouvert la porte de la chambre de Sarah pour voir ce qui grattait à sa porte, laissant de profonds sillons dans le coin inférieur droit (à un moment donné, a dit Robby, il a craint d'être en train de rêver tout ça).

Robby n'a rien vu quand il a regardé dans le couloir depuis la porte de la chambre de sa sœur (note : les appliques dans le couloir clignotaient et, selon Robby, c'était quelque chose qu'il avait déjà remarqué, tout comme moi, alors que ni Jayne ni Sarah – ni Rosa, ni Marta, d'ailleurs – ne l'avaient vu).

Robby a toutefois entendu quelque chose quand il est sorti de la chambre de sa sœur dans le couloir qui clignotait. Il a entendu un « bruissement » au bout du couloir.

À ce moment-là, Robby a compris que quelque chose montait les marches de l'escalier.

« Ça » respirait « avec difficulté » et, selon Robby, « ça piaulait » aussi – un mot que je n'avais jamais entendu auparavant (définition du dictionnaire : crier (petits oiseaux) ; produire un grincement aigu, « enfant qui piaule »).

Le « truc » a remarqué la présence de Robby et, pour cette raison, s'est brusquement arrêté dans son ascension de l'escalier.

Robby s'est retourné – pris de panique – et s'est mis à marcher dans la direction opposée, vers notre chambre à coucher au bout du couloir.

Que s'est-il passé quand il a ouvert la porte et qu'il est entré dans la chambre ?

La chambre était dans l'obscurité. J'étais couché sur le dos en travers du lit. Je crois que je rêvais. J'étais tombé ivre mort après avoir bu la moitié de la bouteille de vodka qui avait surgi sur mon bureau pendant que je parlais à Clayton, le garçon qui voulait être Patrick Bateman. Quand j'ai lentement pris conscience que je ne dormais plus, j'ai gardé les yeux fermés. Je ressentais une pression sur la poitrine. Je tourbillonnais encore pour sortir d'un rêve dans lequel des corbeaux se transformaient en mouettes.

« Papa ? » C'était un écho.

Je ne pouvais pas ouvrir les yeux (si je l'avais fait, j'aurais pu voir la silhouette de Robby se découper dans l'encadrement de la porte, avec le couloir clignotant derrière lui). « Qu'est-ce qu'il y a ? a grincé ma voix.

— Papa, je crois qu'il y a quelqu'un dans la maison. »

Robby essayait de ne pas gémir, mais je pouvais détecter, même dans mon ivresse, la peur dans sa voix.

Je me suis éclairci la gorge, les yeux toujours fermés. « Qu'est-ce que tu veux dire ?

— Il y a, je crois qu'il y a quelqu'un dans l'escalier. Il y avait un truc qui grattait contre ma porte. »

Selon Robby, j'aurais dit la chose suivante : « Je suis sûr que ce n'est rien. Retourne te coucher. »

Robby aurait répliqué avec « Je ne peux pas, Papa. J'ai peur. »

Ma première réaction : *Eh bien, moi aussi. Bienvenue au club. Habitue-toi. Ça ne te quittera plus jamais.*

J'entendais Robby s'avancer, pas à pas dans l'obscurité de la chambre. Je l'entendais se rapprocher de moi, se diriger vers la masse noire et informe que j'étais.

Le poids sur ma poitrine s'est déplacé.

Robby parlait dans l'obscurité : « Papa, je crois qu'il y a quelqu'un dans la maison. »

Robby tendait la main vers la lampe de chevet.

Robby a allumé la lampe.

Derrière mes paupières fermées, une lumière orange brûlait.

Quelque chose avait fait taire Robby.

Il considérait ce qu'il avait sous les yeux.

L'image qu'il contemplait a momentanément chassé la peur, remplacée par une terrible curiosité.

Son silence m'arrachait à mon ébriété.

Le poids sur ma poitrine s'est de nouveau déplacé.

« Papa, a dit calmement Robby.

— Robby.

— Papa, il y a quelque chose sur toi. »

J'ai ouvert les yeux, mais je voyais trouble.

Ce que j'ai vu ensuite s'est enchaîné très rapidement.

Le Terby était sur ma poitrine, menaçant, une expression figée, à la place du bec un rictus qui occupait la moitié de la tête de la peluche, et les crocs que je n'avais remarqués qu'un peu plus tôt la veille étaient tachés de brun.

(*Bien sûr qu'ils l'étaient puisqu'il avait « mutilé » un cheval dans un champ au bord de l'autoroute près de Pearce.*)

Ses serres étaient agrippées à la robe de chambre que je portais quand j'étais tombé ivre mort et ses ailes étaient déployées et ce n'est pas leur envergure qui m'a choqué à ce moment-là (elle avait augmenté – je l'ai remarqué immédiatement), mais les ailes mêmes, parcourues d'un réseau de veines noires et gonflées sous la peau de la peluche (la peau de la peluche, oui, dites ça à une personne saine d'esprit et voyez comment elle réagit), rythmées par les pulsations du sang, qui m'ont sidéré.

Selon Robby : quand il a allumé la lampe, le truc n'a pas bougé. Et puis il a rapidement tourné la tête vers lui – les ailes étaient déjà déployées, le bec déjà ouvert – et lorsqu'il a parlé, la peluche s'est de nouveau concentrée sur moi.

J'ai hurlé et balancé le truc de ma poitrine en bondissant hors du lit.

Le Terby est tombé par terre et a vite rampé sous le lit.

Je suis resté debout, hors d'haleine, chassant quelque chose qui n'existait pas de ma robe de chambre déchiquetée.

En dehors des sons que j'émettais, le silence régnait dans la maison.

Mais ensuite je l'ai entendu. Le piaulement.

« Papa ? »

Ma non-réponse a été interrompue quand nous avons entendu quelque chose qui montait dans l'escalier à toute vitesse.

De là où Robby et moi nous tenions, tournés vers l'encadrement de la porte de la chambre, nous avons vu qu'une ombre – un mètre de haut peut-être – avançait vers nous dans la lumière tamisée et clignotante. Elle avançait de travers le long du mur et à mesure qu'elle se rapprochait de nous, le piaulement s'est transformé en sifflement.

« Victor ? ai-je appelé, incrédule. C'est Victor, Robby. C'est Victor tout bêtement.

— Ce n'est pas Victor, Papa. »

Selon Robby, j'aurais dit, « Alors c'est quoi, merde ? »

Le truc s'est arrêté comme s'il réfléchissait à quelque chose.

Il était 2 h 30 quand l'électricité a été coupée.

Toute la maison a été plongée dans les ténèbres.

J'ai inutilement tripoté un interrupteur. J'avançais en titubant.

« Maman a une lampe de poche dans son tiroir, a dit très vite Robby.

— Ne bouge pas. Reste là où tu es. » J'ai essayé d'avoir une voix normale.

J'ai sauté sur le lit et me suis rué sur le tiroir de la table de nuit de Jayne. Je l'ai ouvert. Ma main a trouvé la lampe de poche. Je l'ai prise. Je l'ai allumée et braquée immédiatement vers le sol, à la recherche du Terby.

« Foutons le camp d'ici ! »

Robby était juste derrière moi quand j'ai dirigé le faisceau vers ce qui se trouvait dans le couloir (mais je l'avais fait sans y penser – parce que, au cours de ce bref moment passé à chercher la lampe de poche dans la chambre sombre, j'avais oublié que quelque chose nous y attendait).

C'est à cet instant-là que nous l'avons brièvement aperçu.

Robby n'a jamais été très sûr de ce qu'il avait vu en réalité dans la lumière éblouissante de la lampe de poche. Il était « caché » derrière moi, les yeux fermés, et le truc s'était écarté du faisceau comme s'il avait été offensé par la lumière – comme si les ténèbres étaient la seule chose connue et appréciée de lui.

La vodka mettait mes sens à rude épreuve. « Victor ? ai-je murmuré de nouveau, essayant de me convaincre moi-même. Robby, tout va bien. C'est juste le chien. »

Mais au moment même où je disais ça, nous avons entendu Victor aboyer dehors.

Selon Robby, c'est à ce moment-là qu'il s'est mis à pleurer – quand il a compris que le truc dans le couloir n'était pas son chien.

J'ai insisté. « Victor, viens ici. Allez, Vic. » C'était l'alcool qui faisait des concessions.

Selon Robby, c'est à cet instant-là qu'il m'a entendu marmonner : « Oh, putain. »

Il avait un mètre de haut, couvert de poils noirs et blonds, et il se déplaçait sur des pieds qui n'étaient pas visibles. Quand le faisceau lumineux l'a attrapé, on a entendu un autre sifflement. Il est parti en travers de l'autre côté du couloir. Mais à chaque déplacement il se rapprochait de nous.

Le truc s'est raidi quand le faisceau lumineux l'a attrapé encore une fois. J'étais incapable de dire d'où provenait le sifflement. Une fois que celui-ci a cessé, tout le corps s'est mis à tressauter.

Selon Robby, je n'arrêtais pas de dire, « Oh merde oh merde oh merde ».

Le truc s'est tourné vers moi, cette fois avec un air de défi. Il m'arrivait à la taille et il était informe – un monticule. Il était couvert de poils dans lesquels étaient emmêlées des brindilles et des feuilles mortes et des plumes. Il n'avait rien de distinctif. Un nuage de moucherons bourdonnait au-dessus du truc, le suivant quand il s'est collé contre le mur. Le faisceau lumineux était braqué sur lui.

Dans les poils, un trou rouge et brillant, entouré de dents, est apparu.

La bouche ouverte, les dents montrées, j'ai compris – c'était d'une évidence dégoûtante qui m'a dessoûlé immédiatement – que c'était un avertissement.

Et puis il s'est rué sur nous, aveuglément.

J'étais pétrifié. Robby s'agrippait à moi, ses bras m'entourant la taille. Il tremblait.

J'ai maintenu le faisceau braqué sur le truc et alors qu'il s'approchait de nous, j'ai senti l'humidité, la pourriture, les morts.

Sa bouche était grande ouverte et il avançait de travers.

Je me suis jeté contre le mur avec Robby afin de l'éviter.

Il est passé près de nous à toute vitesse.

(Parce qu'il ne voyait pas et se dirigeait à l'odeur – je le savais déjà.)

J'ai pivoté sur moi-même. Robby tenait bon, m'agrippant sauvagement. J'ai commencé à reculer dans la direction inverse de celle prise par le truc.

Il tressautait encore.

Le pire, je l'ai remarqué, c'était cet œil énorme, placé n'importe comment au sommet du monticule, et il tournait de manière incontrôlée dans une orbite plate, en forme de disque.

Robby : « Papa qu'est-ce que c'est qu'est-ce que c'est qu'est-ce que c'est ? »

Le truc s'est arrêté sur le seuil de ma chambre – nous avions échangé nos positions – et il a recommencé à piauler.

J'ai fait un gros effort pour ne pas paniquer, mais j'étais en hyperventilation et la main qui tenait la lampe tremblait tellement qu'il me fallait la maintenir avec mon autre main pour braquer le faisceau sur le truc.

J'ai stabilisé ma main et je l'ai retrouvé.

Il ne bougeait pas. Mais quelque chose à l'intérieur faisait qu'il était secoué de pulsations. Il a ouvert la bouche, qui était maintenant couverte d'écume, et il s'est rué sur nous.

En me retournant, j'ai laissé tomber la lampe de poche, ce qui a fait pousser un cri de désespoir à Robby.

J'ai ramassé la lampe et braqué le faisceau sur le truc, qui s'était arrêté – apparemment troublé.

Dehors, les aboiements de Victor devenaient hystériques.

Le truc s'est remis à foncer vers nous.

Et c'est à ce moment-là que j'ai relaissé tomber la lampe. L'ampoule s'est cassée, nous plongeant dans les ténèbres alors que le truc continuait à foncer vers nous.

J'ai attrapé la main moite de Robby et j'ai couru jusqu'à sa chambre, et j'ai ouvert la porte.

J'ai trébuché en entrant dans la pièce, me cognant le visage sur le sol. J'ai senti quelque chose d'humide sur ma lèvre.

Robby a claqué la porte et j'ai entendu le verrou cliquer.

Je me suis relevé, titubant dans les ténèbres, et j'ai essuyé le sang sur ma bouche. J'ai hurlé quand Robby m'a stabilisé en se serrant, terrorisé, contre moi.

J'ai écouté attentivement. Il faisait tellement sombre dans la pièce que nous étions obligés de nous concentrer sur le grattement contre la porte.

Soudain, le grattement s'est arrêté.

L'étreinte de Robby s'est desserrée. J'ai pu souffler.

Mais le soulagement ne pouvait guère durer parce qu'on a entendu un craquement. Le truc poussait contre la porte.

Je suis allé jusqu'à la porte. Robby était toujours accroché à moi

« Robby ! tu as une lampe de poche ici ? Ou quelque chose dans le genre ? »

J'ai senti que Robby se détachait immédiatement de moi et je l'ai entendu s'éloigner en direction de son placard.

Dans les ténèbres de la pièce, un sabre vert fluorescent est apparu. Il flottait vers moi et je lui ai pris le jouet des mains. La lueur était faible. J'ai pointé le sabre vers la porte pour l'éclairer.

« Papa, a dit Robby tout bas, d'une voix tremblante. Qu'est-ce que c'est ?

— Je ne sais pas. » (Je disais ça, mais je savais ce que c'était.)

Le grattement a repris.

Je me suis demandé : Avec quoi il gratte comme ça ?

Et puis j'ai compris que ce n'était pas un grattement (je me suis souvenu de quelque chose).

Cela n'avait jamais été un grattement.

Le truc mâchait la porte. Il utilisait sa bouche. Il utilisait ses dents.

Et puis la mastication a cessé.

Robby et moi regardions fixement la porte qui était maintenant imbibée de vert.

Et nous avons été saisis d'horreur en voyant la poignée tourner dans un sens, puis dans l'autre.

Dans une vision répugnante, j'ai compris qu'il utilisait sa bouche pour faire ça.

J'ai dû me souvenir de respirer quand la poignée a été violemment secouée.

On a entendu un grondement féroce. C'était un bruit qui trahissait la frustration. C'était un bruit qui trahissait la faim.

Et puis il a cessé. Nous avons entendu le truc s'éloigner en se traînant.

« Qu'est-ce que c'est ? Qu'est-ce qu'il veut ? Je ne comprends pas. Comment est-il entré ? » C'était Robby.

« Je ne sais vraiment pas ce que c'est, putain, ai-je dit de manière absurde.

— Qu'est-ce que c'est, Papa ?

— Je ne sais pas je ne sais pas je ne... »

(Note : ce n'était pas techniquement vrai.)

Nos gémissements ont été interrompus par les cris de Sarah. « Maman ! Maman ! Il va m'attraper ! »

J'ai foncé à travers la salle de bains dans la chambre de Sarah. Juste avant de m'emparer d'elle, j'ai agité le sabre au-dessus de la scène.

Sarah s'était plaquée contre la tête du lit et le truc essayait de grimper dessus. Il avait planté ses dents dans une des colonnes du lit et s'agitait frénétiquement en poussant des cris aigus.

« Que se passe-t-il ? » criait Robby depuis la salle de bains.

J'ai hurlé de dégoût et arraché Sarah du lit. Je l'ai emportée vers la salle de bains, le truc s'est brusquement arrêté et puis il a sauté par terre et je l'ai entendu se ruer vers nous.

J'ai claqué la porte de la salle de bains et Robby l'a fermée à clé. Je tenais Sarah d'un côté et le sabre fluorescent de l'autre. Nous attendions, les yeux fixés sur la porte.

Calmement, j'ai demandé : « Où est ton portable, Robby ?

— Il est dans ma chambre. » Il a fait un geste pardessus son épaule.

Je réfléchissais à quelque chose. J'allais ouvrir la porte qui donnait sur la chambre de Robby, trouver le téléphone et revenir en courant dans la salle de bains pour appeler le 911. C'était l'idée qui s'était formée dans mon esprit.

Victor continuait à flipper dans le jardin.

Puis quelque chose a percuté la porte qui donnait sur la chambre de Sarah avec une telle force qu'elle s'est déformée.

Robby et Sarah ont hurlé.

« Tout va bien se passer. Robby, ouvre ta porte. Nous allons sortir par ta chambre.

— Papa, je ne peux pas. » Il sanglotait.

« Tout va bien se passer. »

Le truc a percuté la porte encore une fois.

La porte s'est fendue au milieu. Quand le truc a frappé de nouveau, la porte ne tenait plus que par ses gonds.

Ça a poussé Robby à ouvrir immédiatement sa porte et à sortir en courant de la salle de bains.

J'ai suivi, portant toujours Sarah et le sabre fluorescent.

Nous avons traversé la chambre en courant et Robby a ouvert la porte et sans hésiter nous avons commencé à descendre l'escalier. La lune éclairait la fenêtre et nous pouvions mieux voir à présent.

Au milieu de l'escalier, j'ai pu voir le truc foncer sur le palier au-dessus de nous.

Il a commencé à nous poursuivre dans l'escalier. J'entendais sa bouche claquer, des claquements mouillés.

Sarah a tourné la tête et hurlé quand elle a vu le truc fondre sur nous.

Mon bureau était sans doute la pièce la plus proche. La porte était ouverte. La porte d'entrée ne l'était pas.

Dans mon bureau, il y avait le pistolet dans le coffre.

Dans mon bureau, nous avons fermé et verrouillé la porte. J'ai posé Sarah sur le sofa. Les deux pleuraient. Je leur ai dit inutilement que tout était « OK ».

Brandissant le sabre fluorescent au-dessus du coffre, j'ai fait la combinaison et j'ai sorti le pistolet.

Avec le sabre, j'ai cherché sur le bureau mon portable.

J'ai demandé à Robby de tenir le sabre fluorescent pendant que je composais le 911.

Robby ne regardait que le pistolet que j'avais en main. Et puis il a fermé les yeux et plaqué ses mains sur ses oreilles.

Le truc a commencé à se jeter sur la porte.

« Nom de Dieu. »

Les coups étaient de plus en plus rapprochés. La porte se déformait dans son chambranle. Je jetais des regards frénétiques tout autour de la pièce. J'ai couru à la fenêtre et je l'ai ouverte.

(Note : la peinture extérieure de la maison pelait si vite qu'on aurait dit que des flocons de neige dérivaient dans Elsinore Lane.)

Et puis la porte a cédé et elle est tombée sur le côté, retenue par le gond du haut.

Le truc était sur le seuil.

En dépit de la faible lueur émise par le sabre que j'agitais, je pouvais voir l'écume dégoulinant de sa bouche.

« Descends-le ! Descends-le ! » criait Robby.

J'ai pointé le pistolet sur le truc quand il s'est mis à avancer de travers dans notre direction.

J'ai appuyé sur la détente.

Rien.

Le pistolet n'était pas chargé.

(Note : Jayne avait enlevé toutes les balles du pistolet le soir où j'avais « imaginé », pensait-elle, qu'un type s'était introduit dans la maison.)

Nous pouvions à peine voir le truc qui avançait vers nous. Il faisait des bruits de succion.

Le courant a été rétabli si brusquement que nous avons été aveuglés par les lumières. Le détecteur de fumée sonnait inlassablement. Tout ce qui avait été éteint avant d'aller dormir était maintenant allumé. Chaque lumière de la maison était allumée. La télévision retentissait. Sur la stéréo à fond, on entendait une version muzak de *The Way We Were*. Mon ordinateur s'est allumé tout seul.

La maison était inondée de lumière.

La lumière nous a voilé la disparition du truc.

« Papa, tu saignes. » De la part de Sarah.

Je me suis touché les lèvres. J'avais les doigts rouges.

Debout là, j'ai noté l'heure qu'il était à ma pendule à piles sur le bureau.

Le courant a été rétabli à 2 h 40 précises.

25

Le truc dans le couloir

Quatre minutes après un certain appel téléphonique au 911, les lumières bleues clignotantes d'une voiture de police se rangeaient devant le 307 Elsinore Lane.

J'avais dit à l'opératrice du 911 qu'il y avait eu un cambriolage, mais que personne n'avait été blessé et que « l'auteur » s'était échappé.

On m'avait demandé si je voulais rester en ligne jusqu'à l'arrivée des inspecteurs.

J'avais décliné parce qu'il fallait que je réfléchisse à certaines choses.

Il fallait que je prenne quelques décisions importantes.

L'agression que je m'apprêtais à relater incluait-elle le truc qui s'était introduit dans notre maison ? Ou essaierais-je de pousser le mensonge (le scénario le plus plausible) en disant que c'était – quoi ? – l'intrusion classique dans une maison ? Me garderais-je d'employer le mot « créature » en faisant un geste en direction des bois ? Tenterais-je de décrire le truc dans le couloir ? Prendrais-je un air « concerné » tout en ramenant à de justes proportions l'étendue de mes peurs puisque personne ne pourrait rien faire pour nous ?

La police arriverait.

Oui – et ?

La police inspecterait la maison.

Et ils ne trouveraient rien.

Tout ce que la police pouvait faire, c'était nous escorter jusqu'à nos chambres où nous pourrions prendre nos affaires, puisqu'il n'était pas question de passer une nuit de plus dans la maison.

Mais comment pourrais-je, moi, et encore moins les enfants, leur expliquer ce qui nous était arrivé ?

Nous avions affaire à quelque chose qui était tellement au-delà de leur domaine que c'en était insensé.

Je me suis vaguement rendu compte qu'aucun rapport de police ne serait établi.

Je n'avais pas encore réfléchi au Terby. Tout ce que je savais, c'était que, d'une certaine façon, je l'avais fait entrer dans la maison – et qu'il avait voulu que je le fasse – mais ce qui était apparu dans le couloir aux lumières clignotantes était un secret que je devais garder pour moi. Sur ce point, il y avait collusion entre la maison et moi.

J'ai appelé Marta. J'ai soigneusement choisi mes mots pour expliquer que « quelque chose » était entré dans la maison et je lui ai assuré que tout le monde allait bien et que j'avais appelé la police et que nous allions passer le reste de la nuit au Four Seasons et je lui ai demandé de s'en occuper. J'ai dit tout ça d'une voix aussi calme que possible et je l'ai dit vite – une phrase d'un seul trait – mentionnant l'intrusion en tête afin que la seule chose enregistrée soit la nécessité de réserver une chambre à l'hôtel. Mais Marta était une professionnelle et elle était parfaitement réveillée quand son téléphone a commencé à sonner, et elle m'a dit qu'elle serait à Elsinore Lane dans quinze minutes et avant que je puisse dire quoi que ce soit, elle avait raccroché.

Sarah était toujours dans mes bras et Robby était sur la pelouse quand les deux inspecteurs – des types approchant de la trentaine – sont venus vers nous et se sont présentés comme l'inspecteur O'Nan et l'inspecteur Boyle.

Ils ont remarqué le sang sur ma lèvre et l'ecchymose qui était en train de prendre forme sur mon visage, et ils ont demandé si j'avais besoin d'une assistance médicale.

Je leur ai dit que tout allait bien et que c'était arrivé en tombant dans la chambre de mon fils, en faisant un geste en direction de Robby, qui a hoché la tête avec un air déloyal, pour confirmer.

Ils ont demandé si « Miss Dennis était à la maison », ce que j'ai pris calmement, et j'ai expliqué que, non, ma femme était sur un tournage à Toronto, et que nous étions juste les enfants et moi dans la maison.

Au moment où une deuxième voiture de police arrivait avec deux autres inspecteurs, j'expliquais à O'Nan et Boyle que quelqu'un avait fait intrusion dans la maison, mais que nous n'avions pas été capables, à cause de la panne d'électricité, de « bien voir le truc ».

C'est là que tout a changé.

Le mot « truc » est ce qui a été décisif.

Le mot « truc » est ce qui a fait de moi un « témoin non crédible ».

O'Nan et Boyle ont conféré avec les deux autres inspecteurs.

Je me suis éclairci la voix et j'ai précisé qu'il s'agissait peut-être d'une « bête sauvage ».

Il y a eu une discussion assez peu convaincante sur la nécessité ou non de contacter la SPA, idée qui a été rapidement abandonnée. Si on trouvait la chose – c'est-à-dire le « truc » – alors on y repenserait.

Boyle est resté avec moi et Robby et Sarah, tandis que les trois autres inspecteurs entraient dans la maison, dont les lumières étaient si intenses qu'on aurait dit qu'il faisait jour sur notre pelouse, et le niveau des décibels (*The Way We Were* passait en boucle)

(*Mais tu n'as même pas ce CD*)

avait réveillé les Allen.

J'ai ressenti un picotement de peur quand les hommes sont entrés dans la maison. Je ne voulais pas qu'ils entrent dans la maison. Je ne voulais pas qu'il leur arrive quelque chose dans la maison. Je voulais crier, « Soyez prudents ».

J'ai eu à ce moment-là cette impression (même si elle s'est révélée inexacte) : je suis le seul membre de la famille qui entrera de nouveau dans cette maison.

Et je savais aussi que notre famille – même hors de la maison – n'était pas hors de danger.

J'ai soudain regardé derrière moi pour voir si le chat que j'avais trouvé hier était toujours en train de se décomposer sous le parterre de marguerites.

Quand il a vu Mitchell et Nadine Allen dans leur allée en granit, avec leurs robes de chambre assorties, faisant des gestes dans sa direction, l'inspecteur Boyle nous a demandé de « ne pas bouger ».

La lumière dans la maison s'est tamisée. Quelqu'un a trouvé la stéréo et la chanson a été brusquement coupée.

Le silence a été, un bref instant, saisissant.

J'ai demandé à l'écrivain : Qu'est-ce que l'inspecteur peut bien raconter aux Allen ?

(Oui, l'écrivain était de retour. Il ne voulait pas rester en dehors de cette scène et déjà il me murmurait des choses.)

Alors que Boyle marchait en direction des Allen, je n'ai pas remarqué que Robby me prenait le portable des mains.

L'inspecteur Boyle leur dit que tu es fou et ils ne sont pas en désaccord avec lui. L'inspecteur Boyle leur parle de ton ridicule scénario avec la bête sauvage. Regarde les Allen – ils ne hochent pas la tête en écoutant ce que leur dit l'inspecteur Boyle. Il leur dit qu'une boule de poils géante a forcé l'entrée de votre maison. Et, bien sûr, les Allen n'y croient pas, pas après t'avoir vu flipper dimanche soir – tu t'en souviens, Bret ? Et ils vont demander à l'inspecteur Boyle, « Est-ce qu'il a l'air ivre ? »

J'ai abandonné Mitchell et Nadine et vu, à l'étage de leur maison, la silhouette d'Ashton se découpant sur le voilage de la fenêtre de sa chambre, et il était au téléphone, et lorsque mes yeux sont revenus sur notre pelouse, ils ont découvert Robby avec mon portable collé sur l'oreille, hochant la tête, un peu détourné par rapport à moi.

C'est pour que tu ne puisses entendre ce qu'il dit.

J'ai regardé de nouveau la fenêtre d'Ashton, mais il s'en était éloigné.

Comment Robby pouvait-il téléphoner alors qu'il sanglotait de peur à peine dix minutes plus tôt ? Il m'avait encouragé à tuer le truc dix minutes plus tôt – comment pouvait-il passer un coup de fil quand je n'étais pas capable de bouger ou presque ? Que me cachait-il ? Pourquoi l'acteur était-il de retour ? Ne nous étions-nous pas réconciliés, en larmes, quelques heures plus tôt ?

Je regardais fixement Robby quand l'inspecteur Boyle est brusquement apparu dans mon champ de vision.

Il se penchait vers Robby et lui demandait quelque chose.

Robby s'est immédiatement tourné vers moi, et puis il a hoché la tête.

Robby s'est relevé et il a éteint le portable puisque l'inspecteur Boyle continuait à lui parler, leur conversation ponctuée par les hochements de tête et les coups d'œil de Robby dans ma direction.

Marta était arrivée et Sarah m'a demandé de la poser.

Je n'étais pas conscient de l'avoir portée si longtemps jusqu'au moment où je l'ai passée à Marta.

Marta soutenait qu'il n'était pas nécessaire de faire un rapport, parce que ça finirait à la une des journaux. Mais son attitude était identique à la mienne : si tout le monde va bien, emmenons les enfants à l'hôtel.

Deux inspecteurs sont sortis de la maison.

Comme prévu, ils n'avaient rien trouvé.

Oui, les portes étaient griffées. Oui, elles avaient été forcées. Oui, deux portes avaient été arrachées de leurs gonds. Mais pas une fenêtre n'était cassée ou ouverte, et toutes les portes qui permettaient d'entrer dans la maison étaient verrouillées.

Ce que j'avais pu voir avait dû s'introduire dans la maison plus tôt dans la journée.

C'était l'opinion qui faisait le consensus.

J'ai demandé à l'inspecteur O'Nan, « Avez-vous regardé sous le lit dans ma chambre ? »

O'Nan s'est tourné vers un certain inspecteur Clarke et lui a demandé s'il avait regardé sous le lit dans ma chambre.

L'inspecteur s'est avancé vers nous et a dit, « Oui, nous l'avons fait, monsieur. Il n'y avait rien.

— Donc le truc est encore dans la maison ? C'est ce que vous êtes en train de me dire ? » Je n'étais pas censé dire ça – je ne pouvais tout simplement pas m'en empêcher, au point où en étaient les choses. La question est sortie comme un croassement.

« Monsieur… je ne comprends pas.

— Il n'y avait pas une peluche – un oiseau – sous le lit de ma chambre ? » Je m'étais un peu écarté de Marta et de Sarah, et j'avais baissé la voix pour poser cette question.

« Pourquoi cette peluche aurait-elle été sous votre lit, monsieur ?

— Alors le truc est encore dans la maison ? me suis-je demandé, dans un murmure.

— Monsieur, quel truc est encore dans la maison ? » O'Nan m'a posé cette question d'une voix patiente mais tendue.

Clarke me regardait comme si je lui faisais perdre son temps. Mais qu'allait-il faire ? ai-je pensé avec colère. Qu'allaient-ils pouvoir faire, tous autant qu'ils étaient ? J'étais marié avec Jayne Dennis. J'étais un écrivain célèbre. Ils devaient en prendre leur parti. Il fallait qu'ils fassent ce que j'estimais exigible d'eux. Marta était en train de faire connaître son identité. Ils la considéraient avec gravité.

Et puis une scène a commencé à se mettre en place sur la pelouse.

« S'il n'y a pas une fenêtre brisée et que toutes les portes sont verrouillées, alors ce truc est encore à l'intérieur. » Je répondais à mes propres questions.

« Mr. Ellis, nous n'avons rien trouvé dans la maison. »

Un autre inspecteur est apparu et a demandé, avec un scepticisme à peine caché, « Mr. Ellis, pourriez-vous nous donner une description de cet intrus ? »

J'ai frissonné. Par la suite, l'écrivain m'a rappelé ce que j'avais répondu. Il avait la transcription.

« Nous étions en train de dormir et… un bruit a réveillé mon fils… c'était… Je ne sais pas ce que c'était… ça avait peut-être soixante centimètres de haut… c'était couvert de poils blonds et… grognait contre nous – en fait, non, c'étaient plutôt des sifflements… et il nous a poursuivis… il nous a poursuivis dans toute la maison… il a enfoncé les portes… il voulait quelque chose… »

Quelqu'un a fait un commentaire sur le fait que j'étais à bout de souffle.

C'est à ce moment-là qu'un des inspecteurs est sorti de la maison avec Victor.

L'inspecteur tenait le chien par le collier pour amener l'animal près du groupe qui se trouvait sur la pelouse.

Victor était hors d'haleine et avait l'œil vitreux.

Il y a eu un silence entendu de conspirateurs.

Je m'en suis aperçu et quelque chose en moi s'est embrasé.

J'ai pivoté sur moi-même.

Le chien épuisé, examiné avec des lampes de poche, plissait les yeux vers nous.

Victor s'est assis sur la pelouse. Il a remarqué nos regards insistants et les a ignorés.

Et puis, on aurait dit que j'étais le seul humain vers lequel il concentrait son attention.

J'ai perçu de la honte chez lui.

Je pouvais entendre le chien dire : « Tu es dans un sale état. Tu es totalement absurde. »

Je me suis aperçu que tout le monde me regardait, dans l'attente de quelque chose.

La présence du chien semblait être la réponse à une question, et cela a été suivi – je pouvais le sentir – d'un soulagement collectif.

« Écoutez, ce truc n'était pas un golden retriever, OK ? Le golden retriever aboyait comme un dingue dehors. Le golden retriever n'était même pas dans la maison. Et ce chien n'est pas capable d'arracher une porte de ses gonds. »

Nouveau silence.

Et puis, l'inspecteur Clarke a dit, « Mr. Ellis, le chien était dans la maison – nous l'avons trouvé dans la cuisine ».

Les inspecteurs demandaient aux enfants ce qu'ils avaient vu.

Quand Sarah, intimidée, s'est détournée, j'ai dit, « Chérie, tu n'as pas à dire quoi que ce soit ».

Sarah leur a dit qu'elle avait vu « un lion ».

Robby a haussé les épaules, hésitant. Quand l'inspecteur Boyle lui a demandé si ça aurait pu être le chien, Robby a continué à hausser les épaules. Robby ne m'a pas regardé quand il a fait ça. Robby ne m'a pas regardé quand il a confirmé que ce qui avait fait intrusion dans la maison n'était pas humain, mais un animal et qu'il aurait très bien pu être le chien. Mais, a insisté Robby, il faisait sombre et il avait gardé les yeux fermés tout le temps ou presque.

J'ai compris à ce moment-là que j'étais le seul témoin.

L'inspecteur Boyle m'a demandé, « Avez-vous bu quelque chose ce soir, monsieur ? »

Ouvre la trappe. Les mouettes hurlent. Le vent souffle en rafales vers toi. Ton père est debout sur la passerelle d'une autoroute.

« Excusez-moi ? »

Tu as très bien entendu, a sifflé l'écrivain.

Boyle s'est rapproché et, en baissant la voix, a demandé, « Avez-vous bu quelque chose ce soir, monsieur ?

— Je n'ai pas à répondre à cette question. Je ne suis pas au volant d'un véhicule à moteur. »

(Je me suis rendu compte que je n'avais jamais employé, au cours de ma vie, le terme « véhicule à moteur » dans une phrase prononcée ou écrite.)

Marta tenait toujours Sarah dans ses bras pendant qu'elle écoutait attentivement cet échange.

J'étais aussi pleinement conscient de la présence de Robby à ce moment-là.

Regarde un peu comme tu es respectable et sexy, a

dit l'écrivain. *Tout à fait le papa que tu t'es révélé être. Ivre et délirant totalement sur une sorte de monstre dans le couloir. Quel homme.*

Les inspecteurs se sentaient de moins en moins concernés et devenaient plus distants.

« Écoutez-moi, quel que soit ce truc, il est sorti des bois. Et ce n'était pas notre chien. »

Désemparé, je me suis tourné vers mon fils. « Robby, dis-leur ce que tu as vu.

— Papa, je ne sais pas ce que j'ai vu. Je ne sais pas ce que j'ai vu. Arrête de me demander ça.

— Il y avait une bouteille de vodka à moitié vide sur votre table de nuit, Mr. Ellis. »

Je ne sais pas qui a dit ça.

« Et vous pensez que c'est une preuve de… quoi ?

— Mr. Ellis, prenez-vous des médicaments ?

— Oui. J'en prends. En fait, ouais, j'en prends. »

C'était dit sur le ton du drogué sur la défensive.

« Qu'est-ce que vous prenez ?

— Ça ne vous regarde absolument pas, inspecteur, mais je prends des doses infimes de Klonopin pour un problème d'anxiété. »

(Ironie : de toute ma vie, je ne m'étais jamais senti aussi sobre qu'à cet instant précis.)

Les quatre inspecteurs se sont regardés attentivement.

« Et vous avez bu tout en prenant ces médicaments ? a demandé l'un d'eux.

— Écoutez, je ne vois pas où vous voulez en venir. »

L'inspecteur Boyle me jetait un regard fondamentalement et délibérément désapprobateur.

« Mr. Ellis, je pense que vous devriez peut-être appeler le médecin qui vous a prescrit ces…

— Très marrant. C'est vraiment très marrant. Devant mes enfants. Bravo, les mecs. Vraiment bien.

— Pourquoi Papa doit appeler un docteur ? demandait Sarah à Marta.

— Mr. Ellis, tout ce que je suggère, c'est que vous appeliez votre médecin si ce truc revient…

— Je n'ai rien halluciné, cette nuit. Quelque chose – et ce n'était pas notre chien – en fait, c'était plutôt une sorte d'anti-chien – était dans notre maison.

— Mr. Ellis, calmez-vous…

— Écoutez, euh, merci, inspecteur O'Nan et inspecteur Boyle et inspecteur Clarke et… » j'ai pointé le doigt sur le quatrième « … et vous, qui que vous soyez, vous avez été tous d'une aide précieuse et je…

— Mr. Ellis…

— Écoutez, quelque chose a fait intrusion chez moi cette nuit et a attaqué mes enfants et moi et nous a foutu une putain de trouille et vous pensez que j'ai halluciné tout ça ? Vous m'avez été d'une grande aide. Vous pouvez y aller maintenant. »

(Tout ça était un numéro, je m'en rendais bien compte. C'était moi dans le numéro du père inquiet. C'était joué pour Marta et les enfants, qui allaient relater mon numéro de père inquiet à Jayne. Les flics n'étaient pas à blâmer. Compte tenu de ce qui se passait réellement, il n'y avait rien qu'ils puissent faire. Je n'aurais jamais dû appeler le 911. C'était une erreur tactique. J'aurais dû embarquer les enfants et aller tout simplement à l'hôtel.)

Mais tu avais besoin d'un alibi pour quitter la maison, m'a rappelé l'écrivain. Sinon comment aurais-tu expliqué ton « évasion » du 307 Elsinore Lane ? Le truc dans le couloir t'a donné une raison qui t'arrangeait bien.

« Nous pensons qu'il s'agissait probablement de votre chien, Mr. Ellis.

— Nous partons pour l'hôtel. » Je me suis tourné vers Marta. « N'est-ce pas ? »

Elle a hoché la tête, me fixant avec des yeux écarquillés.

C'était donc ça leur thèse : ivre mort à cause d'une combinaison de vodka et de Klonopin, j'avais réveillé mes enfants parce que je croyais que nous étions attaqués par notre animal domestique. C'était tellement naze que je n'allais même pas leur faire l'honneur d'y répondre.

Mais l'écrivain pensait lui aussi que c'était plausible.

L'écrivain m'a dit que les inspecteurs pensaient que je profitais d'eux.

L'écrivain m'a dit qu'un des inspecteurs avait ri en voyant le sabre vert fluorescent sur le sol de mon bureau.

L'écrivain m'a dit que deux inspecteurs s'étaient masturbés en lisant des scènes de sexe d'*American Psycho*.

Boyle est resté avec Robby et Sarah pendant que O'Nan escortait Marta et moi dans la maison. Marta irait dans les chambres des enfants pour prendre leurs affaires (uniformes, sacs à dos, livres de classe) et j'irais prendre ce dont j'avais besoin.

Mais j'ai d'abord suivi Marta dans la chambre de Sarah et je suis resté près de la porte de la salle de bains.

Marta a jeté un coup d'œil à la porte et marqué un temps d'arrêt.

O'Nan a remarqué le temps d'arrêt et fait un geste – un simple haussement d'épaules, un simple coup d'œil de sympathie – qui voulait dire que nous verrions bien.

J'ai voulu crier, « Nous verrons bien quoi ? »

La porte avait été arrachée de ses gonds et un horrible truc gluant brillait sur la poignée.

Le pire : la porte avait été creusée parce que le truc l'avait déchiquetée avec ses dents.

Il y avait des touffes de poils disséminées dans le couloir – les poils que le truc avait perdus.

Depuis la fenêtre de ma chambre, j'ai observé deux des inspecteurs qui cherchaient dans le champ derrière la maison des indices inexistants. Ils ne trouveraient aucune trace. Rien ne conduisait aux « fenêtres qui n'étaient pas cassées » et aux « portes verrouillées » de la maison. Ils échangeaient des potins sur Jayne Dennis et sur son dingue de mari. O'Nan a fait un bruit qui suggérait que je commence à ramasser mes affaires. À l'aveuglette, j'ai rempli un grand sac : un costume, mon portefeuille, mon ordinateur. J'ai pris ma trousse de toilette et mes médicaments. Je me suis regardé dans le miroir en enfilant un pantalon de survêtement, un tee-shirt et un blouson en cuir. Un côté de mon visage était marqué par un croissant congestionné et violet. Ma lèvre inférieure était coupée en deux par une fine ligne noire. Mes yeux n'arrêtaient pas de cligner.

En sortant de la salle de bains, j'ai regardé une dernière fois le lit sous lequel avait rampé le Terby.

L'écrivain était avec moi dans la pièce.

Parle-leur des informations que tu as concernant le cheval mutilé à Pearce.

Parle-leur de Patrick Bateman et de son coup de téléphone hier soir, a suggéré l'écrivain.

Parle-leur de la fille dans la chambre 101 du motel Orsic.

Vas-y. Jette-toi. Peut-être que tu te sauveras.

J'ai fait monter les enfants dans la Range Rover, ainsi que Victor, qui serait logé au chenil dans le sous-sol du Four Seasons. Marta a laissé sa voiture dans l'allée et a pris le volant. Cette décision a été prise après que les inspecteurs ont menacé de me faire souffler dans le ballon. Ils ont aussi insisté pour nous escorter jusqu'à l'hôtel, où le concierge de nuit nous attendrait.

La Range Rover et les deux voitures de police se sont éloignées de la maison dans l'obscurité.

Regarde, ça pèle encore. Tu as regardé dans la salle de séjour ? Je crois que tu devrais...

Tandis que nous traversions la ville déserte, j'ai posé ma tête contre la vitre. La froideur du verre avait un effet apaisant sur la pommette gonflée.

Alors, a dit l'écrivain. *Le truc dans le couloir.*

Eh bien ?

C'est le temps retrouvé, pas vrai, Bret ?

Je sais ce que j'ai vu.

Qu'est-ce que tu as vu ? Ou, plus exactement, quand l'as-tu vu pour la première fois ?

En fait, je l'ai vu la nuit d'Halloween. Il était dans les bois. Je l'ai vu se frayer un chemin dans les bois. Comme une araignée.

Quel âge avais-tu quand tu as écrit l'histoire ?

J'avais douze ans. J'avais l'âge de Robby. C'était une écriture d'enfant.

Comment s'appelait l'histoire ?

Elle n'avait pas de titre.

Ce n'est pas vrai, en fait.

Tu as raison. Elle s'appelait « Le Tombeau ».

De quoi parlait l'histoire, Bret ?

C'était l'histoire d'un truc. Ce monstre. Il vivait dans les bois. Il redoutait la lumière.

Pourquoi as-tu écrit cette histoire ?

Parce que j'avais tellement peur tout le temps.

De quoi avais-tu si peur ?

De mon père.

À quoi ressemblait le monstre dans l'histoire, Bret ?

Il ressemblait à ce qui était dans notre maison cette nuit. Il était identique à celui que j'avais imaginé à douze ans. J'avais écrit et illustré l'histoire. Et le truc dans le couloir était ce que j'avais dessiné.

L'avais-tu jamais vu auparavant ?

Non.

Que faisait ce monstre que tu avais créé ?

Il s'introduisait dans les maisons des familles. Au milieu de la nuit.

Pourquoi faisait-il ça ?

Je ne veux pas répondre à ça.

Mais je veux une réponse.

Pourquoi tu ne me le dis pas ?

Il s'introduisait dans les maisons des familles parce qu'il voulait manger les enfants.

Les rues vides défilaient et personne dans la voiture ne disait mot. Robby contemplait la lune et elle lui murmurait quelque chose, pendant que Sarah fredonnait pour elle-même, comme pour se consoler. J'ai vu un eucalyptus monumental qui avait surgi du trottoir.

J'ai demandé à l'écrivain : Pourquoi apparaît-il – se manifeste-t-il – à Elsinore Lane ?

Je répondrai à cette question par une autre question : Pourquoi Patrick Bateman rôde-t-il dans le comté de Midland ?

Il y a d'autres trucs dans les parages ? Comment un truc de fiction peut-il devenir réel ?

Tu as éprouvé du remords quand tu as créé le monstre dans le couloir ?

Non. J'étais terrifié. J'essayais de trouver mon chemin dans le monde.

Un bref moment de conscience : les formalités d'arrivée à l'hôtel dans le grand hall désert.

Le répit : l'ennui de l'échange – tout en monotonie et état second – entre Marta et le concierge. J'avais la voix trop éraillée pour parler à qui que ce soit.

Un garçon d'étage nous a conduits à notre suite avec deux chambres. Les enfants occuperaient la chambre avec les grands lits jumeaux. Un salon spacieux, à la décoration surchargée, les séparait de l'endroit où je dormirais.

Pendant que Marta mettait les enfants au lit, je me suis souvenu d'avoir discuté du « Tombeau » avec un psychologue chez qui mes parents m'avaient envoyé, quand j'étais adolescent (je l'avais parodié dans *Moins que zéro*), et il avait été amusé par les éléments freudiens – l'imagerie sexuelle – présents dans l'histoire et que je ne pouvais avoir saisis à l'âge de douze ans. Qu'est-ce que c'était que ce monticule de poils ? Pourquoi l'orifice avait-il des dents ? Pourquoi un sabre fluorescent s'approchait-il du monticule de poils ? Pourquoi le petit garçon criait-il *Descends-le !* ?

Mais quelque chose m'a arraché à mes souvenirs d'une histoire que j'avais presque oubliée et qui avait été jouée aux premières heures du 6 novembre.

Et c'était ceci : les enfants avaient l'air bien.

J'étais sur le seuil et je les regardais s'installer dans leurs lits respectifs, Marta venant les border.

J'avais imaginé que la peur qu'ils avaient vécue pendant ces quelque dix minutes d'horreur serait gravée de manière permanente dans leur avenir. Mais cela ne semblait pas être le cas. On aurait dit que la vie allait se poursuivre comme d'habitude. Leur capacité de récupération me sidérait. Ils seraient complètement rétablis quand ils se réveilleraient, plus tard dans la matinée. Ce qui avait été une expérience terrifiante allait maintenant devenir un jeu, une cause de fierté, une histoire qui impressionnerait et captiverait les amis. Le cauchemar était désormais une aventure. Ils avaient été secoués, mais ils étaient forts et résistants aussi (c'est le seul soulagement que j'aie éprouvé cette nuit-là). Sarah et Robby s'étaient ennuyés et sentis fatigués pendant le trajet jusqu'à l'hôtel, et ils n'avaient pas arrêté de bâiller dans l'ascenseur, et bientôt ils seraient endormis, et puis ils se réveilleraient et se feraient monter leur petit-déjeuner, avant d'être emmenés à l'école par Marta (mais ce serait à eux de décider s'ils voulaient y aller), et Robby ferait peut-être même son contrôle de maths dans l'après-midi, et ensuite ils reviendraient au Four Seasons et ils feraient leurs devoirs devant la télévision et nous serions impatients de voir Maman rentrer à la maison.

Les enfants se sont endormis presque immédiatement.

Marta a dit qu'elle m'appellerait vers huit heures, juste pour voir si tout allait bien.

Il était à présent 3 h 40. Entre le moment où les lumières nous avaient aveuglés et maintenant, il s'était écoulé une heure.

J'ai raccompagné Marta jusqu'à la porte de la suite et j'ai murmuré faiblement « Merci » au moment où elle sortait.

Appuyé contre la porte que je venais de refermer, j'ai été frappé par cette pensée : écrire te coûtera un fils et une femme, et c'est pourquoi *Lunar Park* sera ton dernier roman.

J'ai immédiatement ouvert le minibar et bu une bouteille de vin rouge.

Pendant les quatre heures qui ont suivi, il s'est passé quelque chose dont je ne me souviens pas.

L'écrivain a rempli les blancs.

J'ai allumé mon ordinateur et je me suis branché sur le Net.

C'est là que j'ai tapé les mots suivants : « fantôme », « hanté », « exorciste ».

Surprise et terreur : il y avait des milliers de sites liés à ces thèmes.

Apparemment, j'ai été plus spécifique en tapant « comté de Midland ».

Cela a considérablement réduit la liste.

Je suis censé avoir exploré quelques sites, mais je ne me souviens pas de l'avoir fait.

Je suis censé m'être « décidé » pour la Northeastern Paranormal Society de Robert Miller.

J'ai envoyé un e-mail ivre. J'ai laissé mon numéro de portable, ainsi que le numéro du Four Seasons.

Selon l'écrivain : Jayne a appelé de Toronto à 5 h 45 après avoir parlé à Marta, qui lui a raconté ce qui s'était passé à la maison. Je n'en ai aucun souvenir.

Selon l'écrivain encore : Jayne buvait son café pendant qu'on la maquillait.

Ma femme pensait que j'en faisais trop et elle en était reconnaissante.

Ta femme est une idiote, a murmuré l'écrivain.

Tu as dit, en essayant de contrôler ta langue pâteuse, « Nous resterons ici jusqu'à ton retour – je veux simplement m'assurer que les enfants soient protégés ».

Tu n'avais pas de réponse pour Jayne quand elle t'a demandé, « Protégés de quoi ? »

N'avais-tu pas un jour voulu « voir le pire » ? m'a demandé l'écrivain. *N'avais-tu pas écrit ça quelque part ?*

Je l'ai peut-être fait. Mais je ne le veux plus.

C'est trop tard, a dit l'écrivain.

26

Le rendez-vous

Robert Miller a appelé le portable que j'avais en main pendant que je dormais. La sonnerie était tellement étouffée que c'est la vibration qui m'a réveillé. D'un geste automatique, j'ai ouvert le téléphone et dit « Oui » sans même vérifier qui m'appelait. La conversation a été brève. Je faisais à peine attention parce que j'étais couché sur un lit dans une étrange chambre d'hôtel et il était neuf heures du matin et de là où j'étais, en plissant les yeux pour voir par la porte ouverte, j'apercevais Marta habillant Sarah pour l'école et Robby assis devant la télévision, déjà en uniforme, et les deux avaient l'air imperturbable – une image qui avait cette qualité légèrement floue du rêve un peu cliché. Quelqu'un me disait au téléphone qu'il avait reçu un e-mail et tapé mon nom sur Google (l'écrivain m'a rappelé que cette suggestion était une idée à lui, et que je l'avais faite afin de paraître plus légitime) et qu'il croyait que j'étais bien l'homme que je prétendais être. Il m'a dit que mon « cas » l'intriguait. La voix a proposé que nous nous rencontrions au Dorseah Diner à Pearce. La voix m'a donné une adresse que j'ai rapidement griffonnée. Et puis, la nuit dernière est revenue. Ça s'est produit au moment où Robert Miller m'a demandé d'apporter un plan sommaire du 307 Elsinore Lane afin que je puisse pointer les « sites hantés principaux » dans la maison. Nous sommes convenus de nous retrouver à dix heures.

J'avais gratté trois heures de sommeil sans rêve, et tout en vacillant dans le petit salon, en caleçon et tee-shirt blanc taché de gouttelettes de vin rouge, j'ai essayé de sourire pour les enfants, mais le sourire et le « Hé, comment ça va, ce matin ? » qui a suivi étaient absurdes : Robby avait l'air détendu et Sarah, un visage dépourvu d'expression – jusqu'à ce qu'ils voient mon bleu. Marta a remarqué que le bleu ranimait des inquiétudes – les souvenirs de la nuit dernière ont commencé à trembler autour des enfants – et elle a immédiatement enchaîné avec un petit bavardage inoffensif sur le taxi qu'elle avait appelé depuis la réception, dans la nuit, et qui l'avait ramenée à Elsinore Lane, où elle avait récupéré sa voiture (et j'ai paniqué et dû faire un effort sur moi-même pour ne pas lui demander si elle était entrée dans la maison et de quelle couleur elle était à présent) afin que je puisse me servir de la Range Rover aujourd'hui, et je l'ai remerciée (elle avait aussi pris contact avec Rosa pour lui expliquer qu'on n'aurait pas besoin de ses services jusqu'au retour de Miss Dennis de Toronto). J'ai demandé une deuxième fois aux enfants comment ils se sentaient. Robby a haussé les épaules et essayé de faire un sourire sincère, tout en détournant le regard de mon visage. « OK, j'imagine. » Sarah était, heureusement, perdue dans ses médicaments et avait du mal à enfiler un pull. Marta allait emmener les enfants à l'école – peu importait ce qui s'était passé dans la nuit, ils avaient besoin de leur routine – et les ramènerait à l'hôtel en fin d'après-midi. Marta a dit ça fermement, comme si elle s'était attendue à une contestation, mais puisque c'était Jayne qui l'avait exigé, rien ne pourrait modifier ce programme. Sarah et Robby voulaient voir Victor au chenil avant de partir pour Buckley, et Marta leur a assuré qu'ils le feraient. Je voulais que Marta s'occupe des enfants parce que je n'étais visiblement pas en état de le faire moi-même. Mon calcul : plus longtemps ils seraient loin de moi, mieux ça vaudrait pour eux. Après que tout le monde fut parti, j'ai trouvé l'énergie pour aller voir mon visage dans le miroir. J'en ai eu le souffle coupé.

Le Dorseah Diner à Pearce se trouvait dans un coin sinistre près de l'autoroute, inanimé et plat – à l'exception des énormes eucalyptus qui avaient surgi du sol – arbres qui, j'en étais certain, n'existaient pas la veille (j'estimais que le *diner* se trouvait à environ huit kilomètres du champ où la peluche avait été jetée et le cheval tué). Le *diner* était minuscule, avec du gravier dans le parking composé de douze places qui étaient vides à dix heures, le 6 novembre. Seulement six tables le long des fenêtres, douze tabourets bleu et blanc devant le comptoir, où était assis l'unique client : un vieil homme en imperméable qui lisait le journal local. Je me suis laissé tomber à la table qui paraissait la plus éloignée de tout et j'ai commandé une tasse de café, ignorant le menu effiloché que la serveuse avait posé devant moi. Je portais des lunettes de soleil et une casquette de base-ball que j'avais trouvées dans la boutique de l'hôtel, un pantalon de survêtement et le tee-shirt taché sous un blouson de cuir Kenneth Cole. Le côté de mon visage était endolori par le bleu et il fallait que je fasse attention à ma lèvre parce qu'elle était sur le point d'éclater. J'avais la gueule de bois et le corps meurtri, très éprouvé, et j'avalais Klonopin sur Klonopin dans l'espoir que ça me ferait de l'effet. J'ai jeté un coup d'œil en direction du champ parce qu'il me regardait, et au loin j'ai remarqué les meules de foin et au-delà des meules de foin, un alignement de palmiers qui se balançaient.

Un minivan beige a tourné dans le parking et s'est garé à côté de la Range Rover. Robert Miller est apparu, son ventre d'abord, en jean délavé et veste assortie sur une chemise turquoise : un homme imposant, un peu plus de cinquante ans, moustache et longue queue-de-cheval de cheveux gris. L'air fatigué et émacié, il a regardé sa montre, ce qui m'a poussé à me saisir machinalement le poignet (il était engourdi). Il est entré dans le *diner*, un bloc-note à la main, et je n'avais aucune idée de qui il était. Le type a eu l'air de me reconnaître, pourtant, lorsqu'il a remonté son pantalon et s'est dirigé d'un pas rapide vers la table où j'étais assis, frissonnant. Quand j'ai levé les yeux, j'ai vu une tête grisonnante, marquée, qui avait vu bien des choses.

« Êtes-vous Mr. Ellis ?

— Oui.

— Je suis Robert Miller. »

J'ai continué à le dévisager.

Il n'était pas convaincu que les présentations aient produit l'effet désiré.

« Vous m'avez contacté très tôt ce matin ? Nous nous sommes parlé au téléphone ?

— Oui, bien sûr. » Je me suis levé avec difficulté et j'ai tendu la main.

Il l'a serrée comme un homme d'affaires – il avait une main dure, calleuse, le contraire de la main moite, molle et douce d'un écrivain – et après l'avoir relâchée, il s'est assis en face de moi. Il a calmement fait signe à l'unique serveuse et commandé une tasse de café et un verre d'eau, et il a ensuite posé le bloc-notes sur la table. Il y avait des informations me concernant sur la première page : ma date de naissance, les titres de mes livres, l'adresse de la maison d'Elsinore Lane.

Il m'a fallu un moment pour mettre de l'ordre dans mes pensées. Je m'étais en quelque sorte préparé pendant les quinze minutes de trajet jusqu'à Pearce, et je trouvais que l'écrivain et moi avions concocté une histoire assez cohérente pour convaincre Miller de m'aider. Mais maintenant que j'étais devant lui, j'étais gêné et je me suis mis à bégayer dès que j'ai ouvert la bouche. J'ai commencé à expliquer ce qui se passait dans la maison dans un récit assez linéaire, mais très vite j'ai évoqué tout ce dont j'avais été le témoin et puis toute la semaine m'est revenue en mémoire d'un coup et j'ai accumulé les détails dans le plus grand désordre – le Terby, la pierre tombale, la traînée noire dans le champ, les lumières clignotantes, l'intrus, le mobilier qui se déplaçait tout seul, les empreintes de pas couleur cendre, les animaux morts, la vidéo dans les pièces jointes, le vent, mon père, comment la maison d'Elsinore Lane devenait la maison de Valley Vista – et, le visage de plus en plus douloureux, je lui ai présenté une histoire embrouillée dont j'étais le seul à pouvoir démêler le sens. Mais Miller avait l'air de me prendre au sérieux. Il se mettait à prendre des notes quand un détail l'alertait et il ne semblait même pas embêté par mes propos les plus insolites. L'expression de son visage était impossible à déchiffrer – il aurait pu être drogué. Il acceptait sereinement le caractère absurde, décousu, de l'intrigue. Où était la sidération ? Où était la surprise ? Et puis il m'est venu à l'esprit, en réfléchissant aux raisons de la présence de Miller ici, que c'était une matinée banale pour lui. J'ai compris que son attitude était le produit de la routine, comme l'était le charabia du client terrifié. Ça ne m'a pas soulagé de raconter ces événements.

Je n'avais pas mentionné les garçons disparus ou Aimee Light au motel Orsic, mais je lui ai parlé du coup de téléphone de Patrick Bateman. C'est là que Miller m'a interrompu, levant les yeux de son bloc-notes.

« Qui est-ce ?

— Patrick Bateman ? C'est un, euh, personnage de fiction… que j'ai créé.

— Oh oui, c'est vrai. Oui, je me souviens.

— Je veux dire qu'il n'existe pas vraiment. Je l'ai inventé. Je crois que quelqu'un, simplement, vous savez, est en train de l'incarner.

— Vous croyez que quelqu'un est train de l'incarner ?

— Ouais. » J'ai essayé de garder une voix posée. « Ouais, euh, vous savez, quelle autre explication sinon ? Je ne vois pas d'autre explication. »

Miller m'a gratifié du hochement de tête pensif avant de demander, « Vous pensez que quelqu'un incarnait le truc que vous avez vu dans le couloir, cette nuit ? »

J'ai commencé à perdre le fil.

« Euh… non… non… c'est quelque chose que j'ai créé… aussi. »

J'ai compris que, quelque part derrière la question de Miller, rôdait une théorie qu'il était en train d'échafauder et, de façon curieusement apaisante, j'ai compris aussi que j'étais enfin assis en face d'un croyant.

Miller continuait à m'étudier. Je n'avais pas enlevé mes lunettes de soleil.

« Je ne suis pas sûr… » J'hésitais. « Je sais… comment la maison et ces manifestations physiques de ces… euh… créatures fictives… sont liées, mais… je pense que peut-être elles sont… » J'ai dit ça dans un chuchotement désespéré qui m'a coûté physiquement. En disant tout haut ces choses dans l'atmosphère vide du *diner*, je m'accrochais au peu de dignité qui me restait. Je me suis redressé.

Le silence s'est prolongé et Miller s'imprégnait de moi. Il avait retiré ses lunettes à verres miroités – il avait des yeux d'un bleu laiteux – d'un geste qui impliquait que j'en fasse autant, mais j'en étais incapable. Mes yeux s'étaient enfoncés trop loin dans leurs orbites.

« C'est dur pour moi… d'admettre tout ça et… c'est dur de croire qu'il puisse se passer un truc pareil, j'imagine, et ça s'est intensifié avec ce… cet événement de la nuit dernière et… je suis ici – nous sommes ici – euh… pour… parce que je veux que ces événements cessent.

— Connus aussi sous le nom d'événements restés inexpliqués.

— Ouais, ai-je murmuré, les yeux tournés vers le paysage plat et désolé au-delà de la route. Les événements restés inexpliqués. »

Sentant que j'en avais fini avec mon histoire, Miller a déplacé son ventre et dit platement, « Techniquement, Mr. Ellis, je suis spécialisé dans les démons ».

Je hochais la tête et pourtant je ne le voulais pas. « C'est-à-dire ?

— C'est-à-dire un expert dans l'étude et la manipulation des démons. »

J'ai longuement dévisagé Miller avant de lui dire, demander, « Démons ? »

Ce n'est pas très bon signe, m'a averti l'écrivain.

Miller a soupiré. Il avait noté la défiance dans ma grimace. « Je peux aussi communiquer avec ce que vous appelleriez des fantômes – si cela vous convient mieux, Mr. Ellis. En langage courant, on pourrait dire chasseur de fantômes, ou encore chercheur en parapsychologie.

— Au fond, vous étudiez… tout ce qui est surnaturel ? » Les mots sont sortis exactement comme je l'avais prévu parce que l'écrivain me disait *Ça te passe tellement au-dessus de la tête*.

Il a acquiescé. Je l'ai bien observé pendant que j'essayais de me souvenir de phrases que j'avais relevées sur les sites Internet, pendant mon ivresse nocturne.

« Pouvez-vous… nettoyer une maison infestée ? » J'ai enfin retiré mes lunettes de soleil.

Miller a tressailli et fait une petite grimace quand il a vu le côté du visage et l'importance du coup qu'il révélait. Quelque chose en lui s'est animé. C'était un autre choc qui allait convaincre.

« Vous ne pensez pas que je sois fou ?

— Je prends les décisions en ce moment même, a-t-il dit en reprenant contenance. C'est le but de cette première rencontre : essayer de voir si je vous crois. »

J'avais fermé les yeux et je continuais à lui parler. « Je veux dire que je ne suis pas quelqu'un d'instable. Je veux dire que je le suis peut-être, mais je ne suis pas, euh, comment dire, dangereux ou quelque chose comme ça.

— Je n'en suis pas encore tout à fait sûr, a soupiré Miller, se calant sur la banquette et croisant les bras. Y a-t-il autre chose que vous vouliez me dire ?

— Je ne sais plus. » J'ai levé les mains, désemparé.

« Avez-vous connu des épisodes psychotiques, Mr. Ellis ? Avez-vous jamais été dans un état délirant ?

— Je… je crois l'être en ce moment.

— Non. C'est simplement la peur. » Miller a noté quelque chose sur le bloc-notes.

Fais comme si c'était une interview, a murmuré l'écrivain. *Tu en as fait des milliers. Fais comme si c'était une interview de plus. Souris au journaliste. Dis-lui que tu aimes sa chemise.*

J'ai soudain deviné où Miller voulait en venir.

« J'ai eu un problème avec l'alcool et… un problème avec les drogues et… mais je ne pense pas que ce soit lié… et… »

Tout s'est effondré à la seconde même.

« Vous savez quoi ? Peut-être que je me suis trompé. Peut-être que c'étaient seulement des enfants qui nous faisaient une farce et je ne sais plus et je suis un homme célèbre et il y a des gens qui viennent m'importuner et peut-être que quelqu'un incarne vraiment ce personnage de fiction que j'ai inventé et peut-être que tout ça... »

Miller a interrompu ce qui était en train de tourner à la divagation en demandant, « Êtes-vous la seule cible de ces événements inexpliqués ?

— Je... suppose que je le suis... je suppose que je l'étais... jusqu'à ce qui s'est passé la nuit dernière.

— Auriez-vous fait quelque chose qui aurait pu irriter ces esprits ? » Il a demandé ça comme s'il voulait tout simplement connaître mon opinion sur un livre que je venais de lire, mais pour moi ça impliquait quelque chose de sinistre.

« Que voulez-vous dire ? Vous pensez que c'est de ma faute ou quoi ?

— Mr. Ellis, il n'est pas question de faute ici, a dit Miller sur un ton patient, mais méfiant. Je vous demande seulement si vous avez peut-être – par inadvertance – contrarié la maison même. » Il s'est interrompu pour me laisser assimiler. « Croyez-vous que votre présence dans cette maison – qui, selon vous, n'était pas infestée quand vous êtes arrivé – a pu d'une façon quelconque provoquer la colère des esprits...

— Hé, écoutez, ce truc cette nuit, ce putain de je ne sais quoi, s'en est pris à mes enfants, OK ?

— Mr. Ellis, je disais simplement qu'on ne peut pas contrarier le monde des esprits et imaginer qu'ils ne réagiront pas.

— Je n'ai contrarié personne – *ils* nous ont contrariés. » Cette déclaration a libéré une énergie nouvelle. « Et la maison n'a pas été construite sur un ancien cimetière indien non plus, OK ? Nom de Dieu. » Cet accès de colère – une libération – m'a calmé provisoirement.

Miller a remarqué le tremblement de mes mains quand j'ai porté la tasse de café jusqu'à mes lèvres et puis, me souvenant de ma lèvre, je l'ai reposée sur la soucoupe. L'inutilité de cette rencontre me mettait au bord des larmes.

« Vous m'avez l'air sur la défensive. Vous m'avez l'air en colère. » Miller a dit ça sans la moindre émotion. « Je sens votre peur, mais je sens aussi votre colère et un tempérament hostile.

— Nom de Dieu, vous me parlez comme mon putain de psy.

— Mr. Ellis… » et Miller s'est penché vers moi et a tout anéanti en disant « … j'ai vu une personne transformée en cendres à cause de son hostilité. »

Mon cœur s'est arrêté et puis s'est remis à battre encore plus vite qu'avant. Je me suis mis à pleurer tout doucement. J'ai remis mes lunettes de soleil. J'essayais de rester calme, mais si je croyais ce qu'il venait de dire, j'allais me sentir mal. Les pleurs étaient amplifiés par le silence qui régnait dans le *diner*. La honte a brusquement mis fin aux larmes.

« Des cendres ? Vous avez vu ça ? » Je me suis emparé d'une serviette en papier du distributeur et je me suis mouché. « De quoi parlez-vous ?

— L'un était fermier. L'autre, avocat. » Miller s'est interrompu. « Avez-vous lu le journal sur le site où je fais le récit de ces deux incidents ?

— Non. » J'ai avalé ma salive. « Je suis désolé. Je ne l'ai pas lu. »

Il fallait que je sorte du *diner*. Il fallait que je me force à me lever et à marcher d'un pas décidé jusqu'à la Range Rover. Je retournerais au Four Seasons. Je me glisserais sous les couvertures. J'attendrais le truc qui me voulait et je le laisserais s'emparer de moi. J'arriverais à ne plus avoir peur de la folie et de la mort.

Je ne comprenais pas pourquoi le Klonopin ne fonctionnait pas ce matin.

Les semi-remorques n'arrêtaient pas de gronder à quelques secondes d'intervalle, seule indication d'une réalité au-delà de l'endroit où j'étais assis.

« Ces personnes sont tout simplement parties en fumée. » Miller n'avait pas baissé la voix et j'ai jeté un coup d'œil inquiet du côté de l'unique serveuse qui bavardait avec le cuisinier. À un moment quelconque de leur conversation, le vieux type a disparu du comptoir et j'ai pensé que c'était peut-être un fantôme, lui aussi.

« Depuis combien de temps vous faites ça ? Je veux dire que je ne comprends pas ce que vous me dites. Euh, vous dites un truc comme ça et j'ai l'impression que je perds la boule et…

— Ces informations sont toutes disponibles sur mon site, Mr. Ellis… »

Ce moment me plongeait dans l'angoisse. « Je veux dire, est-ce que vous avez un CV ou je ne sais pas, des lettres de recommandation, parce que lorsque vous me dites que vous avez vu des gens partir en fumée, j'ai l'impression que je deviens fou…

— Mr. Ellis, on ne m'a pas remis un diplôme. Je ne suis pas allé à “l'université du fantôme”. Je n'ai que mon expérience. J'ai enquêté sur plus de six mille phénomènes surnaturels. »

J'ai craqué encore une fois. J'ai pleuré et essayé de ne pas faire trop de bruit en respirant. « Qu'est-ce que je vais faire ? » ai-je bredouillé plusieurs fois.

Miller s'est mis à me consoler. « Si vous voulez m'engager, mon travail consiste à venir chez vous et à invoquer les manifestations physiques de ce qui hante votre résidence.

— Et ça fait… mal ? Je veux dire, est-ce que je dois être présent ? » Je me suis forcé à ne plus pleurer et j'ai été surpris de constater que j'avais le pouvoir de le faire, et je me suis essuyé les yeux et mouché avec une autre serviette. Je me suis aperçu qu'il y en avait une douzaine, froissées et dispersées sur la table.

« Quel genre de dégâts ça fait ? a demandé Miller. Un jour, j'ai eu affaire à un comptable qui disait qu'il était possédé. Au cours de l'après-midi de l'exorcisme de son appartement, il s'est mis à parler en latin à l'envers et puis, ses yeux ont saigné et sa tête a commencé à se fendre. »

La seule façon dont j'ai pu absorber le choc a été de marmonner, « Hé, j'ai eu un contrôle fiscal. J'ai connu pire ».

Un vrai dur, a murmuré l'écrivain. *Tellement cool.*

Miller n'a pas compris que c'était une réaction normale.

Il y a eu un silence pesant pendant lequel Miller m'a dévisagé, l'air furieux.

« Je plaisantais. C'était une petite vanne. J'étais…

— Cet incident, Mr. Ellis, m'a valu une crise cardiaque. J'ai été hospitalisé. Ce n'était pas une plaisanterie. J'ai tout l'incident sur vidéo. »

Mon épuisement m'a soudain obligé à me concentrer intensément sur Miller et j'ai eu la curiosité de lui demander, « Qu'est-ce que… vous faites avec cette vidéo ?

— Je la projette lors de mes conférences. »

Je réfléchissais au renseignement fourni. « Cette personne était… possédée par quoi ?

— C'était l'esprit de ce qu'il m'avait dit être l'animal qui l'avait griffé. »

Je voulais que Miller répète ça.

« Il avait été attaqué par cet animal et, après l'attaque, il croyait qu'il était devenu la chose qui l'avait attaqué.

— Comment est-ce possible ? » Je gémissais presque. « Comment est-ce possible ? Qu'est-ce que vous racontez ? Nom de Dieu…

— Mr. Ellis, vous ne vous moqueriez pas de moi,

si quelqu'un possédé par un esprit démoniaque vous avait projeté à dix mètres à travers une pièce et puis avait essayé de vous transformer en hachis sanguinolent. »

Il m'a fallu pas mal de temps pour retrouver une respiration normale.

J'en ai été réduit à dire : « Vous avez raison. Je suis désolé. Je suis très fatigué tout simplement. Je ne sais pas. Je ne me moque pas de vous. »

Miller ne me lâchait pas des yeux, comme pour décider quelque chose. Il a demandé si j'avais un plan de la maison. J'en avais dessiné un vraiment sommaire sur le papier à lettres du Four Seasons, et quand je l'ai sorti de la poche de mon blouson, je tremblais tellement qu'il est tombé sur la table au moment où j'ai voulu le lui donner. Je me suis excusé. Il a jeté un coup d'œil et l'a posé près de son bloc-notes.

« Je dois vous poser quelques questions. »

J'ai serré mes mains l'une contre l'autre pour les empêcher de trembler.

« Quand ces manifestions ont-elles lieu, Mr. Ellis ?

— La nuit. Elles ont lieu en pleine nuit. C'est toujours autour du moment de la mort de mon père.

— C'est-à-dire ? Précisément.

— Je ne sais pas. Entre deux et trois heures du matin. Mon père est mort à 2 h 40 et il semble que ce soit le moment où… les choses ont lieu. »

Un long silence que je n'ai pas pu supporter et que j'ai dû interroger. « Qu'est-ce que ça signifie ?

— Et connaissez-vous l'heure de votre naissance ? »

Miller prenait des notes sur le bloc. Il ne m'a pas regardé quand il a posé cette question.

« Oui. » J'ai dégluti. « C'était à 2 h 40 de l'après-midi. »

Miller étudiait un truc qu'il avait écrit.

« Qu'est-ce que signifie tout ça ? Au-delà de la coïncidence ?

— Cela signifie que c'est une chose à prendre au sérieux.

— Pourquoi ça ? » J'ai posé cette question avec la voix d'un croyant, d'un disciple cherchant à obtenir des réponses du maître.

« Parce que les esprits qui se manifestent entre la nuit et l'aube veulent quelque chose.

— Je ne sais pas ce que ça veut dire. Je ne pige pas.

— Cela veut dire qu'ils veulent vous effrayer. Cela veut dire qu'ils veulent que vous compreniez quelque chose. »

J'ai voulu pleurer de nouveau, mais je suis parvenu à me contrôler.

Tout ça n'est pas très réconfortant, non ? ai-je entendu l'écrivain demander.

« Vous avez déclaré dans une des interviews que j'ai parcourues que vous aviez conçu ce personnage de fiction, ce Patrick Bateman, en vous inspirant de votre père…

— Oui, oui, j'ai…

— … et vous dites que ce Patrick Bateman vous a contacté ?

— Oui, oui, c'est vrai.

— Votre père et vous étiez proches ?

— Non. Non. Nous ne l'étions pas. »

Miller a examiné quelque chose sur son bloc-notes. Il avait l'air ennuyé.

« Et il y a des enfants dans la maison ? De qui sont-ils ?

— Oui, j'ai deux enfants. Enfin, en réalité il n'y en a qu'un de moi. »

Miller a brusquement levé les yeux. Il n'a pas répondu, mais il m'a dévisagé, visiblement troublé.

« Quoi ? Qu'est-ce qu'il y a ?

— C'est étrange. Je ne sens pas en vous que vous en ayez.

— Vous ne sentez pas quoi ?

— Que vous ayez un enfant. »

J'avais mal à la poitrine. Le souvenir de Robby me serrant dans la voiture après l'école m'a traversé l'esprit, et comment il m'avait agrippé, la nuit dernière, parce qu'il pensait que je pouvais le protéger. Parce qu'il pensait que j'étais son père désormais. Je ne savais pas quoi dire.

Miller est passé à autre chose. « Y a-t-il une cheminée dans la maison ? »

À ma grande honte, j'ai dû y réfléchir. Je vivais dans la maison depuis cinq mois et il fallait que j'y réfléchisse. S'il y en avait une, elle n'avait jamais été utilisée. Ce qui m'a permis de m'apercevoir qu'il y en avait deux.

« Oui, oui, nous en avons. Pourquoi ? »

Miller est resté silencieux, étudiant son bloc-notes, et puis a dit rapidement, « C'est un point d'accès. C'est tout.

— Je peux vous demander quelque chose ? »

Miller a dit « Oui » en tournant une page du bloc-notes.

« Et si… et si la présence inexpliquée… refuse de partir ? » J'ai avalé ma salive. « Qu'est-ce qui se passe à ce moment-là ? »

Miller a levé les yeux. « Je dois leur faire savoir que je les aide à se déplacer vers un meilleur endroit. Ils sont en fait assez reconnaissants pour toute forme d'aide. » Il a marqué un temps d'arrêt. « Ce sont des âmes en peine, Mr. Ellis.

— Pourquoi sont-elles… en peine ?

— Il y a une ou deux raisons. Certaines d'entre elles ne se sont pas encore rendu compte qu'elles étaient mortes. » Il a de nouveau marqué un temps d'arrêt. « E certaines d'entre elles veulent transmettre des informations aux vivants. »

C'était à mon tour de marquer un temps d'arrêt. « Et vous réglez le problème… pour elles ?

— Ça dépend. » Il a haussé les épaules.

« De quoi ?

— Eh bien, si c'est un démon ou si c'est un fantôme ou, dans votre cas, si les choses que vous avez créées – ces entités torturées – se sont d'une façon ou d'une autre manifestées dans votre réalité.

— Mais je ne comprends pas. Quelle est la différence entre un fantôme et un démon ? »

Au moment où cette question a été posée, le *diner* avait disparu. Il n'y avait plus que Miller et moi à une table, suspendus en dehors de ce que le monde réel pouvait désormais signifier pour moi.

« Les démons sont malicieux et puissants. Les fantômes sont seulement confus – perdus, vulnérables. » Miller a brusquement plongé la main dans la poche de sa veste en jean et sorti un portable qui vibrait. Il a vérifié le numéro de son correspondant et refermé le téléphone. Pendant qu'il exécutait ce mouvement, il a continué à parler comme s'il avait déjà transmis cette information un million de fois auparavant. « Les fantômes tirent leur énergie d'un certain nombre de sources : lumière, peur, tristesse, angoisse – ce sont les choses qui font de l'esprit un précédent. Les fantômes ne sont pas violents. »

Nous avons des démons, a murmuré l'écrivain.

« Les démons sont une manifestation du diable et ils hantent les gens qui les ont imprudemment laissés entrer dans leurs vies. Vous vous souvenez de ce que j'ai dit à propos de l'hostilité ? Un démon apparaît quand il sent qu'il a été contrarié, et ce qu'il veut faire, son but, c'est de renverser cette contrariété. Les démons sont en colère.

— Il faut que vous m'aidiez. Il faut que vous nous aidiez.

— Vous n'avez plus besoin de me convaincre que vous êtes un homme terrifié, Mr. Ellis. Je sais que vous l'êtes.

— OK, OK, OK, et maintenant quoi ?

— Je vais venir chez vous et déterminer quelle est la nature de la présence.

— Et puis ? ai-je demandé, plein d'espoir, avant de dire : Merci.

— S'il y a une présence démoniaque dans votre maison – et on dirait que c'est le cas – eh bien, vous êtes bon pour la bataille.

— Pourquoi ?

— Parce que, quelle que soit cette chose, elle s'alimente à votre peur. Elles s'alimentent à la peur collective qui règne dans la maison. Et en fonction de la quantité de peur, les dommages que causent certains de ces esprits peuvent être catastrophiques.

— Pourquoi est-ce que c'est à moi que c'est arrivé ? Pourquoi est-ce que c'est à moi que ça arrive ?

— On dirait que vous êtes hanté par un messager. » Miller a marqué un temps d'arrêt. « Par votre père et par Patrick Bateman et par une chose que vous avez créée dans votre enfance.

— Mais quel est le message ? Qu'est-ce qu'il veut me dire ?

— Ce pourrait être un nombre incalculable de choses. »

Le monde n'existait plus. Je regardais fixement Miller. Je ne sentais plus rien. Tout avait disparu à l'exception de la voix de Miller.

« Parfois, ces esprits deviennent ce que *vous* êtes. »

Miller voulait observer ma réaction. Il n'y en avait pas.

« Vous comprenez ça, Mr. Ellis ? Que ces esprits puissent être des projections de votre moi profond ?

— Je pense… qu'on me met en garde…

— Qui ?

— Mon père ? Je crois que mon père veut me dire quelque chose.

— D'après les informations que vous m'avez données, ce serait tout à fait probable.

— Mais… quelque chose est… semble l'empêcher… comme le… » Ma voix a déraillé.

Miller est resté silencieux. « Qui a apporté la peluche dans la maison, Mr. Ellis ?

— C'est moi. C'est moi qui l'ai apportée.

— Et qui a créé Patrick Bateman ? »

Dans un souffle : « C'est moi.

— Et le truc que vous avez vu dans le couloir ? »

Nouveau murmure : « Moi. »

J'ai été rappelé à la réalité quand Miller a poussé son bloc-notes en travers de la table.

Il voulait que j'y lise quelque chose.

Un mot écrit en capitales m'a sauté aux yeux : T E R B Y.

Au-dessous : le mot écrit à l'envers. Y B R E T.

Y comme… *why* !

Pourquoi, Bret ?

J'ai enfin repris mon souffle.

« Quelle est votre date de naissance, Mr. Ellis ? ai-je entendu Miller demander.

— C'est le 7 mars. »

Miller a tapoté son stylo sur le bas du bloc-notes.

Miller a tracé une barre oblique entre deux chiffres.

À l'encre rouge : 3/07 Elsinore Lane.

« Nous ne pourrions pas déménager dans une autre maison ? »

J'étais hors d'haleine.

« Nous ne pouvons pas simplement foutre le camp de cette maison ? »

Je ne pouvais pas me contrôler.

« Nous ne pouvons pas aller ailleurs ? »

Miller m'a saisi la main pour me calmer.

« Mr. Ellis, dans votre cas, je ne pense pas que ce soit une option possible. »

Je ne pouvais plus respirer.

« Pourquoi pas ? Pourquoi ce n'est pas une option ?

— Parce que la maison peut très bien ne pas être l'origine de la présence. »

Je me suis remis à pleurer.

« Si, si, mais, si, la, maison, n'est, n'est, pas, pas, l'origine…

— Mr. Ellis… »

J'entendais Miller, mais il n'était pas visible.

« Mais si la maison n'est pas l'origine… Quelle est l'origine de la présence ? »

Miller l'a enfin dit.

« C'est vous. »

27

La présence

Le monde était faiblement éclairé à présent, une île plate de lumière flottant dans les vastes ténèbres, même s'il était midi et que nous étions en route vers la maison d'Elsinore Lane et que j'étais assis à l'arrière d'un van aménagé, derrière deux assistants (au sein d'une équipe de douze personnes, ai-je appris, et qui auraient pu être d'anonymes débiles de l'informatique de l'université, avec les coupes en brosse obligatoires). Dale, qui m'avait salué avec un « Hou ! Méchant bleu », conduisait, pendant que Sam passait en revue des CD, et ils se disputaient à propos d'un film récent – tout simplement deux mecs en route pour « l'enquête préliminaire » ou « LIS » (lecture initiale du site), et la banalité de leur conversation aurait dû m'apaiser en me rappelant que ce n'était pas la mer à boire, juste une mission de plus. Mais Miller les couvrait partiellement – nous étions assis côte à côte, les genoux écrasés contre un générateur – en m'expliquant où la dernière présence avait conduit son équipe, un endroit perdu où les fantômes et les démons des morts s'étaient assemblés : un abattoir abandonné. Je voulais que tout ça se termine le plus vite possible. Comme d'habitude, je prétendais que c'était un rêve. Ça facilitait les choses.

« Quand devrions-nous le faire ? » avais-je demandé quand j'avais repris mes esprits au Dorseah Diner. « Dès que possible », avait été la réponse de Miller. Dehors, sur le parking couvert de gravier (qui se transformait lentement en plage de sable), il avait passé une série de coups de téléphone, pendant que je regardais un nouvel alignement de palmiers s'élever au loin. Il m'avait suivi jusqu'au Four Seasons, où un voiturier était allé garer le minivan de Miller, et pendant que nous montions dans la suite pour récupérer les clés de la maison, les honoraires avaient été discutés. Si la maison était infestée et que je voulais m'assurer de ses services, il me faudrait remplir un chèque de 30 000 dollars, ce qui me paraissait donné. Lorsqu'il m'avait demandé si je pouvais disposer d'une telle somme, je lui avais assuré, sur un ton grave, que oui. Mais j'aurais accepté n'importe quel montant puisque j'avais les yeux fixés sur les empreintes de pas couleur cendre qui étaient venus faire le tour de mon lit dans la suite de l'hôtel pendant que je voulais rentrer sous terre à la table de Dorseah Diner (elles venaient de nulle part), et puis j'avais vu l'empreinte d'une main sur un oreiller et j'avais failli craquer et j'avais dit que je ne retournerais pas dans cette maison, mais Miller m'avait répondu qu'il fallait que je sois là parce que j'étais la cible de l'infestation. Quand j'avais voulu protester de nouveau et lui offrir une somme plus importante à condition de pouvoir rester loin de la maison, Miller m'avait déjà entraîné dehors où un van beaucoup plus grand que le sien nous attendait, et lorsque je suis monté dans ce van, mon monde – dérivant déjà loin de moi – s'est renversé.

Miller expliquait à quoi servaient les différents appareils et j'ai fait un effort pour me concentrer, mais j'étais incapable de penser à quoi que ce soit, si ce n'est que nous roulions vers la maison. Il y avait des caméras digitales à infrarouges et des détecteurs de mouvement et des appareils de mesure du champ électromagnétique (les CEM, disait l'équipe) ; il y avait un truc appelé thermomètre laser, ainsi qu'un magnétophone qui pouvait être branché sur un analyseur de fréquences et lu sur un ordinateur portable. J'ai essayé de me calmer en posant des questions – mais ce n'était qu'un moyen de faire semblant de ne pas rouler vers une situation que l'écrivain avait déjà connue et qu'il qualifiait, avec une ambiguïté glaçante, de *compliquée*. J'ai entendu des bribes des propos de Miller me traverser l'esprit. En faisant un geste vague en direction d'un appareil, j'ai demandé, « À quoi ça sert ?

— C'est un CEM. Il filtre les fréquences électromagnétiques normales.

— Que voulez-vous dire ?

— Comme celles d'un ordinateur ou d'une télévision ou d'un téléphone ou même d'un corps humain – qui peuvent tous provoquer une lecture erronée. » La voix de Miller avait quelque chose de caoutchouteux et elle rebondissait dans tout le van, s'éloignant de moi, renvoyant un écho.

« Et ça, c'est quoi ? » Je me suis vu pointant le doigt vers une grosse machine massive, qui ressemblait à un climatiseur disproportionné.

« Un galvanomètre. Il enregistre le flux énergétique inexpliqué. »

Bien sûr. Bien sûr que c'est ça. Tu le savais, Bret.

J'étais de nouveau penché en avant et sur le point de craquer quand le van a tourné au coin de Bedford et s'est engagé dans Elsinore.

La maison trônait innocemment dans la lumière du jour, mais même dans la lumière du jour la maison semblait menaçante.

J'étais mort de trouille parce que je ne pouvais m'empêcher de la regarder, pendant que le van remontait l'allée.

« Et voilà », a dit l'un des types. Ils sont rapidement sortis du van. Ils avaient reçu des instructions concernant les particularités de la « situation » et ils étaient prêts à agir. Ils sont allés ouvrir l'arrière du van et ont commencé à décharger le matériel, avec l'air impatient des braves types.

Je n'étais pas conscient d'être descendu du van et j'ai flotté en direction de la maison jusqu'à ce que je me retrouve assez près pour pouvoir la toucher.

La façade avait maintenant la couleur du côté de la maison.

L'écrivain m'a obligé à le remarquer puisque j'étais aveugle.

Regarde, a dit l'écrivain. *Touche-la.*

Le bois s'était transformé en stuc.

À cause de cela, je ne retournerais pas dans la maison.

Je me suis éloigné.

Miller m'a suivi dans le champ derrière la maison, et alors j'ai pu marcher, et alors j'ai pu m'arrêter. Je ne pouvais pas contrôler ma respiration. J'avais la bouche sèche et pâteuse à cause de tous ces cachets de Klonopin.

« Vous serez protégé », a promis Miller.

« Ce n'était pas un cas de possession, m'a-t-il assuré. Il faut que vous soyez dans la maison, a-t-il gentiment ordonné.

— Pourquoi ? Pourquoi ?

— Parce que vous êtes sa cible. Parce que nous avons besoin de découvrir ce qu'est la source de la présence. »

Il leur fallait invoquer les esprits.

Et tu leur sers d'appât. Tu piges maintenant, Bret ?

Je n'avais même pas envie d'un verre, au point où

en étaient les choses – j'aurais vomi si j'avais avalé la moindre goutte d'alcool.

Fais passer ce conseil avisé. Vous voulez rester sobre ? Emménagez dans une maison hantée.

Miller, perdant patience, m'a orienté vers la maison, parce que je ne serais en sécurité nulle part si on ne traitait pas le problème.

(L'écrivain m'a bousculé tout du long, en me rappelant l'empreinte de la main couleur cendre sur l'oreiller.)

Ma réponse : « S'il y a quoi que ce soit à l'intérieur de la maison, je ne pense pas que je puisse le supporter. »

J'ai hésité, puis j'ai avancé rapidement vers la porte d'entrée.

J'ai glissé la clé dans la serrure.

J'ai ouvert la porte.

La maison était silencieuse.

Miller était à côté de moi.

« Où se sont produites les apparitions principalement ? » m'a-t-on demandé.

Les trois hommes attendaient que je les guide vers le couloir aux lumières clignotantes, ma chambre à coucher qui avait été attaquée, la salle de séjour qui était maintenant celle de Valley Vista – juste une petite apnée au moment où j'ai jeté un coup d'œil à la moquette vert sombre qui poussait encore, et puis j'ai dû m'éloigner.

Miller examinait la porte du bureau, arrachée de ses gonds, déchiquetée.

« Ouais, ai-je dit. C'est bien arrivé. »

Tandis que Dale et Sam commençaient à installer les appareils dans la maison, j'ai montré la vidéo de la pièce jointe que j'avais reçue.

Je ne pouvais pas la regarder et je suis donc parti. Au premier étage, j'ai passé la tête dans la chambre de

Robby et dans celle de Sarah, et ensuite (discrètement – je ne suis pas entré) dans ma chambre.

Je me suis senti soulagé en voyant les lits défaits dans les trois chambres.

Il n'y avait pas le moindre signe de la présence du Terby, mais cela ne voulait pas dire grand-chose.

De retour dans mon bureau, j'ai vu que la vidéo touchait à sa fin.

Mon père nous dévisageait.

« Robby… Robby… »

Miller s'est tourné vers moi sans mot dire, assez peu troublé.

« Tous les appareils électriques doivent être débranchés, est tout ce qu'il a dit.

— Pourquoi ne pas couper le courant tout simplement ?

— Nous le ferons aussi. »

Les appareils de mesure seraient branchés sur le générateur qui avait été installé dans l'entrée, au pied de l'escalier.

Alors que nous étions en train de débrancher tout ce qui était relié à une prise, chacun de nous a commencé à le sentir.

(J'ai fait semblant de ne rien sentir.)

Une pression nouvelle s'exerçait dans la maison.

Elle pesait sur nous.

J'ai essayé d'ignorer le moment où nos oreilles ont commencé à faire mal.

Mais quand Sam et Dale ont ri, j'ai dû l'accepter.

Une fois chaque appareil déconnecté, Sam et Dale se sont mis à brancher divers câbles dans le générateur.

Les caméras vidéo à infrarouges et les microcassettes à commande sonore ont été montées sur des trépieds.

Sam s'occuperait de celle qui avait été placée dans le couloir, à l'étage.

Dale s'occuperait de celle qui avait été placée dans ma chambre.

Et Miller s'occuperait de celle qui avait été placée dans la salle de séjour, avec le plus grand champ de vision, couvrant l'entrée et l'escalier.

Chacun avait un CEM, un appareil de mesure du champ électromagnétique.

Tous les rideaux et les stores de la maison avaient été tirés – je n'ai pas demandé pourquoi – et l'intérieur de la maison s'était considérablement assombri, avec assez de lumière du jour qui filtrait cependant.

Une fois Sam et Dale en position à l'étage, Miller m'a demandé de couper le courant.

Le compteur était dans le couloir qui menait au garage.

J'ai ouvert le boîtier.

J'ai respiré à fond au moment où je coupais le courant.

En revenant aux côtés de Miller, je me suis aperçu que la maison n'avait jamais été aussi calme.

Pendant que je me faisais cette réflexion, les CEM se sont mis à sonner – immédiatement, à l'unisson.

Grâce aux chiffres rouges clignotants, j'ai pu observer un bond de 0 à 100 en moins d'une seconde. Je crois.

Aussitôt les caméras ont senti quelque chose et commencé à tourner, dans un mouvement circulaire continu sur le trépied.

« Ça décolle », ai-je entendu un des types crier à l'étage.

Soudain, les bips sont devenus plus insistants.

Les caméras ne cessaient de flasher en tournant.

Les verrous des portes-fenêtres de la salle de séjour faisaient entendre une sorte de craquement.

Encore un craquement et les portes-fenêtres se sont violemment ouvertes vers l'extérieur, les rideaux verts se mettant à gonfler, en dépit du fait que c'était un après-midi de novembre, froid et sans vent.

Et puis, ils se sont dégonflés.

Les rideaux n'étaient pas là hier soir, a dit l'écrivain. *Tu ne les as pas reconnus ?* a demandé l'écrivain. *Repense au passé.*

L'air soufflait en rafales sur nous, et le son amorti d'un coup porté sur quelque chose résonnait dans toute la maison.

Le martèlement continuait.

Il traversait les murs et le plafond au-dessus de nous.

Le martèlement rivalisait avec les sons produits par les CEM, et puis le martèlement l'a emporté sur tout.

J'ai fermé les yeux, mais l'écrivain m'a dit que le martèlement avait culminé avec l'apparition d'une énorme perforation au-dessus du canapé dans la salle de séjour.

(Plus tard, l'écrivain m'a dit que j'avais hurlé tout en restant parfaitement immobile.)

Et puis : silence.

Les bips des CEM se sont tus.

« Ouah ! » En provenance d'un type à l'étage.

L'autre poussait des petits cris joyeux de nouveau.

Ils connaissaient la musique.

Miller et moi respirions avec difficulté.

Je me fichais d'avoir l'air apeuré.

« Je sens une présence masculine, ai-je entendu murmurer Miller, qui scrutait la pièce.

— Les lumières clignotent, Bob », a crié Sam depuis le couloir à l'étage.

De là où nous nous trouvions Miller et moi, nous avons pu voir les lumières clignotantes des appliques se reflétant dans l'immense fenêtre en haut de l'escalier.

Apparemment, le truc a su que nous avions remarqué et les appliques ont brusquement cessé de clignoter.

Miller se tenait à présent devant le mur qui venait d'être perforé.

Il le contemplait, avec humilité.

« Un homme en colère… quelqu'un qui est perdu et très en colère… »

J'avais tellement peur que je n'arrivais même plus à sentir. Je n'étais qu'une voix qui demandait : « Qu'est-ce que ça signifie ? Que se passe-t-il ? Qu'est-ce qu'il veut ? Pourquoi s'est-il arrêté ? »

Miller a balayé le plafond avec son CEM.

« Pourquoi s'est-il arrêté ? »

Miller a répondu calmement.

« Parce qu'il sait que nous sommes ici. »

Cela faisait partie de son numéro. Il essayait de projeter une image de confiance en soi, de sens du commandement, mais il y avait une fraction de lucidité en moi qui discernait à travers la peur que le truc qui résidait dans la maison allait nous vaincre tous à la fin.

(Un truc m'a traversé l'esprit : *Tu as résidé dans cette maison, Bret.*)

« Parce qu'il sait que nous sommes ici », a murmuré encore une fois Miller. Il s'est tourné vers moi. « Parce qu'il est curieux. »

Nous avons attendu pendant ce qui a paru une éternité.

Le temps passant, la maison avait l'air de plus en plus sombre.

Finalement, Miller a appelé. « Dale – quelque chose ?

— Tout est calme maintenant, a crié Dale.

— Sam – quelque chose ? »

La réponse de Sam a été interrompue par la reprise des bips des CEM.

Suivis du ronronnement des caméras.

Et puis un son s'est fait entendre qui m'a rendu plus nerveux que le martèlement ou les bips émis par les appareils.

Une voix chantait.

La musique a commencé à envahir la maison.

Une chanson du passé montant d'un huit pistes au cours d'un long trajet sur la côte californienne jusqu'à un endroit appelé Pajaro Dunes.

... memories like the corners of my mind...

« Nous avons débranché la stéréo ? » ai-je demandé, pivotant sur moi-même dans la semi-obscurité.

... misty water-colored memories...

« Oui, nous l'avons débranchée, Mr. Ellis. » C'était Miller qui tenait son CEM comme s'il l'avait guidé quelque part.

... of the way we were...

La chaleur a augmenté instantanément dans la salle de séjour. C'était une serre, et l'odeur du Pacifique s'est progressivement infiltrée dans l'atmosphère étouffante.

... scattered pictures of the smiles we left behind...

Soudain, à l'étage : « Il y a quelque chose ici, a crié Sam. Ça vient de se matérialiser. » Silence. « Bob, tu m'as entendu ? »

... smiles we gave to one another of...

« Qu'est-ce que c'est ? » a crié Miller.

Voix de Sam, moins enthousiaste : « C'est, euh... c'est une forme humaine... un squelette... il vient de sortir de la chambre de la petite fille... »

En réalité, m'a informé l'écrivain, *Sam se trompait. Il sortait de la chambre de Robby, puisque Robby était en fait la cible de la présence.*

Pas toi, Bret.

Tu as déjà pigé ça ?

Tout ne tourne pas autour de toi, même si tu aimerais bien le croire.

Dale : « Je le vois aussi, Bob.

— Quelle est sa position à présent ? » a crié Miller.

... the way we were...

« Il se déplace vers l'escalier... il va descendre... »

Leurs cris d'excitation ont été rapidement remplacés par ce qui ressemblait à une frayeur étouffée.

« Seigneur Jésus, a crié l'un d'eux. Putain, mais qu'est-ce que c'est ?

— Bob. » C'était Sam, je crois. « Bob, il descend l'escalier. »

La chanson s'est arrêtée au beau milieu d'une parole.

Miller et moi faisions face au grand escalier qui se répandait dans l'entrée et dans la salle de séjour adjacente.

On entendait le son d'un cliquètement.

(Je ne vais pas essayer de défendre ce que je suis sur le point de décrire. Je ne vais pas essayer de vous faire croire quoi que ce soit. Vous pouvez décider de me croire, ou vous pouvez vous en aller. Même chose pour un autre incident qui va avoir lieu plus tard.)

La seule raison qui explique que j'aie été témoin de ceci, c'est que ça s'est produit très vite, et la seule raison qui explique que je ne me sois pas immédiatement éloigné, c'est que ça paraissait faux, comme quelque chose que j'avais vu dans un film – une farce pour faire peur aux enfants. La salle de séjour aurait pu tout aussi bien être un écran et la maison, une salle de cinéma.

Il tanguait dans l'escalier et s'est arrêté sur plusieurs marches.

Il était grand et avait une forme vaguement humaine, et bien que ce fût un squelette, il avait des yeux.

Rapidement, le visage de mon père s'est illuminé sur le crâne.

Et puis un autre visage l'a remplacé.

Celui de Clayton.

J'étais raide de stupéfaction.

Ma respiration erratique ne pouvait être entendue par-dessus le bruit des appareils de mesure et des caméras.

Le truc squelettique était maintenant au pied de l'escalier.

C'étaient ses dents qui cliquetaient.

Dans le crâne, il y avait des globes oculaires.

Soudain, il s'est élancé vers nous.

Miller et moi avons vite reculé et quand nous l'avons fait, le truc s'est arrêté.

Il a commencé à lever les bras au ciel.

Les bras étaient si longs que les os des doigts ont effleuré le plafond.

Je gémissais.

Qu'est-ce que nous attendions ? Je n'ai pas compris ce que nous attendions qu'il fasse.

Le visage de mon père est apparu de nouveau, suivi de celui de Clayton.

Comme les visages se succédaient rapidement, se partageant le crâne, la ressemblance entre les deux hommes ne pouvait être mise en doute.

C'était le visage d'un père remplacé par le visage d'un fils.

Les dents ne cessaient de cliqueter, comme s'il avait mâché quelque chose d'invisible.

Ses doigts se sont mis à racler le plafond à mesure qu'il avançait vers nous.

Quand il a commencé à baisser les bras, Miller et moi avons remarqué une chose.

Il tenait un scalpel.

Au moment où il a foncé vers nous, je me suis arc-bouté, les yeux écarquillés.

« *Je t'entends*, ai-je murmuré. *Je t'entends.* »

Et alors les lumières dans la maison ont clignoté un moment.

Avec la soudaine renaissance de la maison grâce à la lumière, le truc s'est arrêté et a incliné la tête sur le côté, avant de s'enrouler dans un tourbillon de cendres.

Sam et Dale ont observé ça depuis le palier.

Au moment où la maison s'est enflammée de lumière, ils ont couru vers nous.

Miller me demandait, « Vous avez coupé le courant ?

— Oui, oui. »

Miller a pris une grande inspiration. « Il y a deux esprits qui sont à l'œuvre ici… »

À l'instant même où Miller a dit cela, la porte de mon bureau – visible de là où nous nous trouvions à présent – a été arrachée de ses gonds avec une telle force qu'elle a volé à travers la pièce et entaillé un mur.

(Je ne l'ai pas vu parce que je regardais la cendre qui s'était répandue sur le générateur. L'écrivain l'a décrit pour moi par la suite, dans l'avion.)

Le plafond au-dessus de nous s'est brusquement fendu, un long zigzag qui a fait pleuvoir du plâtre sur nos cheveux.

(Je ne me souviens pas de l'avoir vu, mais l'écrivain a insisté pour dire que oui. L'écrivain a dit, *Tu étais bouche bée.*)

La peinture a commencé à peler et à se décoller par plaques des murs.

Personne ne savait où regarder.

Et comme je suivais ça dans un rêve, j'ai vu que sous la peinture se trouvait le papier peint à rayures vertes qui couvrait les murs de la maison à Sherman Oaks.

Quand j'ai murmuré pour moi-même les mots « *Je t'entends* », la maison a de nouveau été plongée dans l'obscurité.

Dehors, je suis resté sur la pelouse, hébété, parlant tout seul.

Dehors, Dale et Sam arpentaient le trottoir, complètement excités, passant des coups de fil, racontant ce qu'ils avaient vu au reste de l'équipe de Miller.

Dehors, Miller a essayé de m'expliquer la situation.

Elle comprenait un fantôme qui voulait me dire quelque chose.

Elle comprenait un démon qui ne voulait pas que cette information me soit transmise.

Il s'agissait en réalité de deux forces s'opposant l'une à l'autre à l'intérieur de la maison.

C'était assez simple. Cependant, ce que Miller définissait comme « simple » ne s'appliquait en rien à ma vie.

Mais je ne croyais plus à ma vie, j'ai donc été contraint d'accepter sa définition du simple comme si elle était courante.

Dehors, sur la pelouse, Miller fumait cigarette sur cigarette.

Miller essayait d'expliquer des choses, mais tu n'écoutais pas.

Tu disais seulement « Débarrassez-vous-en ».

Tu ne bougeais pas d'un endroit.

Tu n'étais conscient de rien.

Tu n'admettais pas que les mots que tu avais prononcés aient réduit le truc en cendres.

Tu pensais que tu pourrais revenir plus tard dans l'après-midi.

Tu pensais mettre le feu à la maison.

« Il va falloir procéder à une fumigation dans la maison », disait Miller.

Il faudrait procéder à une fumigation parce que les esprits pouvaient se loger dans n'importe quelle créature vivante de la maison – et cela incluait animaux et insectes – afin de prolonger leur existence.

Après la fumigation, il faudrait vingt-quatre heures pour installer l'équipement requis pour nettoyer la maison. La procédure complète ne prendrait pas plus de deux jours.

Mais que se passait-il après la fumigation ? J'avais raté quelque chose ? Est-ce que l'un de nous existait encore ? Où le monde s'était-il déplacé ? Qu'est-ce qui m'occupait l'esprit ?

« Ce qui va se passer après la fumigation, a dit Miller en allumant une nouvelle Newport, s'appelle un exorcisme. »

J'avais commencé à élaborer un plan.

« Mr. Ellis, je serais curieux de savoir une chose. »

Je ne savais pas que mon plan coïncidait avec celui de Miller.

« Votre père a-t-il été incinéré ? »

J'allais partir en voyage, et j'ai hoché la tête pour répondre.

« Où se trouvent les cendres de votre père ? »

J'allais traverser le pays en avion.

« Les avez-vous répandues selon ses vœux ? »

Je hochais la tête en silence, parce que je comprenais ce que disait Miller.

« Qu'étiez-vous censé faire avec ? »

J'allais me réorganiser de fond en comble.

« Mr. Ellis ? Vous êtes toujours avec nous ? »

28

Vendredi 8 novembre, samedi 9 novembre

Los Angeles

Un agent de la sécurité à l'entrée a vérifié mon nom avant que je puisse prendre la route en lacet qui conduisait à une maison de la taille d'un hôtel, toute en verre, au sommet de Bel Air. Après qu'un voiturier eut emporté ma voiture de location, j'ai fait mon entrée dans une fête où une ex-petite amie qui s'était mis des faux cils et mariée à un milliardaire a crié « Hé, beau gosse ! » à l'instant où je pénétrais dans la pièce, et nous avons parlé d'autrefois et des gens du cinéma et de ce qu'elle faisait de sa vie (« Je rock », est la seule allégation que j'aie pu faire), et comme les gens avaient l'air de m'éviter à cause de mon visage tuméfié, j'ai continué à me déplacer jusqu'à ce que je me retrouve devant une bibliothèque remplie de scénarios reliés en cuir, et des chiots golden retriever trébuchaient dans tous les coins et j'ai trouvé un numéro du *National Inquirer* daté de la semaine suivante dans une salle de bains et il y avait un poster encadré dans la chambre du fils aîné, deux mots en énormes lettres rouges (GET READY) et il y avait une actrice qui avait partagé la vedette dans le film que Keanu Reeves et Jayne avaient fait ensemble en 1992 et nous avons eu une conversation que j'ai trouvée inconvenante, en dépit de sa candeur, puisque nous ne nous étions jamais rencontrés (« Jayne avait quitté le tournage pour un ou deux jours pour être avec vous. Quelqu'un qui était mort, dans votre famille, non ? – Ouais, mon père »), et puis le père de Sarah – le producteur de musique – s'est pointé et il a eu l'air choqué de me voir (rien ne me choquait plus puisque je ne réagissais à rien) et puis il a demandé des nouvelles de Sarah et écouté des bribes de ce que je lui répondais, à quel point elle allait bien, et même si le producteur de musique n'arrêtait pas de me promettre qu'il voulait voir sa fille, il y aurait toujours un nouvel « empêchement » pour le retenir, mais il a ajouté, sur un ton qui n'était pas consternant, que Sarah était toujours « libre » de venir le voir. Assises à la grande table du dîner se tenaient des épouses de Pacific Palisades, avec quelques membres clés de la mafia gay show-biz et des mecs hyper bien de Silver Lake, des couples de Malibu et un chef, très beau, qui avait son émission de cuisine à lui. Les conversations ont démarré quand les premiers plats ont été servis : la deuxième maison à Telluride, la nouvelle maison de production, les allers et retours chez le chirurgien esthétique, le caprice si violent qu'il avait fallu appeler la police, tous les efforts qui ne menaient à rien. J'ai tout écouté, ou imaginé que je le faisais. Il y avait tant de mots dont je ne comprenais plus le sens (heureux, gâteau, jingle, se pomponner), et j'étais tellement loin de ce monde qu'il n'avait plus aucun impact sur moi : le nombre d'explosions par scène, le film qui se déroulait dans un sous-marin, le scénario qui n'atteignait pas le seuil de sympathie, le flirt SM avec une prostituée mineure, la baise avec la miss du lycée qui récupérait d'un implant mammaire, le hurlement des fusées, les abdos tablette de chocolat, le sexe sur le matelas gonflable, la défonce à la Vicodin. Et puis, la conversation a pris une tournure plus sobre quand il a été question d'un certain film : s'il ne dépassait pas le milliard de dollars d'entrées, le film en question ferait perdre de l'argent aux trois studios qui le finançaient. Après ça, la vanité de toute entreprise a imprimé sa marque sur la fin du dîner. Et très vite, on a pu voir que la chirurgie esthétique avait privé de toute expression tant de femmes et d'hommes dans cette fête, et une actrice ne cessait de s'essuyer la bouche avec une serviette pour empêcher la bave de couler parce qu'on lui avait injecté trop de matière grasse dans les lèvres. Un cactus géant bloquait l'accès d'un couloir en contrebas avec les mots « `croyez les sceptiques` » griffonnés en noir sur la pulpe verte, et maintenant que le récit reprenait, je me suis demandé comment on pourrait jamais aller au-delà du cactus. Mais je me suis rendu compte que je me concentrais là-dessus uniquement parce que je me demandais qui allait bien pouvoir écouter mon histoire. Qui allait croire aux monstres que j'avais rencontrés et aux choses que j'avais vues ? Qui allait gober le *pitch* que je ne faisais que pour me sauver moi-même ?

Après que la lecture initiale du site eut indiqué – non, confirmé – que la maison était infestée, j'étais retourné au Four Seasons, d'où j'avais fait un virement sur le compte de Miller. On m'avait dit que la « procédure » prendrait deux jours et je ne voulais pas connaître en détail la façon dont ils comptaient nettoyer la maison. De toute évidence, m'étais-je dit, ils savaient ce qu'ils faisaient – c'étaient des professionnels ; ils me l'avaient prouvé pendant la LIS – et je ne les gênerais pas pendant ces deux jours en partant, sous les auspices du rendez-vous avec Harrison Ford, pour LA où j'irais récupérer les cendres de mon père à la Bank of America dans Ventura Boulevard à Sherman Oaks. Mettre ce plan à exécution était ma seule préoccupation (rien ne m'arrêterait) et donc à deux heures ce jeudi après-midi-là j'avais réservé une place dans l'avion et – après avoir retrouvé Marta à l'hôtel pour lui expliquer qu'on allait procéder à une fumigation de la maison d'Elsinore Lane et qu'elle allait rester au Four Seasons avec les enfants jusqu'à mon retour, dimanche – je roulais en direction de Midland Airport. Au volant de la Range Rover sur l'autoroute, j'avais appelé ICM pour leur demander de fixer le rendez-vous avec l'équipe de Ford le lendemain, puisque j'arrivais dans la soirée et repartais le dimanche matin. Tout s'était arrangé avec une telle facilité que c'était comme si je l'avais voulu ou presque. Il n'y avait pas de circulation, j'avais passé à toute vitesse les contrôles de sécurité de l'aéroport, l'avion avait décollé à l'heure, le vol avait été plaisant et nous avions atterri avant l'heure prévue à Long Beach (puisqu'une grande partie de LAX était en cours de reconstruction). Quand j'avais eu Jayne au téléphone en descendant la 405 en direction de Sunset, elle avait été « contente » (ce que j'avais traduit en « soulagée ») que je fasse ce truc pour moi. J'avais écarté le Chateau Marmont dans la mesure où c'était un repaire de ma période « drogué » et opté pour le Bel Air Hotel. C'était à deux pas du dîner auquel j'avais été invité par le producteur du projet Harrison Ford quand il avait entendu dire que je venais, et aussi près de chez ma mère dans la Valley. Et c'était seulement au moment où je m'étais retrouvé dans ma suite du Bel Air, en train de trier des DVD d'Harrison Ford que le producteur m'avait fait porter, avec le plan pour se rendre chez lui, que je me suis rendu compte que j'avais oublié de faire une seule chose : dire au revoir à Robby.

Le vendredi après-midi, le rendez-vous Harrison Ford a eu lieu sans Harrison Ford. Le projet, pour lequel

Ford, le producteur et deux dirigeants de studios avaient pensé à moi, était l'histoire d'un père (propriétaire de ranch coriace) et d'un fils (drogué solitaire) surmontant les obstacles à leur amour mutuel dans une petite ville du nord-est du Nevada. Je leur ai vendu tout ce que j'ai pu rassembler sur le sujet, c'est-à-dire absolument rien puisque je n'avais pas le moindre intérêt pour le projet. On m'a dit d'y réfléchir et j'ai promis, l'air hébété, que je le ferais, et puis des voix m'ont demandé des nouvelles de Jayne et des enfants, et du prochain livre, et ce qui était arrivé à mon visage (« Je suis tombé »), et comme j'ai été ailleurs pendant tout le rendez-vous, j'ai eu l'impression qu'il n'avait duré que quelques minutes.

Plus tard dans l'après-midi, j'ai roulé jusqu'à Ventura Boulevard et à la Bank of America pour récupérer les cendres de mon père. Je ne suis pas ressorti de la banque avec.

J'ai dîné avec ma mère et mes deux sœurs, et leurs divers maris et petits amis le samedi soir dans la maison de Valley Vista à Sherman Oaks (une réplique exacte, une sorte de modèle réduit, de la maison d'Elsinore Lane, avec une disposition identique). Ma mère et mes sœurs avaient compris (une fois que la presse avait fait savoir que j'étais le père du fils de Jayne Dennis) qu'elles ne rencontreraient leur petit-fils et neveu que lorsque je connaîtrais Robby suffisamment et que lui se sentirait à l'aise pour le faire. C'était la conclusion à laquelle Jayne, nos psychothérapeutes et moi étions parvenus – nous tous, à l'exception de Robby (qui ne savait rien de cet arrangement et n'avait jamais, à ma connaissance, posé la moindre question sur une grand-mère ou des tantes). Le moment le plus triste de la soirée est survenu lorsque je me suis aperçu – après qu'elles me l'ont demandé – que je n'avais pas de photos de mon fils sur moi. Il y a eu des questions concernant Jayne, la vie dans les banlieues de la côte Est, le coup sur mon visage (« Je suis tombé »). Mes sœurs se sont émerveillées du fait que je ressemblais de plus en plus à mon père, l'âge venant. Je me suis contenté de hocher la tête et d'interroger mes sœurs sur leurs récents triomphes et drames – l'une était l'assistante de Diane Keaton ; l'autre sortait tout juste d'une cure de désintox. J'ai aidé le petit ami de ma mère – un homme venu d'Argentine avec qui elle vivait depuis quinze ans – à faire griller le saumon. Le dîner a été calme, mais ensuite, près de la piscine, en fumant des cigarettes avec mes sœurs, un débat un peu tendu a eu lieu au sujet des cendres de papa et de ce qu'il fallait en faire (je n'ai rien dit de ce que j'avais découvert dans le coffre un peu plus tôt dans l'après-midi), et s'est déplacé vers quelques vieilles querelles : la fille avec qui il vivait au moment de sa mort avait un petit ami – l'avais-je même su ? Je n'arrivais pas à m'en souvenir. Bien sûr que je ne m'en souvenais pas, ont soutenu mes sœurs, puisque je m'étais enfui et que j'avais refusé de m'occuper de quoi que ce soit. Et puis, en succession rapide : le testament nul, l'absence d'autopsie, la thèse du complot, la paranoïa. J'y ai échappé en montant dans mon ancienne chambre pour récupérer quelque chose (c'était l'autre raison de ma présence à LA). Plus le jardin qui me hantait : la piscine, les chaises longues, la terrasse – tout était identique au jardin d'Elsinore. Au moment où je m'étais levé pour partir, mes sœurs avaient trouvé que j'avais l'air sur la défensive. Je leur avais répondu que j'étais simplement fatigué. Je ne voulais pas maintenir notre père en vie, ce que nous faisions chaque fois que nous avions ces inévitables conversations. Je ne leur ai rien dit de ce qui s'était passé pour moi au cours de la semaine. Le temps manquait. Une fois dans la maison, je me suis arrêté en haut de l'escalier et j'ai regardé en direction de la salle de séjour. Ma réaction était un peu émoussée.

Ma chambre était non seulement telle que je l'avais laissée quand j'étais adolescent, mais c'était aussi la chambre de Robby. J'y avais souvent séjourné quand je revenais à LA, après mon départ pour Camden et ensuite New York, et au fil des ans une partie de ce grand volume donnant sur San Fernando Valley s'était lentement transformée en bureau, où je gardais de vieux manuscrits et des dossiers sur des étagères montées dans le grand dressing-room. C'était là que je me dirigeais. Je me suis mis à fouiller à la va-vite des piles de papiers – esquisses de romans, articles de magazine, livres pour enfants – jusqu'à ce que le sol en soit jonché. Et puis j'ai repéré ce que je cherchais : le manuscrit original d'*American Psycho*, qui avait été tapé sur une Olivetti électrique (quatre versions en tout, chose qui continuait à me remplir d'incrédulité). Je me suis assis sur le futon sous le poster d'Elvis Costello encadré qui était toujours au mur et j'ai commencé à feuilleter le manuscrit. Sans même savoir ce que je cherchais, j'ai ressenti le vague désir de toucher le livre et de me débarrasser d'un truc qu'avait dit Donald Kimball. Il y avait une information qui n'avait jamais collé avec le schéma qui se révélait à nous. Je voulais m'assurer qu'elle n'existait pas. Mais en tournant les pages, j'ai entrevu ce que c'était.

Ça m'est apparu au moment où je suis parvenu à la page 207 du manuscrit original.

À la page 207 il y avait un visage dessiné.

J'avais dessiné un visage sur la mince feuille de papier (ayant laissé assez d'espace entre deux chapitres).

Et sous le visage j'avais inscrit à la main et à l'encre rouge les mots : « Je suis de retour. »

Cette image de mots gribouillés avec du sang avait été utilisée par la suite, mais j'avais coupé la scène qui précédait cet avertissement.

Ce chapitre avait été omis.

Et j'avais aussi enlevé ce dessin grossier du visage dans les manuscrits suivants.

Quelque chose s'est confirmé.

C'était un manuscrit que je n'avais montré à personne.

C'était le manuscrit qui avait été réécrit avant que je ne donne le livre à mon agent.

C'était le manuscrit qu'aucun éditeur n'avait vu.

C'était *le* chapitre que j'avais coupé de la toute première version et que personne à part moi n'avait lu.

Il contenait les détails du meurtre d'une femme appelée Amelia Light.

Les détails inventés – la tête et les bras manquants, les cordes, la lampe à souder – étaient identiques aux détails du meurtre du motel Orsic dans un endroit appelé Stoneboat, à en croire les détails donnés par Donald Kimball.

En continuant à tourner les pages, j'ai compris avant même d'arriver au chapitre suivant qu'il aurait pour titre « Paul Owen ».

Le meurtre qui suivait celui d'Amelia Light serait celui de Paul Owen.

Donald Kimball s'était trompé.

Quelqu'un suivait le livre à la trace.

Et un homme du nom de Paul Owen à Clear Lake serait la victime suivante.

J'ai pris un téléphone pour appeler Donald Kimball.

Mais quelque chose m'a retenu.

Je me suis rappelé, cette fois avec plus de force, que personne à part moi n'avait vu cette version du manuscrit.

Ce qui a conduit à : Qu'allais-je dire à Kimball ?

Que dire ? Que je devenais fou ? Que mon livre était devenu réalité ?

Je n'avais aucune réaction – émotionnelle, physique – face à tout ça. Parce que j'en étais arrivé à un point où j'acceptais tout ce qui se présentait à moi.

J'avais construit une vie et c'était ce qu'elle m'offrait maintenant en retour.

J'ai poussé le manuscrit loin de moi.

Je me suis levé. J'avançais vers un mur d'étagères.

Quelque chose d'autre me traversait l'esprit.

J'ai pris un exemplaire de l'édition Vintage d'*American Psycho*.

Je l'ai feuilleté jusqu'à la page 266 où j'ai trouvé le chapitre intitulé « Le détective ».

Je me suis rassis sur le lit et j'ai commencé à lire.

Mai se glisse dans juin qui s'insinue dans juillet, lequel rampe vers août. À cause de la chaleur, j'ai eu durant les quatre dernières nuits d'intenses rêves de vivisection et je ne fais rien pour l'instant, sinon végéter au bureau avec un mal de tête atroce et le walkman pour l'apaiser, un CD de Kenny G, mais le soleil éclatant du matin qui pénètre à flots dans mon bureau me vrille le crâne, ravivant ma gueule de bois, et à cause de ça, pas de musculation ce matin. Tout en écoutant la musique, je remarque que la deuxième lumière clignote sur mon téléphone : Jean m'appelle. Je soupire et j'ôte délicatement le walkman.

« Qu'est-ce que c'est ? dis-je d'une voix monocorde.

— Euh, Patrick ?

— Ou-ui… Je-an ? » Sur un ton condescendant, en séparant bien les deux mots.

« Patrick, un certain Mr. Kimball souhaiterait vous voir, dit-elle, nerveuse.

— Qui ? » dis-je sur un ton cassant, la tête ailleurs.

Elle émet un petit soupir d'inquiétude et dit en baissant la voix, comme si elle me posait une question, « Détective Donald Kimball ».

Oui, la chambre a brusquement basculé à ce moment-là, et oui, l'idée que je me faisais du monde a changé quand j'ai vu le nom de Donald Kimball imprimé dans un livre. Je me suis efforcé de ne pas paraître surpris, ce n'était que le récit qui essayait de se sauver soi-même.

Je n'ai pas pris la peine de relire le reste de la scène.

J'ai simplement replacé le livre sur son étagère.

Il fallait que je réfléchisse.

Première pensée : Comment la personne qui disait être Donald Kimball avait-elle pu voir un manuscrit jamais lu par personne, avec les détails qu'il contenait du meurtre d'Amelia Light ? Un meurtre identique à celui qui avait été commis le 3 novembre au motel Orsic ?

Deuxième pensée : Quelqu'un incarnait un personnage de fiction nommé Donald Kimball ?

Il était entré chez moi.

Il était entré dans mon bureau.

J'ai soudain compris – espérons – que tout ce qu'il m'avait raconté était un mensonge.

J'ai soudain espéré qu'il n'y avait pas eu de meurtres.

J'ai espéré que le livre que j'avais écrit sur mon père ne fût pas responsable des morts dont « Donald Kimball » m'avait informé.

(Mais allais-je découvrir par la suite que le numéro privé de ce Donald Kimball était en fait le numéro du portable d'Aimee Light ? Oui.)

Mais ensuite je me suis dit : Si Donald Kimball était responsable des meurtres dans le comté de Midland, alors qui pouvait bien être Clayton ?

En réfléchissant à tout ça, j'ai aperçu quelque chose près de ma chaussure.

Un dessin d'un livre pour enfants que j'avais fait quand j'étais un petit garçon.

Une des quelques pages qui étaient tombées par terre quand j'avais fouillé dans mes papiers.

Ces pages provenaient d'un livre illustré que j'avais écrit quand j'avais sept ans.

Le livre avait un titre.

Le titre était *The Toy Bret.*

Je me suis penché, lentement, pour ramasser la page de titre, mais je me suis arrêté lorsque j'ai vu le sommet d'un triangle noir.

J'ai écarté les autres pages jusqu'à ce que la feuille entière soit visible.

Et j'ai été confronté au regard ivre du Terby.

En bougeant les pages, j'ai découvert le Terby reproduit une centaine de fois tout au long d'un livre que j'avais écrit, il y a trente ans.

Le Terby sortant d'un cercueil.

Le Terby prenant un bain.

Le Terby butinant le pétale blanc d'une fleur de bougainvillée.

Le Terby buvant un verre de lait.

Le Terby attaquant un chien.

Le Terby pénétrant dans le chien et le faisant voler.

C'est à ce moment-là à LA au cours de ce samedi soir de novembre – quand j'ai vu le livre pour enfants avec le Terby et su qu'une personne nommée Donald Kimball n'existait pas – que j'ai pris une décision.

Si j'avais créé Patrick Bateman, j'écrirais à présent une histoire au cours de laquelle il serait décréé, et son monde effacé.

J'écrirais une histoire dans laquelle il était tué.

J'ai quitté la maison de Valley Vista.

En rentrant à Bel Air, j'ai commencé à concevoir une histoire.

J'ai commencé à prendre des notes.

Il fallait que j'écrive l'histoire de toute urgence.

Elle serait courte et Patrick Bateman serait tué.

Le point essentiel de l'histoire : Patrick Bateman était mort désormais.

Je ne trouverais jamais d'explication.

(*C'est parce que les explications sont ennuyeuses,* a murmuré l'écrivain alors que je roulais dans un canyon.)

Tout resterait caché et vague.

Je m'efforcerais d'assembler les pièces du puzzle et, au bout du compte, l'écrivain me ridiculiserait pour avoir tenté de le faire.

Il y avait trop de questions.

Cela ne cesserait plus. Plus on avance, plus il y en a.

Et chaque réponse est une menace, un nouvel abîme que seul le sommeil peut refermer.

Personne ne dirait jamais, *Je vais te montrer ce qui s'est passé et rendre ta vie parfaite en t'emmenant dans les endroits libres où tu n'auras plus besoin de penser à tout ça.*

De retour à Bel Air, j'ai glissé *Dead Heat on a Merry-Go-Round* dans le lecteur de DVD, uniquement parce que c'était la première apparition à l'écran d'Harrison Ford, selon son CV, et que j'avais besoin d'un bruit de fond. Pour chasser le silence qui me distrayait.

Je me suis assis devant le bureau, j'ai ouvert mon ordinateur et commencé à écrire. Le film commençait aussi.

L'informe a rapidement donné accès à une forme.

« Patrick Bateman est debout sur un ponton en flammes… »

Je suis resté assis sans bouger pendant la demi-heure qu'il m'a fallu pour écrire l'histoire.

L'histoire était statique et artificielle et précise.

Ce n'était pas un rêve – et un roman devrait l'être.

Mais ce n'était pas le but de cette histoire.

Le but de l'histoire était de me laisser emporté dans le passé, d'avancer à l'envers, et de modifier quelque chose.

L'histoire était un démenti.

Très vite, la voix de Patrick Bateman a résonné faiblement, un murmure intermittent, jusqu'à ce qu'il clignote au loin avant d'être annulé.

(*Mais il était curieux et il désirait*, a argumenté l'écrivain. *Était-ce sa faute s'il a abandonné son âme ?*)

Alors qu'il est dévoré par les flammes, il dit, « Je suis partout ».

Au moment même où je terminais la dernière phrase, des voix en provenance de la télévision m'ont obligé à leur prêter attention.

J'ai pivoté sur mon fauteuil pour faire face à l'écran, parce que, de la télévision qui avait déjà consommé trente-trois minutes du film, venaient les mots : « On demande Mr. Ellis. On demande Mr. Ellis. On demande Mr. Ellis. »

Un Harrison Ford incroyablement jeune en uniforme de chasseur traverse un bar d'hôtel. Il est à la recherche d'un client. Il a un message.

James Coburn est assis à une table du bar et mate les serveuses, quand il se tourne et dit, « Chasseur ? »

Harrison Ford s'avance jusqu'à la table de James Coburn.

« Bob Ellis ? demande James Coburn. Robert Ellis ? Chambre 72 ? »

J'ai pivoté vers l'ordinateur et cliqué sur SAUVEGARDE.

« Non, monsieur, répond Harrison Ford. Charles Ellis. Chambre 607.

— Vous êtes sûr ? demande Coburn.

— Oui, monsieur.

— Oh. »

Et puis Harrison Ford s'éloigne vers le fond du bar en appelant : « On demande Mr. Ellis. Mr. Ellis. On demande Mr. Ellis. Mr. Ellis ? », jusqu'à ce que sa voix disparaisse sur la bande-son.

Quand j'ai regardé au-dessus de la télévision, il était 2 h 40.

29

Dimanche 10 novembre

L'attaque

Robert Miller a entamé le nettoyage le jeud
7 novembre, en faisant tout d'abord appel au servic
de désinsectisation avec lequel il avait l'habitude d
travailler dans ces cas-là, et en mettant la maiso
sous cloche à six heures du soir. Le soir suivant, l
8 novembre, l'équipe de Miller a installé son matérie
au 307 Elsinore Lane et n'est revenue que le samed
soir – vingt-quatre heures plus tard exactement –, e
une fois qu'il a été admis que l'espace avait été nettoyé
il a retiré son matériel de la maison. Tout cela m'a ét
rapporté par Robert Miller au cours d'une conversatio
téléphonique, après l'atterrissage de mon avion
Midland Airport à 11 h 20 le dimanche matin, pendar
que je conduisais la Range Rover en direction de l
ville. Miller se disait convaincu que la maison éta
« sûre ». Il a mentionné les « changements spécif
ques » qui se sont produits après le retour de son équip
le samedi. Il m'a assuré que je serais satisfait de ce
transformations. Les dégâts qui avaient été causés pe
dant la LIS n'avaient pas été « corrigés » (la porte arr
chée de ses gonds ; la perforation dans le mur), mais

a insisté sur le fait que je serais enchanté par les « différences physiques » survenues dans le reste de la maison. Après cette conversation, le besoin que j'avais de la voir est devenu irrépressible. Au lieu d'aller au Four Seasons, j'ai roulé jusqu'au 307 Elsinore Lane.

La première chose que j'ai remarquée – et j'en ai eu le souffle coupé en me garant devant la maison : la peinture blanc lys était revenue, remplaçant le stuc rose qui avait infecté toute la surface extérieure. Je me souviens d'avoir garé la Range Rover dans l'allée et marché vers la maison, frappé d'une crainte mystérieuse, la main serrée sur les clés, avant qu'un merveilleux soulagement ne m'envahisse et ne permette à mon corps de *se sentir* différent. Le regret qui m'avait jusqu'ici affligé s'est envolé et je suis devenu quelqu'un d'autre. Je suis allé voir le côté de la maison – désormais du même blanc que celui qui avait été là en juillet – et j'ai touché le mur et n'ai rien senti d'autre qu'une impression de paix que, pour une fois, je ne m'étais pas imposée. C'était vrai.

À l'intérieur de la maison, je n'ai éprouvé aucune peur ; il n'y avait plus la moindre trépidation. Je pouvais sentir le changement ; quelque chose avait été libéré. Il y avait un nouveau parfum, une absence de pression, une différence qui était impalpable, mais néanmoins capable de s'annoncer avec force. J'ai été surpris de voir Victor arriver d'un pas vif de la cuisine pour me saluer dans l'entrée. Il n'était plus dans le chenil du sous-sol de l'hôtel, il remuait la queue et avait l'air véritablement excité par ma présence. Il n'y avait plus rien de la réticence courroucée qui émanait de lui lorsque j'entrais dans son champ de vision. Mais je n'ai pas pu me concentrer très longtemps sur le chien parce que la salle de séjour avait miraculeusement changé. Les longs poils verts de la moquette étaient redevenus des poils ras et beiges, et les rideaux de 1976 suspendus à une fenêtre (quelques jours auparavant) avaient disparu, et le mobilier était disposé comme je l'avais trouvé en arrivant pour la première fois dans la maison. J'ai fermé les yeux et pensé : Merci. Il y avait un avenir (pas nécessairement dans cette maison – j'avais déjà prévu de déménager) et je pouvais penser à un avenir parce que, après avoir été si longtemps habitué à ce que les choses ne marchent pas, je pouvais à présent, pour un instant, croire qu'elles allaient changer. Et la transformation de la maison en était la confirmation.

Les coups de langue de Victor sur ma main m'ont poussé à prendre le portable dans ma poche.

J'ai composé le numéro de Marta.

(*L'échange qui suit a été reconstitué à la suite d'une conversation que j'ai eue avec Marta Kauffman le mardi 19 novembre.*)

« Marta ?

— Hé – comment ça va ? Vous êtes de retour ?

— Ouais, je suis à la maison en fait. Je suis venu directement de l'aéroport pour contrôler. » Je me suis tu en entrant dans la cuisine.

« Bon, tout s'est plutôt bien passé…

— Comment se fait-il que Victor soit ici ? Je pensais vous avoir dit de ne…

— Ah ouais. Nous l'avons ramené ce matin.

— Pourquoi vous l'avez ramené ?

— Il flippait dans le chenil, et l'hôtel m'a dit que nous devions le sortir de là. Et comme vous m'aviez dit que tout serait terminé à la maison dimanche, nous l'avons déposé, il y a deux heures environ. Il va bien ?

— Ouais… il va bien… »

Et à ce moment-là j'avais quitté la cuisine pour passer dans l'entrée.

J'étais au pied de l'escalier et puis, sans hésitation, j'ai commencé à monter.

« En fait, il était complètement agité ici. Les cages étaient petites et il n'était vraiment pas heureux, et Robby et Sarah, bien entendu, ont commencé à être furieux. Mais quand nous l'avons déposé à la maison, il avait l'air bien. Il était parfaitement détendu et…

— Comment vont les enfants ? ai-je demandé en lui coupant la parole, prenant conscience que Victor n'était pas si important que ça pour moi.

— Euh, Sarah est juste à côté de moi…

— Et Robby ? »

(*Marta Kauffman, lors de sa déposition, a déclaré que j'avais posé cette question avec un « empressement assez peu naturel »*)

« Robby est allé au centre commercial avec des amis pour voir un film. »

(*« Qui est revenu à la maison quand vous avez déposé Victor ? » Je ne me souviens pas d'avoir posé cette question, mais selon la déposition de Marta Kauffman le 19 novembre, je l'ai fait.*)

« Nous sommes venus tous les trois. » Marta a marqué un temps d'arrêt. « Robby avait besoin de prendre des affaires.

— Prendre des affaires pour quoi ?

— Il a dit qu'il allait passer la nuit chez un ami.

— Quel ami ?

— Ashton, je crois. » Elle a marqué un temps d'arrêt. « Ouais, je suis presque sûre qu'il a dit Ashton. »

(Avant que je n'entre dans la chambre, j'ai murmuré quelque chose dont ni Marta Kauffman ni moi ne nous souviendrions le 19 novembre, mais qui, selon l'écrivain, était : « Pourquoi Robby avait-il des affaires à prendre alors qu'Ashton habite juste à côté ? »)

« Bret, ce n'est pas très grave. Quelques vêtements, c'est tout. Il n'est resté que dix minutes dans sa chambre. Nadine Allen va les chercher au centre commercial et il devrait être de retour chez eux vers quatre…

— Vous pouvez me donner son numéro de portable ? »

Marta a soupiré – ce qui m'a foutu en rogne, je me souviens de la lueur de rage – et me l'a donné.

« Je reviens tout de suite à l'hôtel. Je vous retrouve dans une vingtaine de minutes.

— Vous voulez parler à Sarah… »

Après lui avoir raccroché au nez, j'ai composé le numéro de Robby.

J'attendais devant la porte de sa chambre. Ça ne répondait pas.

Mais je n'étais pas inquiet et je n'ai pas laissé de message.

Pourquoi l'aurais-je été ?

Il était au centre commercial Fortinbras avec des amis et ils voyaient un film et il avait poliment éteint son portable quand le film avait commencé (scénario incroyablement éloigné de ce qui s'est en réalité passé ce jour-là) et je le verrais ensuite à l'hôtel, et même si nous ne quittions pas le Four Seasons pour retourner à la maison (ce ne serait jamais une option possible), Robby pourrait passer la nuit chez les Allen (j'ai tout de même eu, à cet instant précis, l'intuition un peu fébrile qu'il avait école le lendemain) et Jayne rentrerait le mercredi et nos vies reprendraient leur cours supposé depuis que j'avais accepté la proposition de Jayne et m'étais installé dans le comté de Midland en juillet dernier. J'ai pensé avec un mouvement d'impatience aux prochaines vacances, alors même que je contemplais la porte fendue et déchiquetée à coups de dents devant moi.

(Je ne me souviens pas précisément d'avoir ouvert la porte de la chambre de Robby, mais – pour une raison quelconque – je me souviens de la première chose qui me soit venue à l'esprit quand je suis entré. C'était un propos que m'avait tenu Robby alors qu'il pointait le doigt vers des trucs dans le ciel, la nuit, au cours de ce pique-nique à Horatio Park pendant l'été : *que les étoiles qu'on voit la nuit n'existent pas en fait*.)

La chambre était dans l'état dans lequel elle se trouvait le mercredi soir quand nous avions fui la maison. Un lit défait, l'ordinateur mort, un placard ouvert.

J'ai avancé lentement jusqu'à la fenêtre et j'ai regardé dans Elsinore Lane.

Un dimanche paisible de plus, et tout semblait aller bien dans le monde.

(*Est-ce que tu aurais pu imaginer que tu écrirais un jour une phrase pareille ?*)

Je suis resté un long moment dans la chambre, pour faire l'inventaire.

Ce que je n'avais pas fait : je ne m'étais pas retourné.

J'étais entré directement dans la chambre. J'étais resté là. J'avais pensé à mon fils et à ses mobiles. Je n'avais pas vu ce qui était derrière moi.

Au début, je n'ai pas compris. Il m'a fallu un moment pour saisir.

Quand je me suis retourné, j'ai vu, écrit à la main sur la grande photo murale du terrain de skate-board désert, en énormes lettres rouges :

D I s pA RaiS

I ci

J'ai eu du mal à respirer, mais je n'ai pas paniqué immédiatement.

Je ne paniquais pas parce qu'un truc sur le sol avait attiré mon regard et provisoirement substitué la curiosité à la panique.

Il était posé près de la porte ouverte, sur le côté.

En m'en rapprochant, j'ai cru que je voyais un grand bol en papier journal mâché (c'était ça) que quelqu'un avait garni de deux pierres noires.

J'ai supposé que c'était un projet artistique pour l'école.

Mais les pierres noires étaient humides. Elles étaient brillantes.

Et quand je me suis retrouvé au-dessus du bol, les yeux baissés vers lui, j'ai compris ce que c'était en réalité.

C'était un nid.

Et dans le nid, les deux objets noirs oblongs n'étaient pas des pierres.

J'ai su immédiatement ce que c'était.

C'étaient des œufs.

Il y avait un autre nid près de la porte du placard (et un autre encore a été découvert par la suite dans la chambre d'amis).

Un truc dont Miller m'avait averti m'a traversé l'esprit.

Miller avait dit que la fumigation était nécessaire afin qu'il ne reste plus rien de vivant dans la maison lorsqu'on commencerait le nettoyage.

C'était pour cette raison que la fumigation était indispensable : les esprits, les démons, essaieraient de se glisser dans n'importe quelle créature vivante pour « prolonger leur existence ».

Question : Et si une peluche s'était cachée et avait attendu ?

Et si le Terby s'était caché dans la maison ?

Et s'il avait survécu aux exterminateurs ?

Et si quelque chose s'était glissé en lui ?

Le lien établi entre la peluche et les nids était sensé et immédiat.

Je me souviens d'avoir foncé hors de la chambre et dévalé l'escalier, agrippé à la rampe pour ne pas tomber.

Quand j'ai atterri dans l'entrée, j'ai commencé à composer le numéro de Robby.

Encore une fois, je ne m'en souviens pas très bien, mais alors que j'attendais pour laisser un message, je crois avoir remarqué la présence de Victor.

À cause de Victor, je n'ai pas pu laisser de message.

(Mais si j'avais appelé une troisième fois – comme l'ont fait un certain nombre de gens par la suite – j'aurais appris que le portable avait été désactivé.)

Victor était couché dans la position fœtale, tremblant sur le sol en marbre de l'entrée.

Le chien joyeux qui s'était approché de moi, tout excité, dix minutes plus tôt, n'existait plus.

Il gémissait.

Quand il m'a entendu, il m'a regardé avec des yeux tristes, vitreux, en continuant à trembler.

« Victor ? »

Le chien m'a léché la main quand je me suis accroupi pour le caresser.

Le bruit de sa langue léchant la peau sèche de ma main a été soudain couvert par des bruits mouillés, derrière le chien.

Victor a vomi sans même lever la tête.

Je me suis redressé tout doucement et j'ai fait le tour vers l'endroit d'où venaient les bruits mouillés.

Quand j'ai soulevé la queue du chien, j'aurais voulu pouvoir bondir hors de mon esprit.

L'anus du chien était distendu, au point d'atteindre un diamètre d'une vingtaine de centimètres environ.

La moitié inférieure du Terby dépassait du chien et s'enfonçait progressivement dans la cavité, ondulant un peu pour glisser plus facilement.

J'étais pétrifié.

Je me souviens d'avoir instinctivement tendu la main au moment où les serres de la peluche ont disparu, le corps du chien se ballonnant avant de se tasser.

De nouveau, Victor a vomi sans bouger.

Tout est resté immobile pendant un bref instant.

Et puis le chien a été pris de convulsions.

Je m'étais déjà écarté lentement de lui.

Mais au moment où je l'ai fait, Victor – ou autre chose – l'a remarqué.

Sa tête s'est brusquement redressée.

Dans la mesure où le chien était étendu entre la porte d'entrée et moi, et que je ne voulais pas l'enjamber, j'ai commencé à remonter l'escalier.

Je faisais des mouvements très appliqués.

Je faisais semblant d'être invisible.

Les gémissements de Victor s'étaient soudain transformés en grognements.

Je suis resté immobile, dans l'espoir de calmer Victor.

Je respirais à fond.

Le chien, toujours sur le sol en marbre de l'entrée, s'est mis à baver abondamment. En fait, un flot continu d'écume coulait de sa gueule. C'était jaune au début, de la couleur de la bile, et puis l'écume est devenue rouge sombre, et puis des plumes se sont mêlées à l'écume qui continuait de couler de la gueule de Victor. Et puis, l'écume est devenue noire.

Je me souviens d'avoir couru en direction du premier étage à ce moment-là.

Et au cours de ce qui n'a paru qu'un instant, quelque chose – c'était la mâchoire de Victor – s'est refermé sur le haut de ma cuisse, à l'instant où je parvenais au virage de l'escalier.

Une pression soudaine, une douleur fulgurante, et quelque chose d'humide.

Je suis tombé dans l'escalier, la tête la première, en hurlant.

Je me suis retourné pour donner un coup de pied au chien, mais il avait déjà reculé.

Le chien, le dos dressé, se tenait trois marches au-dessous de l'endroit où je me tortillais.

Et puis le chien s'est mis à gonfler.

Le chien a commencé sa mutation en quelque chose d'autre.

Ses os grandissaient et ont commencé à percer la peau.

Les bruits que faisait Victor étaient stridents, très aigus.

Le chien a eu l'air surpris lorsque son dos s'est arqué – et que son corps a grandi de trente centimètres d'un coup.

Le chien a émis un autre cri douloureux et puis a cherché à reprendre son souffle.

Tout s'est arrêté pendant un moment et, en pleurs, j'ai tendu la main sans réfléchir, stupidement, pour réconforter le chien, pour lui faire sentir que j'étais son ami, qu'il n'avait pas besoin de m'attaquer parce que je n'étais pas une menace.

Mais c'est alors qu'il a retroussé les babines et s'est mis à hurler.

Ses yeux roulaient dans leurs orbites, sans contrôle, jusqu'à ce qu'on ne voie plus que le blanc.

J'ai appelé à l'aide.

Dès que je me suis mis à crier, le chien a bondi vers moi, mais s'est cogné contre le mur. Il continuait à grandir.

J'ai essayé de me mettre debout, mais ma jambe droite était si abîmée que je me suis effondré dans l'escalier à cause des marches glissantes du sang qui coulait de la blessure de ma cuisse.

Le chien a cessé de bouger, puis s'est mis à tressauter au moment où sa gueule s'est allongée pour devenir celle d'un loup.

Ses pattes avant grattaient frénétiquement une marche, avec une telle force qu'elles déchiquetaient le bois lisse et vernis.

J'ai essayé de me hisser sur les marches.

Le chien a baissé la tête et lorsqu'il l'a lentement relevée en s'approchant de moi, il grimaçait.

À bout de souffle, je l'ai frappé des deux pieds, avant de me hisser un peu plus haut.

Le chien a cessé d'avancer.

Le chien a basculé légèrement la tête et puis s'est remis à hurler.

Ses yeux étaient si exorbités qu'ils ont fini par jaillir des orbites et pendre de chaque côté du museau, au bout des nerfs optiques.

Le chien avait la gueule trempée de sang, tachant de rouge les dents découvertes.

Il avait à présent ce qui ressemblait à des ailes – elles avaient poussé sur ses flancs.

Elles avaient traversé les côtes et battaient pour se débarrasser du sang et des viscères qui les couvraient.

Il a avancé lentement vers moi.

Je n'arrêtais pas de lui donner des coups de pied.

Et, sans effort, une gueule pleine de dents s'est abattue encore une fois dans ma cuisse droite et a mordu.

Je me suis cabré en hurlant et le sang a balayé le mur en arc de cercle quand le chien a lâché prise.

Il faisait tout à coup un froid glacial dans la maison, mais j'avais le visage couvert de sueur.

Je m'étais mis à ramper sur les marches quand il m'a mordu encore, juste au-dessous de l'endroit qu'il venait de déchirer.

J'ai essayé de me dégager.

J'ai dégringolé vers le chien parce que les marches étaient trempées de sang.

Il a frappé de nouveau.

Les dents étaient maintenant les crocs du Terby et il les plantait dans mon mollet.

J'ai compris d'une façon atrocement irrévocable : il voulait m'immobiliser.

Il ne voulait pas que je puisse aller où que ce que ce soit.

Il ne voulait pas que je fonce au centre commercial Fortinbras.

Il ne voulait pas que je retrouve Robby.

Ça m'a rendu furieux et j'ai cogné du revers de la main la gueule du chien qui continuait, aveugle, à me mordre. Du sang a giclé de son museau. Je l'ai frappé une deuxième fois.

La gueule crachait du sang et le chien ne cessait de hurler.

Je me suis mis à hurler plus fort que lui.

Je pataugeais sur place et j'ai levé la tête pour voir à quelle distance je me trouvais du palier.

Il y avait huit marches.

J'ai réussi à me relever, traînant ma jambe massacrée.

Alors, j'ai senti le truc bondir sur mon dos quand il a compris où j'allais.

J'ai pivoté sur moi-même et j'ai pu me débarrasser du truc.

Je me suis débattu dans ce sang, tout en essayant de le chasser à coups de pied.

Je n'ai pu m'empêcher de me vomir dessus et puis j'ai murmuré, « *Je t'entends Je t'entends Je t'entends...* »

Mais cette promesse ne marchait plus.

Le chien a repris des forces et il s'est dressé sur les pattes arrière comme un cheval, menaçant, les ailes déployées de façon obscène, battant, nous couvrant de plus de sang encore.

À cet instant précis, j'ai levé la jambe gauche et sans réfléchir je lui ai donné un coup de pied de toutes mes forces dans la poitrine.

Il a basculé en arrière, en battant des ailes pour tenter de rester en équilibre, mais elles étaient encore trop lestées de sang et de chair, et il est tombé, glissant jusqu'au bas de l'escalier et finissant sur le sol en marbre, dans des hurlements, entreprenant de se remettre d'aplomb avec la précipitation d'un insecte.

Sur le palier, je me suis mis à ramper comme un fou vers la chambre de Robby.

Au-dessous, le truc s'était redressé et remontait l'escalier, en faisant claquer les rangées inégales de crocs qu'était devenue sa gueule.

Je me suis projeté en avant et engouffré dans la chambre de Robby, claquant la porte derrière moi et la verrouillant d'une main trempée de sang.

Le truc s'est jeté contre la porte.

C'est dire à quelle vitesse il était monté.

Je me suis relevé et maladroitement j'ai sautillé sur un pied jusqu'à la fenêtre.

Je me suis effondré devant et j'ai tâtonné pour trouver la crémone.

J'ai regardé derrière moi parce que tout était si calme, soudain.

Au-delà de la traînée de sang que j'avais laissée sur le sol, la porte gondolait.

Et puis le truc a recommencé à hurler.

J'ai ouvert la fenêtre, en équilibre sur la jambe gauche, et j'ai escaladé le rebord, répandant du sang partout.

Je me souviens que lorsque je me suis laissé tomber, je m'en fichais.

Ce ne serait pas une longue chute. Ce serait la fuite. Ce serait la paix.

J'ai atterri sur la pelouse. Je n'ai rien senti. Toute la douleur était concentrée dans ma jambe droite.

Je me suis relevé et je suis parti en boitant vers la Range Rover.

Je me suis hissé sur le siège du conducteur et j'ai démarré.

(Lorsqu'on m'a posé la question, j'ai répondu que je ne savais pas – et je ne peux toujours pas fournir de réponse aujourd'hui – pourquoi je n'étais pas allé chez un voisin après l'attaque.)

Gémissant faiblement, j'ai passé la marche arrière et appuyé sur l'accélérateur du pied gauche.

Une fois sorti de l'allée et immobilisé au milieu d'Elsinore Lane, j'ai vu la 450 SL crème.

Elle venait de Bedford Street et se trouvait à un bloc de moi.

En la voyant arriver, je me suis concentré sur le type qui conduisait : l'air sinistre, déterminé, reconnaissable.

Et, comme si la séquence avait été montée dans mes rêves, Clayton était au volant de la voiture.

Quand j'ai vu le visage de Clayton, j'ai lâché le volant et la Range Rover, toujours en marche arrière, a fait un demi-tour sur elle-même et s'est retrouvée en travers d'Elsinore Lane.

J'ai essayé de reprendre le contrôle de la voiture, alors que la 450 SL continuait d'avancer.

Elle prenait de la vitesse.

Je me suis arc-bouté quand elle a percuté la Range Rover du côté du passager.

La collision a projeté le 4 × 4 par-dessus un trottoir et dans le chêne qui se trouvait au milieu de la pelouse des Bishop, avec une telle violence que le pare-brise a explosé.

Tout s'est mis à sombrer autour de moi.

La 450 SL s'est dégagée de l'épave et a reculé jusqu'au milieu d'Elsinore Lane. La Mercedes n'était pas endommagée.

Il faisait jour, j'ai remarqué que je perdais connaissance.

Clayton est descendu de la voiture et a commencé à marcher vers moi.

Son visage était une lune rouge et floue.

Il portait les vêtements dans lesquels je l'avais vu le jour d'Halloween dans mon bureau à l'université, y compris le pull avec l'aigle imprimé. Le pull que j'avais porté quand j'avais son âge.

De la vapeur s'élevait du capot cabossé de la Range Rover.

J'étais incapable de bouger. Mon corps entier vibrait de douleur. Ma jambe était trempée de sang. Il ne cessait de gicler de la morsure dans mon jean.

« Qu'est-ce que vous voulez ? »

La Range Rover tressautait parce que j'avais le pied coincé contre l'accélérateur.

Le garçon s'est rapproché de moi en flottant, sans se presser, détendu.

À travers mes larmes, j'ai pu distinguer ses traits plus nettement.

« Qui êtes-vous ? Qu'est-ce que vous voulez ? »

Derrière lui, j'apercevais la maison en train de fondre.

Il était maintenant près de ma vitre.

Son regard était d'une telle crudité qu'il avait l'air aveugle.

J'ai essayé de changer de position pour pouvoir ouvrir la portière, mais j'étais bloqué.

« Qui êtes-vous ? » Je criais.

J'ai cessé de poser la question quand j'ai vu ses mains avancer vers moi.

C'est à cet instant-là que je me suis rendu compte qu'il y avait quelqu'un qui était plus important que moi.

« Robby… » Je gémissais. « Robby… »

Parce que Clayton était – et avait toujours été – quelqu'un que je connaissais.

C'était quelqu'un qui me connaissait depuis toujours.

C'était quelqu'un qui *nous* connaissait depuis toujours.

Parce que Clayton et moi étions la même personne.

L'écrivain a soufflé, « *Dors* ».

Clayton et l'écrivain ont soufflé, « *Disparais ici* ».

30

Lundi 11 novembre

Le réveil

J'ai repris connaissance dans une chambre de l'hôpital Midland Memorial, le lendemain de la première opération tentée pour sauver ma jambe. Elle avait duré cinq heures. J'avais dormi plus de vingt-quatre heures.

Lorsque je me suis réveillé, Jayne était penchée au-dessus de moi. Le visage gonflé.

Ma première pensée : Je suis vivant.

Le soulagement a été de courte durée. J'ai vu deux inspecteurs de police dans la chambre.

Ma deuxième pensée : Robby.

J'ai compris qu'ils avaient attendu que je me réveille.

On m'a demandé, « Bret… tu sais où est Robby ? »

La pièce était vide et glacée et j'ai senti quelque chose bourdonner derrière le faux calme. Il y avait dans la question une insistance horrible à peine dissimulée.

J'ai murmuré quelque chose qui a provoqué un malaise. Ce que j'ai murmuré n'était pas ce qu'ils avaient espéré.

Le visage épuisé de Jayne s'est éteint. J'en ai été aveuglé.

Quand on nous a dit que Robby Dennis avait été officiellement déclaré disparu, je n'ai pas pu décrire les sons que Jayne a commencé à émettre, et l'écrivain non plus.

Les fins

Questions que l'écrivain m'a posées : Combien de temps restes-tu accroché à un enfant ? Tu dois décider si ça vaut le coup de retourner vers le monde et, au bout du compte, quelles sont tes options ? Je sais où est allé Robby, mais toi, tu le sais ?

Pendant les premiers jours qui ont suivi la disparition de Robby, j'ai récupéré et subi quatre autres opérations – ma jambe était à ce point amochée – et tout ce temps j'ai été perdu dans le flot compassionnel de la morphine en goutte-à-goutte. La jambe serait finalement sauvée et les docteurs m'ont dit à quel point je devais être reconnaissant, mais la seule chose à laquelle je pouvais penser, c'était Robby. Rien ne pouvait prendre la place qu'il occupait. Nous n'étions conscients que de ça. Nous ne pouvions qu'attendre et puis, le temps passant, nous avons commencé à attendre sans espoir. Mais Jayne ressortait sans cesse de la caverne dans laquelle elle se cachait, et elle en émergeait avec une détermination nouvelle, même après avoir admis que tout était inutile. Pourquoi ? Parce que je lui avais offert quelque chose à quoi s'accrocher avec la déposition que j'avais faite, quand j'avais dit aux autorités de Midland que je pensais que notre fils avait fugué et n'avait pas été enlevé. Quand on m'a demandé pourquoi je croyais à cette « thèse », je me suis vite aperçu que je n'avais rien à leur vendre. Je n'avais pas vu les e-mails adressés aux garçons disparus – ou reçus d'eux ? –, l'après-midi du 5 novembre, puisque l'ordinateur était mort (et lorsque la police a fouillé la maison après l'attaque, l'ordinateur n'était même plus dans la chambre de Robby, et pourtant je leur avais dit que j'étais sûr de l'y avoir vu) et les preuves d'une conspiration (Nadine Allen ivre, les murmures amusés de jeunes garçons dans un centre commercial, les deux cartons de l'Armée du Salut aperçus dans la chambre de Robby – personne ne pouvait établir avec certitude si des vêtements manquaient ou pas – et les douze visites, selon nos estimations, faites à Mail Boxes Etc. pour le seul mois d'octobre, et dont nous ne pouvions comprendre la raison), ces preuves étaient bien trop fragiles pour pouvoir s'y cramponner. Et aussi : qu'est-ce que ça pouvait bien faire qu'ils aient fugué ou aient été enlevés ? Les garçons avaient disparu. Tout ce qu'on savait, c'était que Robby et Ashton avaient été déposés par Nadine Allen au centre commercial Fortinbras, dans la matinée du 10 novembre (selon Nadine, Robby portait un sac à dos), et ils avaient acheté des billets pour un film qui commençait à midi. Selon Ashton, curieusement calme et bizarrement serein, Robby avait murmuré qu'il avait besoin d'aller aux toilettes et il était sorti de la salle. Il n'était jamais revenu. Personne ne l'avait vu traîner dans le centre commercial. Personne ne l'avait vu nulle part ailleurs dans le comté de Midland. Seul l'écrivain l'avait vu disparaître dans son nouveau monde.

Jayne ne pouvait comprendre mon absence de peur ou de colère. Elle trouvait mon désespoir « joué ». Son ressentiment envers mon acceptation a été la cause de notre séparation – presque immédiate. Notre seule consolation : rien de pire ne peut arriver désormais. Je ne voulais pas d'explications parce que, avec elles, mon échec prendrait forme (ton amour était un masque, l'étendue de tes mensonges, l'adulte irresponsable déchaîné, toutes les choses que tu as cachées, l'attirance débile pour le sexe, le père qui n'écoutait jamais rien). L'affaire, au départ, a fait l'objet d'une très grande attention de la part des médias, mais comme Jayne refusait de collaborer, comme on lui demandait de le faire, à l'exhibition de son chagrin, la presse s'en est rapidement désintéressée. Et puis il y avait tellement d'horreurs nouvelles – la bombe sale en Floride, les pirates de l'air qui avaient tué les flics de l'air – que la disparition du fils d'une star de cinéma a été effacée par ce qui devenait l'avenir du pays. Jayne a engagé un détective privé pour s'occuper de l'affaire. (Mais quelle affaire ? Des garçons partent. Il avait disparu. Il avait orchestré cette disparition lui-même, comme l'avaient fait tous les autres.) Jayne s'est retirée du monde pendant que Sarah continuait à demander « Robby revient quand ? », jusqu'à ce que la question se retourne contre elle et que de nouveaux médicaments soient prescrits afin que Sarah devienne aussi catatonique que sa mère. Et même si je savais que Robby ne reviendrait jamais et que Robby nous avait quittés et qu'il avait voulu partir, je demandais encore « Pourquoi ? » L'écrivain murmurait des réponses à mon oreille que j'entendais à moitié avant que l'Ambien ne fasse son effet : *Parce que son courage a été brisé. Parce que tu n'as jamais existé pour lui. Parce que – en fin de compte, Bret – c'était* toi, *le fantôme.*

Pour ce qui est des détails de l'attaque, je n'en ai parlé à personne (comment aurais-je pu ?), même si je me souvenais assez bien de ce qui s'était passé pour avoir à le revivre tous les jours. Les gens semblaient se satisfaire du fait que le chien m'ait attaqué et les preuves étaient assez nombreuses – ma jambe déchiquetée, le sang dans l'escalier jusqu'à la chambre de Robby, le responsable du chenil du Four Seasons confirmant que Victor avait été « instable et mal à l'aise » et « s'était comporté de façon si étrange » qu'il avait fallu le faire sortir – pour que mon histoire soit crédible (et elle était crédible parce que je n'avais jamais mentionné ce qu'avait fait le Terby). Et quand j'ai décrit ce qui s'était passé dans la rue, l'accident entre la Range Rover et la 450 SL – j'ai été accueilli par des réactions sceptiques. Et à ce moment-là, tout le monde a jugé mes souvenirs peu fiables, et j'étais censé me sentir réconforté par l'idée que j'avais perdu trop de sang pour pouvoir me souvenir clairement de quoi que ce soit. Lorsque Ann et Earl Bishop avaient appelé le 911 et couru vers la voiture encastrée dans leur chêne, ils ne se souvenaient pas d'avoir vu un autre véhicule. Le scénario qui paraissait le plus probable : j'avais fait une embardée dans l'allée et perdu connaissance, avant de m'enrouler autour du chêne dans le jardin des Bishop. Il y avait des traces « infimes » (de minuscules traces de peinture crème) d'une « possible » collision avec une autre voiture, mais dans la mesure où il n'y avait pas *une* 450 SL crème immatriculée dans l'État ou dans un État voisin, mon récit de l'accident n'avait pas été pris en considération. Il avait été attribué à une défaillance de la mémoire provoquée par la perte de sang. En d'autres termes, j'avais halluciné la voiture et le garçon marchant vers moi. (Tout ce que dirait l'écrivain : *Le garçon, c'était toi.*) « Victor » n'était pas réapparu non plus. Quelque chose que les autorités avaient tout d'abord estimé être un « chevreuil dépecé » avait été retrouvé ce dimanche après-midi dans les bois derrière la maison. Mais il n'y avait pas de traces de sang depuis la maison à l'endroit où il était mort, ce qui voulait dire que *ce qui* m'avait attaqué ne s'était pas traîné du premier étage, à travers le champ, jusqu'aux bois (l'écrivain a mentionné le fait que quelque chose avait grimpé par la cheminée ; l'écrivain a mentionné le fait que quelque chose avait « volé » au-dessus du champ). Le vétérinaire qui a examiné la carcasse a établi qu'il s'agissait plutôt d'un « coyote » qui avait été, en quelque sorte, « retourné » (je n'ai jamais su exactement ce que c'était en réalité, mais d'après le vétérinaire ce n'était pas Victor). La police qui avait établi le constat sur l'état de la maison avait confirmé l'existence des nids et, au bout du compte, les avait attribués à « un truc qu'a fait votre fils », en dépit du fait que Robby ne suivait aucun cours à Buckley pour lequel il aurait été susceptible de se voir assigner un tel projet. Mais est-ce que ça avait la moindre importance ? Quel rôle avaient joué les nids dans l'« incident malheureux » avec notre chien ? Quand j'avais demandé ce qu'il en était des « objets » dans les nids, on m'avait répondu qu'ils étaient « brisés » et « vides » – il ne restait que des bouts de coquilles. « Pourquoi posez-vous la question, Mr. Ellis ? » m'avait-on demandé, l'air très inquiet, à la limite de l'hostilité (l'écrivain avait murmuré pour que personne ne puisse l'entendre : *Dis-leur qu'ils ont éclos*). Note complémentaire : quand on m'a secouru dans la Range Rover, mes cheveux étaient devenus entièrement blancs.

Je ne suis jamais retourné au 307 Elsinore Lane.

J'ai pensé appeler Robert Miller, mais je n'y suis pas arrivé.

On m'a « autorisé » à donner ma démission à l'université. Quand j'ai vidé mon bureau une semaine après ma sortie de l'hôpital, j'ai finalement regardé le manuscrit que « Clayton » avait déposé le 4 novembre. Intitulé *Nombres négatifs*, il ressemblait au mot près à la toute première version du roman que j'avais écrit au cours du premier trimestre de première année à Bennington – le roman qui est devenu *Moins que zéro*. Il n'en existait qu'un exemplaire avant que je ne le réécrive (et comme les autres, il était sur une étagère, dans un dressing-room, de la chambre de Sherman Oaks). Mais à ce moment-là, j'avais cessé de me demander comment « Clayton » avait pu mettre la main dessus. Quand je suis retourné à LA, j'ai comparé le manuscrit au mien et c'était un double – une réplique exacte. Même les fautes d'orthographe et les erreurs typographiques avaient été retranscrites. La raison pour laquelle j'ai laissé tomber tout ça, c'est que je n'avais aucune information me permettant de penser que « Clayton » ait pu exister. *C'était la voie la plus facile à suivre*, m'a assuré l'écrivain.

Mais Aimee Light avait existé. Et le corps qu'on avait découvert au motel Orsic était bien le sien. L'homme responsable de son meurtre, Bernard Erlanger, s'était présenté à moi sous le nom de Donald Kimball et croyait qu'il était, en fait, Patrick Bateman. Un homme qui était tellement obsédé par un livre et son protagoniste qu'il avait fini par basculer de l'autre côté. Bernard Erlanger, qui avait dirigé, sans succès, une agence de détective privé à Pearce (qui n'avait jamais été affiliée au bureau du shérif du comté de Midland), avait confessé les meurtres dont « Donald Kimball » m'avait parlé à la maison, le 1er novembre. Bernard Erlanger était passé aux aveux après avoir été arrêté devant une résidence de Clear Lake, vêtu d'un costume en lin Armani, d'une chemise en coton et d'une cravate en soie, de richelieus Cole Hahn, et d'un imperméable. Il avait une hache à la main. La résidence appartenait à Paul Owen, soixante-cinq ans, un veuf qui s'occupait d'une librairie indépendante à Stoneboat. Vers 2 h 30 du matin, le dimanche 10 novembre, Paul Owen avait entendu quelqu'un s'introduire chez lui. Il avait appelé le 911. Il s'était enfermé dans sa chambre. Il avait attendu. Quelqu'un avait essayé d'ouvrir la porte. Il s'était écoulé un bref instant avant que Bernard Erlanger ne se mette à cogner sa hache contre la porte, à plusieurs reprises avant qu'une voiture de police n'arrive. Il avait été arrêté et sans même être interrogé il avait spontanément avoué les meurtres de Robert Rabin, Sandy Wu, Victoria Bell et Aimee Light, ainsi que l'agression contre Albert Lawrence, la personne de passage qu'il avait aveuglée en décembre, l'année précédente. Je ne voulais rien savoir de plus sur Bernard Erlanger. Je ne voulais pas croire que Bernard Erlanger eût la moindre chose à voir avec les meurtres dans le comté de Midland, parce que je voulais croire que le tueur n'avait jamais existé. Je n'avais jamais douté des crimes – ils avaient effectivement eu lieu et les gens avaient été brutalement tués. Mais je voulais croire que le tueur était fictif. Que son nom était Patrick Bateman (et non Bernard Erlanger ou même Donald Kimball) et que, pendant une brève période au cours d'une année, il était devenu réel, comme tant de personnages de fiction finissent par le devenir pour leur créateur – et pour leurs lecteurs. La raison pour laquelle je voulais le croire (et une partie de moi le veut encore), c'est que j'ai terminé d'écrire l'histoire où Patrick Bateman meurt sur un ponton en flammes, au Bel Air Hotel, à l'instant même où la police de Clear Lake est arrivée à la résidence de Paul Owen.

Quatre semaines après la déclaration officielle de la disparition de Robby, Ashton Allen disparaissait à son tour.

Jayne a quitté le comté de Midland et s'est installée à New York, tout comme moi. Elle voulait le divorce, et il n'y avait rien à négocier, mais j'ai tout de même appris quelques trucs. Je n'avais pas su qu'il y avait une maison à Amangensett que Jayne avait achetée récemment pour la famille, ou qu'elle avait déjà organisé un voyage de Noël un peu compliqué à Londres et qui devait être une surprise (et était annulé à présent, bien sûr). Lorsque j'étais arrivé dans le comté de Midland cet été-là, je n'avais pas fait attention au fait que Jayne voulait construire un long avenir avec son mari. Elle avait vraiment désiré que les choses marchent entre nous. Mais elle aurait dû savoir que j'étais parfaitement transparent. Elle aurait dû savoir que la raison de ma présence n'avait rien à voir avec elle, mais avec le fait que j'essayais simplement de trouver un endroit où je pourrais retrouver l'envie de vivre. La procédure du divorce m'a paru singulièrement dépourvue de sens, dans la mesure où nous étions à peine mariés. Mais son avocat a insisté. Jayne voulait une rupture définitive et ne plus avoir quoi que ce soit qui nous lie. Je pouvais lui accorder ça : plus de contact avec elle ou Sarah. J'étais dans une grande détresse, mais j'ai expliqué à mon avocat que nous adopterions une stratégie d'acceptation. J'ai donc rencontré nos avocats respectifs (des hommes que nous avons payé 600 dollars l'heure pour nous aider à tout conclure) par un doux après-midi pluvieux d'avril dans un bureau de l'Empire State Building. Je les ai priés de bien vouloir m'excuser pour mon retard. Mon excuse : « Je n'étais jamais entré dans l'Empire State Building auparavant. » Un silence imposant a rempli la pièce, semblait-il, après que j'eus fait cet aveu. Des mains ont été tendues, des sourires forcés échangés. J'ai eu du mal à rester éveillé à cause de l'héroïne que je consommais quotidiennement désormais. Comme dans une chambre d'écho, j'ai entendu quelqu'un dire que, dans la mesure où il n'y avait pas eu de contrat de mariage, ce point allait-il faire « problème » au cours de la procédure ? Non. Notre fils avait disparu, le mot de « garde » n'a donc jamais été mentionné. Jayne a renoncé à une pension alimentaire. Mon avocat a passé en revue avec lassitude le reste des clauses. Jayne avait minci et ne m'a absolument rien dit, ce qui m'a fait penser à une époque où nous étions proches au point de pouvoir terminer nos phrases respectives. Elle n'arrêtait pas de replacer une mèche de cheveux derrière son oreille, geste que je ne l'avais jamais vue faire auparavant et qu'elle a répété sans fin au cours des quarante-cinq minutes passées dans le bureau de son avocat. Nous étions si haut au-dessus de la ville que j'étais obligé de me concentrer sur le grand bureau en chêne pour ne pas être pris de vertige. Ce que la fenêtre encadrait était une photo aérienne. J'envisageais l'Europe quand je me suis posé la question « Pourquoi Jayne et moi avons-nous choisi la solution de facilité ? » Mais c'était déjà terminé. Les papiers avaient été signés. J'ai été le premier à sortir du bureau. Quand j'ai appuyé sur le bouton d'appel de l'ascenseur, j'ai dû serrer les dents pour m'empêcher de pleurer. Je me suis rassuré en touchant dans mon imperméable le pistolet que je trimballais partout maintenant. Sur la Cinquième Avenue, j'ai eu du mal à lever le bras pour arrêter le taxi qui me ramènerait à l'appartement de la 13e Rue, l'endroit dans lequel je m'étais installé à mon arrivée au printemps 1987, lorsque j'étais un jeune romancier célèbre et que je ne savais rien sinon que la chance ne cessait de souffler sur moi, un endroit où on aurait dit que j'avais eu toutes sortes d'époques, un endroit où la célébrité semblait être une bonne idée, et où le flash d'une cellule photoélectrique avait été mon seul guide. Et maintenant je vivais avec un jeune sculpteur du nom de Mike Graves (qui avait environ douze ans de moins que moi) et parfois il était dans l'appartement de la 13e Rue et parfois il était dans son studio à Williamsburg. Je me suis retrouvé dans cette relation sans savoir ce que je faisais ou de qui j'avais besoin, et je supposais qu'il éprouvait la même chose, ou du moins je l'espérais. Il avait quelque chose de sombre, de résolu, qui me faisait vaguement réagir, et j'aimais la façon dont il se serrait contre moi, dont il faisait glisser ses doigts sur les cicatrices de ma jambe, et j'avais besoin de lui au petit matin, en été, quand les éclairs me réveillaient de mes cauchemars, quand je m'agitais dans un demi-sommeil, agrippant sa main et murmurant le nom de mon fils.

J'ai demandé au taxi de me laisser sur la Troisième Avenue, à un demi-bloc de l'appartement, et je suis entré d'un pas léger chez Kiehl's pour acheter un shampooing spécial que Mike utilisait chez moi. Depuis les haut-parleurs de la boutique, on entendait Elton John chanter *Someone Saved My Life Tonight*, et la chanson m'a suivi sur le trottoir dans la Troisième Avenue. C'était une chanson que mon père avait aimée et, un soir, alors que nous roulions dans Westwood pendant l'été 1976 et que j'avais douze ans, il m'avait même demandé qui la chantait, et quand je le lui avais dit, il avait monté le volume, et je lui avais été reconnaissant du fait qu'il ait aimé la chanson. Devant Kiehl's, je suis tombé sur un type qui était avec moi à l'université, qui était arrivé à Manhattan la même année que moi, qui venait de divorcer pour la deuxième fois (cette femme l'avait quitté pour un membre de l'équipe des Mets et je me souvenais vaguement d'avoir lu un truc là-dessus). Il était bronzé et avait les cheveux un peu gris – ce que j'ai remarqué immédiatement et soudain j'ai eu honte de la coloration que je m'étais fait faire la veille au Avon Center dans Trump Tower. Il avait lu un article concernant la disparition de mon fils (me prenant même la main au moment où il m'a dit à quel point il était désolé, un type que je connaissais à peine) et il a fait un commentaire un peu narquois sur ma rupture avec Jayne (« Le mariage, c'est l'amour et le divorce, l'argent »), et lorsque j'ai répondu à certaines questions, il a fait cette remarque : je parlais trop lentement. J'ai agité en vain les mains, pour essayer d'expliquer des choses. Il sortait tout juste d'une cure de désintoxication et, comme nous comparions nos notes sur la question, j'ai bien vu – alors qu'il s'éloignait rapidement – qu'il voyait que j'étais pété. Ses derniers mots ont été « Bon, à la prochaine, peut-être ? » J'ai traversé la rue pour entrer dans un *deli* au coin, où j'ai acheté le *Post* parce que je lisais mon horoscope (et celui de Robby) tous les jours (laissez-vous guider par les feuilles de thé, évitez la tragédie, ignorez les pentacles, devinez l'allusion, réconciliez-vous avec l'avenir, embrasement possible, réveil du dormeur). Rentrant lentement vers l'appartement, je me suis arrêté au milieu du bloc et je me suis retourné. Quelqu'un avait chanté tout doucement derrière moi, mais il n'y avait plus personne. La chanson était tellement familière que j'en ai frissonné. Mais ce n'est qu'une fois allongé dans mon appartement vide que je me suis souvenu que c'était *On the Sunny Side of the Street*.

Et j'ai alors flotté vers un endroit très tendre, entouré de toutes les photos encadrées de Robby que j'avais découpées dans les journaux et les magazines parlant de sa disparition. Cet autel macabre dédié à sa biographie se déployait sur une étagère au-dessus de mon lit (« Ton sombre trône », disait Mike, avec la chair de poule). L'héroïne progressant en moi, j'ai pensé à la dernière fois que j'avais vu mon père vivant. Il était ivre et gros dans un restaurant de Beverly Hills, et recroquevillé sur moi-même dans mon lit, j'ai pensé : Et si j'avais fait quelque chose ce jour-là ? J'étais resté assis, passif, à la table du restaurant, dans Maple Drive, alors que la lumière de la mi-journée envahissait la salle à moitié vide, en train de peser le pour et le contre. La question était : Devrais-je le désarmer ? Je me souvenais du mot : désarmer. Devrais-je lui dire quelque chose qui n'est peut-être pas vrai, mais produirait l'effet désiré ? Et de quoi allais-je le persuader, même si c'était un mensonge ? Et quelle importance ? Peu importe ce que c'était, ce serait un nouveau commencement. La réplique à dire : *Tu es mon père et je t'aime.* Je me souviens d'avoir fixé la nappe blanche pendant que j'envisageais de le dire. Étais-je capable de la prononcer ? Je n'y croyais pas et elle n'était pas vraie, mais je voulais qu'elle le soit. L'espace d'un instant, pendant que mon père commandait une autre vodka (il était deux heures de l'après-midi ; il en était à sa quatrième) et se mettait à se plaindre de ma mère et de l'effondrement de l'immobilier en Californie, et du fait que « tes sœurs » ne l'appelaient jamais, j'ai compris que c'était possible et qu'en le disant je pourrais le sauver. J'ai tout à coup vu un avenir avec mon père. Mais l'addition est arrivée en même temps que la vodka et j'ai été arraché à ma rêverie par une dispute qu'il voulait entamer et je m'étais simplement levé et éloigné de la table sans même me retourner pour le regarder ou lui dire au revoir, et je m'étais retrouvé dehors au soleil, desserrant ma cravate au moment où un voiturier venait se garer devant moi dans la 450 SL crème. J'ai vaguement souri à ce souvenir, en pensant que je pouvais oublier le mal qu'un père peut faire à son fils. Je ne lui avais jamais reparlé. C'était en mars 1992 et il est mort au mois d'août suivant dans la maison de Newport Beach. Dans mon lit de la 13e Rue, j'ai compris l'unique chose que j'étais en train d'apprendre de mon père : à quelle solitude les gens se condamnent. Mais j'ai aussi compris ce que je n'avais pas appris de lui : qu'une famille – si vous le permettez – vous donne de la joie qui vous donne à son tour de l'espoir. Que nous avions tous les deux échoué à comprendre que nous partagions le même cœur.

Il y avait encore une dernière histoire à écrire.

Je suis retourné à Los Angeles en août et dans l'après-midi de l'anniversaire de la mort de mon père j'ai attendu sur le parking du McDonald de Ventura Boulevard à Sherman Oaks. Il était 2 h 30. Après avoir un peu récupéré, j'ai laissé ma voiture et je suis parti en boitant jusqu'au restaurant (je me servais encore d'une canne). J'ai commandé un hamburger, un petit sachet de frites, un Coca enfant – je n'avais pas faim – et j'ai emporté mon plateau jusqu'à une table près de la fenêtre. La 450 SL était arrivée dans le parking à 2 h 40 précises. Un garçon – dix-sept, peut-être dix-huit ans – qui ressemblait de façon frappante à Clayton est descendu de la voiture. Il était plus grand à présent, j'ai remarqué, et il avait les cheveux plus courts, et en dépit des lunettes de soleil qu'il portait, je l'ai reconnu immédiatement. Je retenais mon souffle. Je l'ai observé alors qu'il s'approchait, un peu hésitant, de l'entrée. Il projetait une ombre – c'était une preuve. Une fois à l'intérieur, il m'a repéré et s'est dirigé avec beaucoup d'assurance vers la table où j'attendais en tremblant. Le monde est devenu silencieux. J'ai fait semblant d'être occupé à défaire le papier qui enveloppait le hamburger et puis je l'ai approché de mes lèvres et ai pris une petite bouchée. Robby était assis en face de moi, mais je ne pouvais pas le regarder ou dire quoi que ce soit. Il était silencieux lui aussi. Quand j'ai levé les yeux, il avait retiré ses lunettes de soleil et il me regardait avec un air triste. Je me suis mis à pleurer tout en mâchant mon hamburger, et je me suis essuyé le visage en essayant d'avaler. Tout ce que j'ai pu dire avant de me tourner a été, « Je suis désolé.

— Ça va, a-t-il dit tout bas. Je comprends. »

Sa voix était plus grave – il était plus vieux à présent, plus du tout le garçon timide que j'avais connu pendant ces quelques mois à Elsinore Lane – et il y avait quelque chose en lui qui laissait voir qu'il avait pardonné. Sa vie secrète l'avait rendu moins sombre, moins maussade. Quelque chose avait été résolu pour lui. L'acteur avait disparu.

Il fallait que je me tourne parce que j'étais sur le point de craquer.

« Pourquoi es-tu parti ? suis-je parvenu à dire d'une voix éraillée. Pourquoi nous as-tu quittés ?

— Papa. » Le mot ne sonnait plus comme autrefois. Il a posé sa main sur la mienne. C'était réel. Je la sentais. « Tout va bien. »

J'ai tendu la main et touché son visage avec la paume de mon autre main, et alors sa timidité est revenue et il a baissé les yeux.

« Ne t'inquiète pas. Je ne suis pas perdu. »

Il l'a redit, « Je ne suis plus perdu ».

Je voulais une autre chance, mais la honte me faisait redouter sa réponse. J'ai demandé quand même. « Robby, ai-je dit en m'étouffant, le visage mouillé. S'il te plaît, reviens. »

Mais tout ce qu'il a vu en fin de compte a été le sourire épanoui de l'acceptation.

Il était dehors, me regardant une dernière fois à travers la fenêtre.

Il regardait cette histoire avec affection.

J'ai remarqué que mon fils avait laissé un dessin : un paysage lunaire. Il était si détaillé que j'ai dû prendre mon temps pour l'étudier, me demandant quelle patience il avait fallu à mon fils pour dessiner ce paysage lunaire. D'où venait cette intention ardente et incessante ?

J'ai vu aussi qu'il y avait un mot écrit dessus et j'ai touché le mot du doigt.

Je ne savais pas ce qui l'avait amené jusqu'ici. Je ne savais pas ce qui l'avait appelé au loin.

Il était retourné vers la contrée où tout garçon contraint au courage et à la vivacité d'esprit se réfugie : une vie nouvelle. Où qu'il aille, il n'a pas peur.

La 450 SL crème est sortie du parking et a tourné à droite dans Ventura Boulevard, se glissant dans le flot des voitures jusqu'à ce qu'elle disparaisse, et l'histoire était finie.

La rencontre n'avait duré que quelques minutes, mais lorsque je suis reparti en boitant vers ma voiture, c'était déjà le crépuscule.

En face du McDonald, de l'autre côté de la rue, se trouvait la Bank of America où étaient entreposées les cendres de mon père. Ce que je n'avais raconté à personne, c'était ce qui s'était produit le 9 novembre, lorsque j'étais venu les récupérer. Quand j'avais ouvert le coffre ce jour-là, l'intérieur était couvert de cendres grises. L'urne qui contenait ce qui restait de mon père avait explosé et les cendres tapissaient les parois du coffre. Et dans la cendre quelqu'un avait écrit, peut-être du bout du doigt, le même mot que celui que mon fils avait écrit sur le paysage lunaire qu'il m'avait laissé.

Dans le bateau de pêche qui nous a emmenés au-delà des brisants sur le Pacifique, nous avons finalement accordé le repos à mon père. Au moment où les cendres se sont envolées dans l'air marin, elles se sont déployées dans le vent et mises à revenir vers nous, etombant dans le passé et recouvrant les visages qui y raînaient encore, couvrant tout de leur poussière, et uis les cendres ont fait naître un prisme et commencé former des figures et à refléter les hommes et les emmes qui avaient créé lui et moi et Robby. Elles se ont déplacées au-dessus du sourire d'une mère et elles nt projeté une ombre sur la main tendue d'une sœur et elles ont dérivé au-delà de toutes les choses que tu voulais partager avec tout le monde. *Je veux te montrer quelque chose*, murmuraient les cendres. Tu regardais les cendres continuer à s'élever et à danser à travers une multitude d'images du passé, replongeant et puis remontant dans l'air, et les cendres se sont élevées au-dessus d'un jeune couple, les yeux au ciel, et puis la femme a dévisagé l'homme et il avait une fleur à la main et les cœurs battaient fort en s'ouvrant lentement et les cendres sont tombées en travers de leur premier baiser et puis sur un jeune couple poussant un bébé dans sa poussette au Farmer's Market et finalement les cendres ont virevolté à travers un jardin et ont été chassées en direction du stuc rose de la première – et unique – maison qu'ils avaient achetée ensemble, dans une rue appelée Valley Vista, et puis les cendres ont tourbillonné dans un couloir et derrière les portes se trouvaient les enfants, et les cendres ont croisé des ballons dans l'air et ont soufflé doucement sur les flammes des bougies dansant délicatement sur le gâteau acheté chez le pâtissier sur la table de la cuisine le jour de ton anniversaire, et elles ont gravité autour de l'arbre de Noël qui était au centre de la salle de séjour et ont fait pâlir les petites lumières colorées suspendues à l'arbre, et les cendres ont suivi le vélo de course sur lequel tu pédalais quand tu avais cinq ans, et puis elles ont dérivé vers le toboggan jaune et mouillé sur lequel tes sœurs et toi jouiez, et elles ont flotté dans l'atmosphère et atterri sur les frondaisons des palmiers entourant la maison et un verre de lait que tu tenais, enfant, et ta mère en robe de chambre te surveillant pendant que tu nageais dans une petite piscine d'eau claire et une pellicule de cendres se déposait à la surface, et ton père te jetait dans la piscine et tu éclaboussais joyeusement tout autour, et on entendait une chanson pendant qu'une famille roulait vers le désert (*Someone Saved My Life*

Tonight, dit l'écrivain) et les cendres tachaient les Polaroïds de ta mère et de ton père, jeunes parents, et tous les endroits où nous sommes allés en famille et la petite piscine continuait à faire de la vapeur derrière eux avec l'odeur des gardénias montant dans l'air de la nuit, vacillant dans la chaleur, et il y avait un petit golden retriever, un chiot, adorable, bondissant à côté de la piscine, extatique, courant après le Frisbee, et les cendres ont recouvert les Lego qui étaient étalés devant toi et le matin il y avait ta mère qui faisait au revoir de la main et t'appelait doucement, et les cendres continuaient à tournoyer dans l'espace avec des enfants qui leur couraient après, et elles ont couvert de poussière les touches du piano sur lequel tu jouais et le jeu de backgammon sur lequel ton père et toi vous affrontiez, et elles ont atterri sur le rivage à Hawaï dans une photo des montagnes partiellement cachées par le reflet sur l'objectif et elles ont assombri un coucher de soleil orange au-dessus des dunes ondulées de Monterey et elles se sont mises à pleuvoir sur les tentes roses d'un cirque et une grande roue à Topanga Canyon et elles ont noirci une croix blanche qui se dressait sur une colline à Cabo San Lucas, et elles se sont cachées à l'intérieur des pièces de la maison de Valley Vista et derrière la rangée de portraits de famille, dérivant sur tous les rendez-vous annulés et les avions ratés, les désirs non exaucés et les déceptions confirmées, et très vite elles ont recouvert tous les miroirs dans toutes les pièces où nous vivions, nous cachant nos propres imperfections au moment où les cendres ont circulé dans nos veines, et elles ont suivi le garçon sombre qui s'est enfui, le fils qui a découvert ce que tu es, et tout le monde était trop jeune pour comprendre que notre vie se repliait sur elle-même – c'était tellement idiot et touchant de penser à un moment donné que, d'une certaine façon, nous serions tous épargnés, mais les cendres ont continué à progresser et recouvert une ville entière avec un nuage s'éloignant poussé par le vent et ne cessant de monter et les images ont commencé à devenir plus petites et je pouvais voir la petite ville où il était né alors que les cendres passaient au-dessus des montagnes du Nevada, se mélangeant à la neige qui tombait là et qu'elles traversaient une rivière, et puis j'ai vu mon père marcher vers moi – il était de nouveau enfant et il souriait et il m'offrait une orange qu'il tenait des deux mains, tandis que les chiens de chasse de mon grand-père couraient de l'autre côté de la voie ferrée après les cendres se déposant sur leur pelage, et les cendres se sont mises à déteindre dans les images et ont dérivé vers sa mère pendant qu'elle dormait et ont recouvert le visage de mon fils qui rêvait de la lune et dans son rêve elles en assombrissaient la surface en volant au-dessus d'elle, mais après leur passage la lune était plus brillante que jamais, et les cendres sont tombées en pluie vers la terre, virevoltantes, scintillantes à présent, et bientôt ont été absorbées au sein d'une vision de lumière dans laquelle les images ont commencé à se désagréger. Les cendres s'effondraient sur tout et suivaient les répercussions. Elles étaient tamisées au-dessus des tombes de ses parents et finalement elles entraient dans le monde froid, éclairé, des morts où elles perlaient de l'autre côté des enfants qui se trouvaient dans le cimetière et puis quelque part à l'autre bout du Pacifique – après être passées en les froissant sur les pages de ce livre, se répandant sur les mots et en créant de nouveaux – elles ont commencé à sortir du texte, se perdant quelque part hors de ma portée, et puis elles ont disparu, et le soleil a changé de position et le monde a oscillé et puis il est passé à autre chose, et même si tout était fini, quelque chose de nouveau avait été conçu. La mer a atteint le bord d'une terre où une famille, en silhouette, nous regardait jusqu'à ce que

le brouillard les dissimule. À ceux d'entre nous qui sont distancés : je me souviendrai de vous, vous étiez ceux dont j'avais besoin, je vous ai aimés dans mes rêves.

Alors, si vous deviez voir mon fils, faites-lui savoir que je lui dis bonjour, sois bon, que je pense à lui et que je sais qu'il veille sur moi quelque part, et qu'il ne s'inquiète pas : il peut toujours me retrouver ici, quand il veut, ici même, mes bras grands ouverts l'attendent, dans les pages, sous la couverture, à la fin de *Lunar Park*.

Bret Easton Ellis

Moins que zéro

Jeune milliardaire californien, Clay nage dans le luxe, le calme… et la cocaïne. Le cocktail sexe, drogue et rock'n roll rythme son quotidien de yuppie désœuvré, uniquement préoccupé par son bronzage, ses doses de poudre blanche et les clips de MTV. D'une écriture dépouillée et aiguisée, Ellis dresse le portrait saisissant d'une génération du vide et du mortel ennui, désinvolte et cynique, véritable « désincarnation » du rêve américain.

n°1914 – 7 €

DOMAINE ÉTRANGER, DES ROMANS D'AILLEURS ET D'AUJOURD'HUI

Bret Easton Ellis

Zombies

Dans un Los Angeles saturé de dollars et d'excés, les femmes délaissées par leurs riches maris maquillent les cicatrices de leur dernier lifting, se nourrissent au valium et se consolent dans les bras de jeunes garçons. Leurs fils, des étudiants bien bronzés et surtout blazés, se bourrent de cocaïne en regardant MTV. Avec ces treize tranches de vie croquées sur
le vif, Bret Easton Ellis dénonce ce vide béant et ce mal être, qui font ressembler ses personnages à des hordes de zombies.

n° 2953 – 7€

Impression réalisée par

La Flèche (Sarthe), 59680
N° d'édition : 4303
Dépôt légal : septembre 2010

X05113/01

Imprimé en France